Nubosidad variable

Carmen Martín Gaite

Nubosidad variable

EDITORIAL ANAGRAMA
BARCELONA

Portada:
Julio Vivas
Ilustración: «Petición de socorro», collage de la autora

Primera edición: abril 1992
Segunda edición: mayo 1992
Tercera edición: mayo 1992
Cuarta edición: junio 1992

© EDITORIAL ANAGRAMA, S.A., 1992
  Pedró de la Creu, 58
  08034 Barcelona

ISBN: 84-339-0938-X
Depósito Legal: B. 24.009-1992

Printed in Spain

Libergraf, S.A., Constitució, 19, 08014 Barcelona

Cuando he escrito novelas, siempre he tenido la sensación de encontrarme en las manos con añicos de espejo, y sin embargo conservaba la esperanza de acabar por recomponer el espejo entero. No lo logré nunca, y a medida que he seguido escribiendo, más se ha ido alejando la esperanza. Esta vez, ya desde el principio no esperaba nada. El espejo estaba roto y sabía que pegar los fragmentos era imposible. Que nunca iba a alcanzar el don de tener ante mí un espejo entero.

NATALIA GINZBURG,
Preámbulo a *La città e la casa*

Para el alma que ella dejó de guardia permanente, como una lucecita encendida, en mi casa, en mi cuerpo y en el nombre por el que me llamaba.

I. PROBLEMAS DE FONTANERÍA

Ayer, después de casi dos meses de tiempo inseguro y chaparrones intermitentes, que según parece han sido agua bendita para el campo, estalló por fin la primavera y la sentí bullendo provocativa a través de los cristales de la ventana. Fue la sombra fugaz de una paloma la que reveló, al desaparecer, ese raudal de luz que todo lo invadía con el asalto de su llamada, un tirón anacrónico hacia aventuras ya imposibles. Me acordé de que había soñado con Mariana León. Estábamos tumbadas en el campo mirando las nubes; antes habían pasado otras muchas cosas no tan placenteras, creo que me perseguían porque estaba implicada en un atentado, y es posible que allí encima de la hierba se lo estuviera contando a Mariana, aunque no estoy segura, ni tampoco de que ella viniera conmigo cuando lo de la persecución. De los sueños aterriza uno con la cabeza tonta y siempre se han perdido cosas fundamentales. La luz que entraba por la ventana, aunque parecida a la del sueño, solamente consiguió hallar eco en la arritmia de mi respiración, como un aleteo de mariposas agonizantes.

Eduardo ya se había levantado. Sin apartar los ojos de la ventana, estuve un rato inmóvil oyendo el ruido de la ducha, que venía a aumentar mi desazón colándose por la puerta del cuarto de baño.

Odio ese cuarto de baño, aunque haya quedado precioso. El otoño pasado nos gastamos tres millones en reformarlo por todo lo alto, aprovechando para la ampliación el antiguo dormitorio de Lorenzo que se convirtió en un vestidor con pared de espejo. «Mejor dejarlo muy bien, porque la casa se revaloriza, caso de venderla —dijo Eduardo, que desde hace algún tiempo no habla más que de dinero—, ¿tú sabes lo que se paga ahora el metro cuadrado en esta zona?» Bueno, al fin y al cabo había que decidirse a levantar todas las cañerías y sustituirlas por otras de cobre para que se acabaran de una vez los conflictos con los vecinos del séptimo, ésa ya me pareció una razón de más peso. Durante años han estado subiendo a protestar por las manchas de humedad que brotaban esporádicamente en el techo de su vivienda y a exigirnos diagnóstico y remedio para lo que acabó revelándose como incurable epidemia. Los síntomas del mal, aquellas marcas imprevisibles en el piso de abajo, iban pautando —me doy cuenta ahora— el proceso correlativo de mi propia erosión, el deterioro del entusiasmo, de las ilusiones, de mi fuerza de voluntad y de mis capacidades más que discutibles como madre y esposa.

Cuando Eduardo empezó a ganar más dinero y nos mudamos a esta casa, nuestros hijos eran pequeños —Encarna nueve años, Lorenzo ocho y Amelia dos, creo— y a los vecinos del séptimo les pusieron de mote «la familia del burro flautista», porque el chico mayor se pasaba las horas muertas tocando el clarinete en su cuarto. Se le veía por la ventana del patio, aplicándose a su tarea con gesto ceñudo, sin que pueda decirse que escucharle fuera un transporte para los sentidos. Tampoco daba la impresión de que sus padres hubieran descubierto la pólvora, eran bastante protervos, y dejando aparte las enojosas cuestiones de fontanería que nos obligaban a relacionarnos con ellos, nunca había existido entre nosotros el menor asomo de cordialidad. Para mí su existencia era un tormento. Cada vez que llamaban a la puerta y se presentaba la señora del pelo teñido y los labios finos, que a duras penas encubrían el reproche bajo una sonrisa cortés, me veía asaltada por esa sensación alevosa e inconfundible que desde niña se me viene encima cuando menos lo espero como un nubarrón sobre mi alegría: la necesidad de justificarme ante otro de culpas que no recuerdo haber cometido.

12

—Pero ¿otra vez? No puede ser, señora Acosta, si hace cinco meses vino el fontanero, acuérdese, y se les pagó a ustedes la cuenta de los pintores. Si precisamente...

—Entonces, ¿qué me quiere decir?, ¿que lo estoy inventando? Baje conmigo y se convencerá.

Bajaba, precedida por ella, los veintiún peldaños de mármol que separan nuestras viviendas. Solía ser un trayecto silencioso. El hall lo tenían empapelado en dorado con relieves de inspiración marinera, y todo lo que se veía a través de las puertas, conforme avanzábamos por el pasillo, rezumaba la misma ostentación fría y de mal gusto, que ya llegaba al colmo en la alcoba matrimonial, toda rasos y muebles pompeyanos, por la que había que cruzar sin remedio para llegar a la meta de la discordia.

Aquellas visitas de exploración a la casa de abajo, rematadas por la consiguiente decisión de volver a llamar a un fontanero, me dejaban un rastro de inquietud que tardaba en cicatrizar, porque se sabía que la herida volvería a abrirse por otra parte el día menos pensado. Las manchas de humedad, de cuya irrupción me veía obligada a responsabilizarme, no aparecían nunca en el mismo sitio, y el esfuerzo preciso para hacerlas coincidir desde el piso de abajo con el punto culpable que las originaba requería una concentración que no me estaba permitido esquivar, pero que todo mi organismo rechazaba. Y lo peor era que la señora del séptimo se había dado cuenta, con la refinada malicia de un torturador, del dominio que ejercía sobre mis vacilantes humores a través de aquella investigación doméstica, y se gozaba en acorralarme con su interrogatorio.

—Debe ser el lavabo esta vez. ¿No tienen ustedes el lavabo en aquella esquina?

—Pues no sé, no me oriento.

Fiscalizada por los ojos azules y fríos de mi vecina, miraba al techo, como quien contempla un mapa desconocido sobre el que hay que tomar posiciones para decidir una batalla inútil.

«Es una pesadilla —pensaba a veces—, tengo que estar so-

13

ñando. Seguro que me despierto y las dos nos reímos sentadas en el suelo que se convierte en hierba, y el retrete en un manzano frondoso, y las manchas del techo en nubes movedizas, de cuyo cambiante dibujo nadie te pide cuentas, vivir *day to day*, nubes deshilachadas rodando sobre nuestras cabezas, sugiriendo imágenes de libertad y aventura, seguro que desaparecen la casa de arriba y Eduardo y el marido de esta señora con su bigote canoso, y miro a esta señora y es Mariana León y nos despertamos a buen recaudo del futuro, dos amigas del instituto riéndose a carcajadas sobre una alfombra primaveral, saboreando la complicidad de haber faltado a clase, mientras se comen un bocadillo y hablan de lo tontos que son los chicos.»

Pero aquello, claro, nunca ocurrió ni llegó a aliviarse tampoco posteriormente la relación tensa que, por culpa de las sucesivas obras de fontanería, manteníamos con la familia del burro flautista. La reciente reforma megalómana de nuestro cuarto de baño, proyectada por un arquitecto amigo de Eduardo, aparte del martirio que supuso para mí, obligada a interesarme por la marcha de las obras, por el color de los azulejos y la forma y tamaño de la nueva bañera, ha intensificado la hostilidad de la señora Acosta, que, al parecer, sufre de los nervios y no podía soportar aquellos golpes sobre su cabeza que duraron casi un mes.

—Ni que estuvieran ustedes construyendo el Monasterio del Escorial —le dijo su marido al mío un día que se lo encontró en el ascensor.

Y aunque él, al comentármelo, estaba indignado por la grosería, a mí me hizo gracia, y pensé que tenían razón los vecinos del séptimo, porque yo era la primera en estar al borde del ataque de nervios con tanto trasiego de operarios y desalojo de cascotes, pero no me atreví a reírme delante de Eduardo, con lo que nos reíamos antes siempre por cualquier cosa; ahora se toma a sí mismo más en serio, y al dinero ya no digamos, es su panacea. Y a la fuerza tiene que ser la mía también.

Salió ya vestido del cuarto de baño y, al rodear la cama para abrir un cajón de la cómoda, su figura se interpuso entre

14

mis ojos y la luz de la ventana. Me pareció un extraño y, al cruzarse nuestras miradas, la mía debía acusar aquella impresión, porque noté que se quedaba intimidado, como siempre que no encuentra el reflejo incondicional que precisa para refrendar su nueva imagen. Últimamente se compra mucha ropa, entre lujosa e informal, creo que va a la sauna y se peina con gomina. Los chicos hablan poco de él cuando voy a verlos, pero le llaman «pared de mampostería», no sé si por las obras que siempre está inventando, por el pelo tan pegado o porque él mismo se ha convertido en una especie de pared que no deja resquicios para que se cuele ningún problema de los que no se pueden zanjar a base de dinero. Yo no sé qué hacer cuando los chicos hablan en este tono de Eduardo, por una parte tienen razón, pero lo acepto mal, la educación que he recibido no me había preparado para que algún día llegara a verme en situaciones así. A él los chicos está claro que cada vez le importan menos, que le basta con tenerlos lejos, apenas se pronuncia su nombre entre nosotros ahora. Debe ser culpa mía, nunca encuentro el momento. Pero tampoco se trata de culpas, es que las cosas no son tan fáciles, hay mucho mar de fondo.

Se había parado junto a la cama y miraba el cenicero lleno de colillas, mi ropa en desorden sobre la butaquita y un libro tirado en el suelo. Yo seguía sin moverme. Cerré los ojos.

—¿Te pasa algo? —me preguntó—. No sueles despertarte tan temprano.

—Es que he tenido un sueño muy raro y estaba tratando de acordarme de cómo era. Me duele un poco la cabeza.

—¡Qué manía tienes de no tomar la pastilla!

—Algún día tendré que desacostumbrarme. Además, los sueños no son siempre desagradables. El de hoy era muy bonito.

Busqué su mirada pero no la encontré. Vi que se estaba haciendo el nudo de la corbata delante del espejo. Pero su voz no era tan imperturbable como su actitud cuando me preguntó a qué hora me había dormido.

—Oí dar las tres, me parece. No habías llegado tú todavía.

Cambió de conversación, y en el fondo se lo agradecí. Pero otra de las cosas que ha perdido es aquella gracia que tenía en tiempos para inventar una conversación atractiva, cuando quería distraerme de otra que amenazaba con no serlo tanto. Podría haberse sentado unos minutos en la cama y preguntarme con qué había soñado. Ya sé que es pedir gollerías, pero me hubiera gustado, y también lo siento por él, porque daba mucho juego aquello de cultivar la interpretación de los sueños, cuando lo hacíamos.

No se prestó a ello, como era de esperar. Así que el nombre de Mariana León no salió a relucir esa mañana entre nosotros. Tal vez fuera mejor. Y si fue peor, da lo mismo. Las cosas que pasan —como dice mi hijo Lorenzo—, pasan y punto, mamá, no le des más vueltas.

De reojo, le miraba demorarse en la labor de dejarse impecable el nudo de la corbata, y aunque no dejaba de hablar, sospeché que en su verborrea estaba influyendo el deseo de conjurar mi silencio. Me dijo que no contara con él a la hora de la comida, y que por la noche no tenía más remedio que ir a una exposición de pintura que inauguraba su amigo Gregorio Termes. Gregorio Termes es el arquitecto que dirigió las reformas del cuarto de baño, una persona con la que nunca he tenido buenas relaciones, aunque me haya tocado padecerla. No sabía que fuera también pintor. Eduardo se enfadó. Al parecer ya me lo ha dicho otras veces y yo no me he enterado. No me extraña. Lo encuentro tan bobo, tan vanidoso y encima tan pesetero, que si me ha contado algo de él, habré hecho lo mismo que con todo lo que no me interesa: desenchufar la pila. Conmigo, al principio, intentó hacerse el delicioso y epatarme con su cultura de ejecutivo traspasado por las más recientes corrientes europeas, pero luego, como yo no entraba al trapo, me empezó a tratar con altivez desdeñosa, no sé cómo no notaría que me estaba riendo un poco de él cada vez que tiraba de plano y se quedaba embebido, como en trance; que en eso tenía razón el señor Acosta, ni que fuera el arquitecto de San Lorenzo de El Escorial. En fin, que me relegó en su mente al reducto de las amas de casa adocenadas y carentes por completo de sentido estético. Ya ves tú. Si me hubiera oído la parodia que, para desahogarme, les hacía a los chicos cuando los iba a ver. Encarna, sobre todo, se moría de risa. Y eso que no conoce a Gregorio Termes, y no puede saber lo bien que lo imito. Pues nada, ahora, además, pintor. Un pintor fabuloso, un fuera serie. Me empezó a entrar curiosidad por aquellos cuadros, tampoco está bien prejuzgar como chapuza algo que no se ha visto. Pero la adjetivación me resultaba sospechosa. De un tiempo a esta parte son tantos los «fuera serie» que triunfan de la noche a la mañana, que no puede uno por menos de preguntarse si no serán artistas en serie, atentos a las expectactivas de mercado que les marca una computadora. Iba a ir mucha gente importante a la exposición, incluso la esposa del jefe del Gobierno. De otros nombres que mencionó Eduardo, unos me sonaban y otros no. Según él, yo últimamente he perdido todo interés por la actualidad cultural.

Había acabado de anudarse la corbata, y con la punta de su zapato italiano empujó la novela que consoló mi insomnio y que se había caído abierta al suelo. Me dormí cuando la señora Dean empieza a sospechar que Heathcliff ha vuelto a merodear como una sombra amenazadora por la Granja de los Tordos.

—¿No comprendes —dijo Eduardo— que seguir leyendo *Cumbres borrascosas* es quedarse enquistada?.

Me aburría romper una lanza a favor de Emily Brontë, y me pareció más prudente no decir nada, porque además acababa de tener una fulminante revelación que casi se convirtió en certeza: el paisaje al que nos habíamos escapado Mariana y yo era el de los pantanos de Gimmerton. Y sin embargo, no lo reconstruía, no lograba volver a meterme en aquel escenario. Se me borraba todo. De pronto, la luz primaveral en la ventana volvía más opaco, por contraste, el bulto del día con el que me tocaba cargar, y me traía a la memoria una serie de recados y compromisos anodinos, que desplazaban ya definitivamente el argumento del sueño. Algunos despertares son como ácido sulfúrico.

Eduardo se despidió. Pero antes le pregunté, sin saber yo

misma por qué se lo preguntaba, que dónde iba a ser la exposición de Gregorio Termes y a qué hora, por si me animaba a ir. Me miró sorprendido y con un asomo de incomodidad. Él no iba a tener tiempo de venir a buscarme. Me salió entonces ese ramalazo de desparpajo madrileño que Encarna siempre me está aconsejando cultivar más.

—Oye tú, ¿y qué importa? ¿Me supones con los rumbos tan perdidos como para no saber llegar por mis propios medios a la calle Villanueva? Jolines, Edu, me está usté ofendiendo. Un respeto.

Trató de reírse un poco y no sabía. Es horrible, su religión se lo impide.

—Creí que no te gustaban esas cosas —dijo, mientras se ponía la chaqueta—. De todas maneras, si te animas, yo encantado, nos vemos allí. Pero ponte guapa, no vayas disfrazada de pordiosera.

Sentí una extraña sacudida y nuestros ojos se encontraron un segundo, como pájaros asustados. Los suyos, más precavidos, levantaron el vuelo inmediatamente. Ir de pordiosera es una frase correspondiente a lo que llama Natalia Ginzburg «léxico familiar». Fue acuñada por el mismo Eduardo y en su versión primera, de hace unos treinta años, «ir de pordiosera» equivalía a actitud independiente, no tenía la menor connotación peyorativa, todo lo contrario. A él entonces le gustaba que yo no me maquillara, le gustaba mi disponibilidad inmediata, mi forma de vestirme, de moverme y de dar una opinión contra corriente, me decía que era gitana y que no se me ocurriera nunca convertirme en paya; y una vez me contó que cuando me estaba esperando y me veía venir a lo lejos, decía para sus adentros: «mi pordio, allí viene mi pordio». O sea, que «ir de pordiosera» llegó a desembocar en una especie de piropo; yo era «la pordio», y me encantaba serlo. Ahora la expresión, evidentemente, se había vaciado de aquella carga semántica.

—No te preocupes —le dije—, me buscaré un disfraz digno de Gregorio Termes and Company.

No fui disfrazada de pordiosera. A las seis llamé por teléfono a Encarna para pedirle un vestido suyo de seda india que me sienta muy bien. Bueno, la verdad es que antes era mío. Me lo trajo, y también unos cosméticos, pero no se pudo quedar ni a tomar una taza de té, porque tenía prisa. La vi distraída, con mala cara, y algo excitable. Le molestó que le preguntara que si le pasaba algo. A mí también me molestaba cuando me lo preguntaba mi madre.

—Bueno, siempre pasan cosas, mamá, pero da igual. Tú vive tu vida, por favor, te lo digo siempre, no te preocupes por la nuestra. Que te diviertas, bonita. Y tranquila. Simplemente es que tengo un día un poco «atra».

Dicen «atra» por atravesado, ya lo sé de otras veces.

Cuando se fue, la asistenta me planchó el vestido, y a las ocho, después de algunas vacilaciones, cogí un taxi y le di las señas de la galería donde expone Gregorio Termes. Seguían quedando en el cielo unos leves resplandores de luz primaveral. «La sorpresa es una liebre, y el que sale de caza, nunca la verá dormir en el erial.» Esto lo escribí en uno de mis diarios de juventud. Lo que no sabía es que no era yo sola quien recordaba la frase y que al poco rato alguien me iba a saludar citándola textualmente. Quién podía imaginarse que, después de los años mil, en ese local rebosante de famosos iba a encontrarme contigo, lo que son las cosas, con Mariana León en persona.

Aunque ahora, mientras escribo esto, me pregunto: ¿te encontré en persona o en personaje?

(Continuará, Mariana, aunque no sé por dónde.)

II. LA BOCA DEL LOBO

Madrid, 30 de abril, noche

Querida Sofía:

A pesar de los años que hace que no te escribo una carta, no he olvidado el ritual a que siempre nos ateníamos. Lo primero de todo, ponerse en postura cómoda y elegir un rincón grato, ya sea local cerrado o al aire libre. Luego, dar noticia un poco detallada de ese lugar, igual que se describe previamente el escenario donde va a desarrollarse un texto teatral, es de día, en primer término sofá, por el lateral derecha puerta que da al jardín, lo que sea, para que el destinatario de la carta se oriente y pueda meterse en situación desde el principio. Son pautas que sugeriste tú —lo recordarás—, como marcabas, casi sin que se diera uno cuenta, las reglas de todos los juegos.

Pues bueno, ya me he puesto cómoda, y además he descorchado una botella de champán francés que tenía en la nevera desde Navidades. Con taponazo hasta el techo. Ha habido motivo, y no pequeño. Si supieras el milagro que es para mí volver a tener ganas de escribir una carta no de negocios, no de reproches, no de consejos, no para resolver nada. Una carta porque sí, sin tener de antemano el borrador en la cabeza, porque te sale del alma, porque te apetece muchísimo. Me había olvidado. Es lo más urgente del mundo, pero también lo menos obligatorio. De eso que dices, bueno, son las once y tengo toda la noche por delante, salga el sol por donde quiera, no voy a mirar la agenda de mañana y que se hunda el mundo, yo a lo mío, y te da pena de la gente que está cenando en restaurantes de cinco tenedores o se ha sentado a mirar la televisión o a eternizarse hablando por teléfono. En fin, lo que suelo hacer yo misma muchos viernes a estas horas.

Me acabo de beber la primera copa a tu salud, despacito, mirando al trasluz, entre sorbo y sorbo, cómo suben las burbujas, porque eso es lo importante del champán, que el líquido entre también por los ojos y estalle contra la imaginación. Está riquísimo, tan picante y tan fresco. El champán sin motivo no sabe a nada, ni siquiera es dorado. Pis de gato.

Antes de servirme la segunda copa, me he levantado a por pitillos y a encender el contestador automático. No pienso atender a ningún recado, llame quien llame. También he estado buscando, y por eso he tardado un poco en venir, este papel color garbanzo que estreno para ti y que no sabía dónde lo había metido. Menos mal, si no aparece, me da algo. Caprichos violentos ya no los tengo más que por esas bobadas. Estaba encerrado con sus sobres a juego en una caja de cartón preciosa con la estatua de la Libertad en la tapa. Pero empezaba a ser la tapa del ataúd de la Bella Durmiente. Diez años cerrada, fíjate, tal como la vi en un escaparate de la calle Catorce, durante una de mis primeras estancias en Nueva York. No sé si conoces Nueva York. Es una ciudad en la que me suelo acordar de ti sobre todo por las papelerías.

Bien. Dos referencias para que te sitúes, una de tiempo y otra de luz. Hace un rato han dado las once y media en el reloj de pared que estuvo siempre en la calle de Serrano, al fondo del pasillo. Describírtelo sería absurdo porque una vez dijiste que para ti la noción del tiempo iría siempre unida a ese reloj. Claro que el paso del tiempo puede borrar la misma noción del tiempo que creíamos invariable. Segunda referencia: te estoy escribiendo a la luz de una lámpara que también conoces. Es aquella de mesa que tenía mi abuelo en su despacho, ¿te acuerdas?, una con pantalla de cristal verde billar por fuera y blanco por dentro, con soporte dorado. Te incluyo un plano en papel cuadriculado y marco con una R. y una L. en rojo los lugares que ocupan esos dos viejos conocidos tuyos dentro de la habitación donde ahora paso la mayor parte de mi vida. Ha quedado algo chapucero, ya sabes que el dibujo no es lo mío, pero, en fin, te puedes hacer una idea. En realidad son dos habitaciones grandes, como verás, separadas entre sí por un arco con cortina de terciopelo, que ahora está descorrida. En total cincuenta y ocho pasos de largo (los cuento cuando me paseo de un extremo a otro), y cuatro huecos a la calle. Los tres marcados con una b. son balcones, y el último de allá, con m., un mirador hermoso. Ese espacio del mirador, envuelto en su luz tenue, tal como lo veo a través del arco desde mi mesa, me parece en este momento algo irreal. Lo miro con un despego raro, imaginando que te lo enseño a ti, que lo dibujamos entre las dos a los doce años, y tú me ayudas a poblarlo de objetos fantásticos, un dibujo fugaz y perenne que las nubes se llevan navegando hacia el futuro. Tú en las nubes veías playas desiertas, rostros de niños, dragones. Yo, una casa con mirador.

Consulta el plano. Verás que estoy sentada contra la pared del fondo, en el espacio más recogido, porque no tiene puerta. La tenía pero la tapié. Del pasillo se entra directamente a la parte del mirador, que llamo para mis adentros «la boca del lobo». O sea, que ese espacio, por bonito que te lo pinte, me angustia un poco, para qué te lo voy a negar, a veces casi como una película de miedo. Es donde paso consulta, y en su día le di muchas vueltas a la manera de decorarlo, tenía que ser acogedor y relajante. Por los resultados, creo que acerté. Los pacientes, si no se encuentran a gusto, no cuentan nada. Así que yo procuro que no noten que a mí me angustia. Guárdame el secreto, que, si no, me hundes.

Te conozco. ¿A que ya le has puesto un diván? Pues sí, hija mía, lo tiene. Allí enfrente, ese rectángulo pequeño que lleva en el centro una d. Y es lo más parecido del mundo a como te lo estás imaginando, con un solo brazo y rollito para apoyar la cabeza, eso, igual que lo dibujaría un niño, tapizado en verde y negro, una ganga maravillosa de esas que aparecían antes por los puestos del Rastro. Fue verlo y producirse el flechazo. Creo que influyó en mi definitiva orientación hacia la psiquiatría.

Aquí me mudé bastante después de comprarlo, cuando empecé a tener una clientela estable, a finales de los setenta. Acababa de romper con un señor que me traía, y aún me trae bastante, por la calle de la amargura. O sea, que lo de romper es un decir. Un escritor con problemas homosexuales, que yo intenté resolverle sin éxito, primero en el diván y luego en la cama. Es una historia que tal vez te cuente otro día. Pero mal del todo no se portó. Me prestó dinero para la entrada de este piso y para los primeros arreglos. En ese terreno del dinero, ya estamos en paz. En otros, no tanto.

Es un tercero, una casa antigua en el Madrid viejo. Las señas ya las sabes. Si no las estuviera viendo escritas con tu caligrafía inconfundible en el sobre grande que me mandaste anteayer, la caja de papel de cartas que compré en Manhattan seguiría siendo el ataúd de la Bella Durmiente. Ya vendrás a verme algún día, espero. Aunque mejor no proyectar nada. De momento, a lo escrito se contesta por escrito. Era otra de tus reglas de oro, y lo debe de seguir siendo, porque no me mandas el teléfono. Claro que yo podría buscarlo, y de hecho lo he buscado mirando en la guía de calles. Mi primer impulso ha sido llamarte para decirte que vinieras, luego me he dado cuenta de que no, de que aún puede ser quebradizo el suelo que pisamos. Esta cautela previa de lo epistolar me parece saludable. Queda mucho hielo por romper.

Te decía que vivo en una casa vieja. Lo que más me enamoró de ella, además del mirador, fueron los techos altísimos, rematados por una moldura de flores de acanto. Siempre me ha gustado tumbarme mirando al techo, es mi preparación para soñar, para calmarme o para decidir cualquier cosa. Y cuanto más espacio medie entre los ojos y la tapia contra la que se estrellan, más libre es el viaje del pensamiento, más sorpresas puede dar. Claro que algunas no son agradables. El piso de arriba es un ático con una terraza enorme que pilla encima de esta habitación, y tiene levantados varios baldosines y otros partidos. De repente, cuando menos lo espero, cuando más distraída estoy mirando al techo, descubro en algún punto la sospechosa mancha de humedad. O sea, que yo vengo a ser la señora Acosta de los vecinos del ático, un matrimonio viejo que pasa largas temporadas en Alicante. Y eso es lo malo, que, para mayor inri, todos mis problemas de fontanería los tengo que solventar por mediación de un portero atrabiliario, reumático y borrachín. También alguna vez rezuman las paredes y se me humedece algún libro. Todo en la vida es una cuestión de tuberías, eso ya se sabe, y hay que aceptarlo. De lo que me he reído con tu relato te hablaré enseguida. Estoy acabando el preludio. Y la tercera copa de champán.

Vivo sola, eso ya te lo dije el otro día cuando te vi. Y no tengo hijos. Antes tenía una gata que atendía por Hache, muy cariñosa y con gran personalidad. Pero me negué a castrarla y, en época de celo, una noche de abril me abandonó. Suena a tango, ¿verdad?, y de hecho lo viví un poco como un tango, porque tengo tendencia. No he querido volver a tener más gatos, y a veces la llamo en noches de luna, sabiendo que nunca volverá. Pero aunque al acordarme de cómo se acurrucaba en mi regazo me entran ganas de llorar, le deseo toda la felicidad del mundo, y me gusta que fuera ella misma quien eligiera su destino. Son los peligros de dar rienda suelta. Me ha pasado con algunos hombres también, y no escarmiento.

Al primero, Sofía, tú lo conociste. Lo que no sabes, porque a partir de eso empezó mi distanciamiento contigo, es lo que me cambió la vida aquella primera pena de amor, todavía llevo la marca. Luego, a fuerza de pasarme una y otra vez la película, he entendido que fue una pena de amor doble y que por eso me dolió tanto. Lo más grave no fue que Guillermo me dejara de la noche a la mañana sin dar explicaciones, sino que no me las dieras tú tampoco, que las tenías todas. Tardé en saber que las tenías, y no lo supe por ti, tardé en entender por qué estabas rara conmigo, por qué huías con los ojos a otra parte cuando me veías triste, en aceptar tus silencios. Tú también sufrirías, supongo. Y hasta incluso más. Ahora sé por mis estudios y por confidencias del diván que las cosas que no se aclaran a su debido tiempo van formando como un muro de escoria porosa que enseguida se empieza a solidificar hasta que al final no hay piqueta que lo derribe. La pared de mampostería, sí, exactamente eso. Un dique fraguado con cemento de cobardía e inercia, que acaba impidiendo el paso a una relación antaño transparente. Se obstruyen los conductos de la tubería y se va almacenando por dentro mucha mierda, aunque no lo sepamos porque tarda en oler. Lo malo, además, de esas tuberías del alma es que se localizan mal y que no sirve cualquier fontanero, tiene que ser uno muy especializado.

Acuérdate de aquella frase del Eclesiastés que tanto nos gustaba: «¿Quien ennegreció el oro? ¿Por qué el oro fino perdió su brillo?» Yo me lo preguntaba mucho a lo largo de aquella primavera en que nuestro oro fino se ennegreció, y eran porqués sin respuesta; yo misma en el fondo no quería buscarla, tenía miedo de hurgar en lo que habría podido darme una respuesta fea. Así que me limitaba a complacerme en mi papel de víctima maltratada por el destino. Luego, cuando me enteré de lo que estaba pasando, tuve una reacción inesperada.

Me lo dijo Julia Rodrigo al salir de clase de Anatomía, que te había visto besándote con Guillermo por el bosquecillo. Lo que sentí ya lo describió Bécquer, y con qué propiedad, que no sé por qué dicen que Bécquer es cursi: «Cuando me lo contaron, sentí el frío de una hoja de acero en las entrañas.» Pero fue cosa de instantes. Enseguida me salió el superego, como un domador implacable, y me mandó ajustarme la careta, que no me temblara la voz, ¡allez hop!, a saltar ahora mismo por ese aro de fuego limpiamente, sin babear. Y le contesté que estaba harta de saberlo, que me lo habías contado tú. Julia me miraba con expresión de extrañeza. Estábamos en el bar, pedimos unos pinchos de tortilla. «¿Y seguís siendo amigas?», me preguntó. «Claro, mujer, por qué no. Estos asuntos de los chicos son una tontería como la copa de un pino. Lo único que me da rabia es que Sofía se lo tome demasiado a pecho y le quite concentración, en plena época de exámenes.»

Ahí no le mentí del todo, porque un poco de rabia sí me

daba, y me la sigue dando. Era nuestro primer año de la universidad y tú te habías matriculado en Letras gracias a lo que yo te insistí, que ya te acuerdas de lo empeñado que estaba tu padre en que hicieras secretariado para que le ayudaras en el despacho. Desde la infancia te dije que eras una superdotada para las Letras, y no me equivocaba: ya lo ves, ahí tienes el ejemplo: la fiesta que estoy celebrando esta noche con champán es un homenaje a tus letras tan sabias y tan bien enhebradas, a esos ocho folios que titulas medio en broma «mis deberes», a ver si no tenía razón. Si es que es para matarte, tener que aguantar que el tonto de Gregorio Termes te mire como a un ama de casa convencional y sin imaginación, a ti parece que te da igual y hasta que te ríes, pero a mí me indigna, lo mismo que el plan en que vives. Tenías que haber seguido estudiando y luego sacar unas oposiciones, pedir una beca, algo. ¡Si en el instituto, vaga y todo, acuérdate, nos dabas sopas con honda a las más estudiosas! Ya sé que en aquel primer curso de Letras te quedaron para septiembre algunas asignaturas, pero bueno, ¿y qué?, ¿por eso tenías que tirar la toalla al llegar a segundo? Nunca lo he entendido.

Yo no tiré la toalla, me agarré a ella en una reacción incluso demasiado compulsiva, ésa es la verdad. Y sin embargo, mi trayectoria profesional, valga lo que valga, arranca de aquel enfrentamiento primero con la calamidad, de eso tampoco cabe duda. A veces, cuando asisto a algún congreso o me veo a mí misma hablando por televisión, pienso que esa señora —con la que unas veces no me llevo mal del todo y otras me estomaga— devoró a la Mariana León que miraba contigo el dibujo cambiante de las nubes, que ha crecido a expensas del oro fino de nuestra adolescencia. Pero qué le vamos a hacer. No se puede querer todo, y pérdidas tiene que haberlas siempre, aunque unas sean más irreparables que otras. Yo, en cierto sentido, capitalicé tu pérdida, me doy cuenta de que suena horrible, pero fue un poco eso lo que pasó.

A los pocos días me llamaste por teléfono para felicitarme por mi cumpleaños, el 28 de mayo, y te noté en la voz, algo mohína, que tenías ganas de verme. No sé lo que te estaría pasando, el proceso que llevaría tu enamoramiento ni si lo estabas viviendo o no como una pasión culpable. Ahora me lo pregunto y me encantaría poder viajar hacia atrás por el túnel del tiempo para ayudarte a disipar esa sensación de culpa, si la hubo, y tal vez contribuir a que las cosas no acabaran tan mal para ti como supe luego que habían acabado. Pero no te di facilidades para que nos viéramos. Ya sabes que soy tajante cuando decido algo, y por aquellos días había decidido obedecer ciegamente a mi domador, que me mandaba desentenderme de Guillermo, de ti y de todo lo que pudiera oponerse a mi condición de fiera amaestrada. Como una fiera me había metido a estudiar, ensañadamente, consumiendo una noche tras otra a base de cafés y dexedrina. Te reprendí porque tú no estuvieras haciendo lo mismo. Ya ves qué ocasión tan buena para que me hubieras preguntado que si se me iba pasando la pena de Guillermo o algo por el estilo. Pero, claro, cómo me lo ibas a preguntar. Cuando te colgué estuve llorando mucho rato.

Luego nos vimos a finales de junio, una tarde en tu casa, con más gente. Tú llevabas un vestido rojo que nunca te había visto. Lo de los suspensos no parecía haberte afectado mucho, pero te encontré desmejorada y nerviosa. Fui a ayudar a tu madre, que estaba preparando unos canapés, y me comentó que estaba preocupada porque habías perdido completamente el apetito, que si yo sabía lo que te pasaba. En esto entraste tú en la cocina. «Estará enamorada», dije yo. Te quedaste parada y nos miramos. Lo habías oído. Entonces supe que sabías que yo lo sabía todo. Pero Guillermo no estaba allí, ni salió a relucir su nombre en toda la tarde.

Tampoco debía haber salido a relucir esta noche. Hace rato que me vengo encontrando incómoda, notando que me estoy metiendo por donde no quería, precisamente en la boca del lobo. Se ha ensombrecido un preludio, limpio y gozoso, con el que sólo trataba de agradecerte la luz de tu texto y devolvértela reflejada en el mío, celebrar la resurreción de la Bella Durmiente, responder al nuevo juego que inesperadamente me has propuesto. Pero estoy mucho más maleada que tú y se me acaba la cuerda enseguida. Llevo dos pliegos hablándote como si te tuviera acostada ahí enfrente en el diván. Acabo de correr la cortina de terciopelo para no verlo, para olvidarme de la boca del lobo. Maldita deformación profesional. Perdóname.

Podría romper estos dos folios últimos, en vez de pedirte perdón por ellos, pero me frena acordarme de otra de tus reglas epistolares, la séptima y última: «Nunca se tachará nada de lo escrito, a no ser que se trate de una rectificación gramatical o de estilo.» Pues no, no es ése el caso. Así que lo dejaré como está. Las reglas de aquel juego no las voy a traicionar porque éste se me haya torcido un poco. Trataremos, más bien, de enderezarlo.

La misma habitación de la escena anterior pero con la cortina corrida. Librerías hasta el techo con escalerita adosada para llegar a los estantes de arriba. Marca de taponazo en el centro del techo. La señora León enciende un pitillo y se sirve la última copa de champán. La levanta solemnemente. Feliz mes de mayo, Sofía.

1 de mayo, madrugada

Acaba de dar la una de la madrugada, ya estamos en mayo, Sofía querida. ¿Te acuerdas de cuánto nos gustaba el mes de mayo? Decías tú que cuando fuéramos mayores y ganáramos algo de dinero teníamos que hacer un viaje las dos juntas a Yorkshire, en mayo, para visitar la tumba de Emily Brontë, para reconocer el paisaje de *Cumbres borrascosas,* y rodar por una pendiente tapizada de hierba. Veo que sigues leyendo esa novela y me conmueve, te la debes saber de memoria. A mí también ahora me han entrado ganas de releerla. Pero no te escribo para hablarte del talento literario de Emily Brontë, sino del tuyo.

He tenido unos días muy apretados de trabajo, porque con la primavera a la gente se le arrecian los malestares, y hasta

28

esta noche no había encontrado un rato de calma para leer los ocho folios a máquina que me mandaste anteayer con un mensajero, junto con una nota de tu puño y letra. Aludes en ella brevemente a la sugerencia que te hice yo el otro día de que escribieras algo, lo que sea. ¿Cómo no te la iba a hacer, después de aquella perorata tan divina sobre los espejos rotos, y la liebre en el erial y los huevos fritos, que parecía que no nos habíamos dejado de ver nunca? Y te sale todo así de pronto, sin sentir, en medio de un cóctel, sin estar borracha ni querer presumir de nada, tú no te das cuenta. Siempre he sabido que lo que necesitas es un estímulo, y ahora no me da la impresión de que tengas muchos. En cambio, tu capacidad de respuesta sigue siendo asombrosa. Nada de lo que se te dice cae en saco roto.

Ya al coger el sobre abultado y ver mi nombre manuscrito por ti me dio un vuelco el corazón y noté que me estabas devolviendo algo olvidado, algo que me rejuvenecía. Una cosa parecida sentí la otra noche cuando te vi de espaldas a todo el mundo mirando atentamente los cuadros de Gregorio, con ese aire tan peculiar tuyo de pájaro posado en un hilo de telégrafo. Fue cosa de segundos. Antes de identificarte, estaba pensando: «Vaya, menos mal que hay una persona que se aísla en medio de la barahúnda, en vez de dar besos a diestro y siniestro», cuando de repente, por un gesto de ladear la cabeza y morderte los labios como si quisieras entender mejor, igual que cuando estabas sentada en tu banco del instituto, por ese gesto supe que eras tú.

A partir de los treinta años, a la gente se le van borrando de la cara los rastros de la infancia; se produce una especie de anquilosamiento de la espontaneidad que se refleja en la forma de estar, en los gestos. Sobre ese tema hay muchos estudios y además yo lo compruebo a diario por mi trabajo. Enseguida me doy cuenta de cuándo se puede rescatar algo de la infancia de una persona y cuándo no hay manera. Los pacientes del segundo grupo son los más duros de pelar.

Tú estás igual, Sofía, exactamente igual, te lo aseguro. La misma voz, la misma sonrisa, los mismos ademanes y esa curiosidad entre ingenua e incendiaria, la forma de preguntar, de mirarlo todo y de comentar después lo que has visto con tus propios ojos, sin atenerte a opiniones de repertorio. Y luego esa capacidad, que has tenido siempre, de convertir los locales más inhóspitos en un rincón grato para conversar, como si los tocaras con varita mágica.

Sentí tener que irme cuando, gracias a ti, habíamos conseguido aislarnos y empezábamos a entendernos mejor, pero ya te dije que había quedado para cenar con un amigo. Luego pensé que por qué no te invitaría a venir con nosotros, que, con el humor tan surrealista que tenías, hubieras descargado de tensión nuestra cena y podíamos haberlo pasado muy bien los tres, desde luego mejor que Raimundo y yo solos. Se llama Raimundo. Es ese escritor que te he dicho antes, el que me prestó dinero para la entrada del piso. Está pasando por una crisis infernal y no se alivia hasta que me la transfiere a mí y nota que me está arrastrando a su infierno. Claro que yo me dejo arrastrar, eso es lo malo, que no consigo despegarlo de mi vida. Pero es una historia demasiado tortuosa para contarla en plan resumen, necesitaría tumbarme en el diván y que tú vinieras a sentarte a la cabecera. Alguna noche lo haremos, si te apetece. Ahora no quiero hablar más de él. En la exposición de Gregorio no estaba. Él de Gregorio se burla más que tú todavía.

Tampoco quiero hablarte de Gregorio, aunque lo conozco bastante y podría contarte cosas divertidas de él y de su relación con esa rubia veinteañera que llevaba pegada al flanco. Nunca te han interesado los chismes. Me di cuenta de que tanto a ellos como a las demás personas que venían a saludarme, tratando de interrumpir nuestra conversación, los mirabas como a marcianos. Era como si estuvieras llamándome desde un jardín de cuento. Yo lo intuía, pero me costaba trabajo entrar en él, no encontraba la verja, o no sabía empujarla. «Es como en los sueños —dijiste—, que siempre salen comparsas de otra historia. Se meten para despistar. Son los que más aspavientos hacen, pero no importan para el argumento. No hay que hacerles caso.»

Yo estaba frente a ti, como si a cada momento necesitara pedirte disculpas por conocer a tanta gente, por sonreírle, hablar con ella y responder a sus zalemas. Me daba rabia que al cabo de los años nos hubiéramos tenido que volver a encontrar en un sitio tan poco apropiado, y te lo dije. Pero tú no estabas de acuerdo. Me miraste, con un dedo en alto: «Te pillé, Mariana, aténte a lo que me has dicho antes: La sorpresa es una liebre. Los que salen de caza nunca la verán dormir en el erial; ¿no has dicho eso? No sería una mera cita culta.» Y luego, me preguntaste con tono divertido: «¿O es que tú habías salido de caza?» Me quedé desconcertada, ya tenías tú, como siempre, las riendas del juego en tus manos, las claves del acertijo. Te miré y estabas sonriendo. ¿Qué querías decir?; no, yo no había salido de caza. Y a todo esto los comparsas pasando y llamándome por mi nombre y dándome besos, qué difícil era meterse en el jardín del cuento. Pero tú seguías impertérrita: «Entonces, si no has salido de caza, no se busca, se encuentra. Y nos hemos encontrado con este sitio. Se desvanecerá si lo rechazamos. Es el adecuado porque es éste, Mariana, el sitio donde la liebre duerme en el erial, o sea donde está agazapada, esperándonos, la sorpresa.» Luego empezaste a decir que la vida está hecha de añicos de espejo, pero que en cada añico se puede uno mirar, y que te daban ganas de mojar pan en los cuadros de Gregorio porque eran huevos fritos estrellados contra el lienzo, y que cuántos mensajes llegan de todas partes sin que los sepamos recoger. Y ahí es donde ya me di cuenta de que si quería seguir tu arrebato verbal necesitaba recuperar cierta fe infantil que tú no has perdido y yo sí, creer en la transformación del local, lograr que se operara el milagro poético de su nueva investidura. Ya al final, cuando era la hora de irme, empezaba a notar en torno nuestro un aura que nos aislaba de los comparsas, que los alejaba de nosotras; y el local se había desembrujado, se iba despojando de su engañosa apariencia, era el lugar donde dormía la liebre, la empezaba a ver allí en el centro de la estancia, en medio del jardín del cuento, como un símbolo blanco e inmóvil. Las diez. No me podía quedar más. Me di cuenta de que apenas habíamos rozado el capítulo «Vidas respectivas» y de que el rato de nuestro reencuentro se me había hecho un soplo. Pero tenía que echar a correr como la Cenicienta. Era la hora de mi cita con Raimundo. Fue cuando te pedí que por favor escribieras, que te pusieras a escribir sobre lo que te diera la gana, pero enseguida, esa misma noche al llegar a casa, no podía dejarte desaparecer sin que me lo prometieras. Tengo que confesarte con cierta vergüenza (agudizada ahora después de haber leído tus ocho folios) que a muchos pacientes míos les pido eso mismo. Pero a ti te lo pedía con otra urgencia, estaba echando una moneda de oro al aire. Me miraste deslumbrada. «¿Un ejercicio de redacción?» «Sí, eso, un ejercicio de redacción.» «Tendrá que ser sencillito, hace mucho que no hago ninguno, pero me encanta la idea. Si lo escribo, ¿te lo puedo mandar?» «Claro, es lo que te estoy pidiendo, que me lo mandes.» Entonces fue cuando sacaste una agenda del bolso y la apoyaste contra la pared para apuntar mis señas. Ya vi, como veo ahora por tu sobre, que sigues escribiendo con pluma estilográfica, y haciendo las aes con barriguita.

Perdona, Sofía, no puedo seguir al mismo ritmo. Sintiéndolo mucho, porque empezaba a estar en vena, a coger tu vena, voy a tener que interrumpir la carta para acabarla mañana. Raimundo acaba de dejarme un recado muy angustioso en el contestador automático. No sé qué le pasa, pero algo malo. Apenas se le entendía. Me pide que vaya a verlo. No tengo más remedio que ir.

4 de mayo

De esta tarde no pasa. Si espero a tener un rato para acabar la carta en el tono y al ritmo con que la empecé, sabe Dios cuándo te la podría mandar. Ni tiempo he tenido para releerla, y eso que la suelo llevar en el bolso.

He andado estos días de cabeza. Raimundo tuvo un intento de suicidio, y esta tarde lo sacan por fin de la UVI. Se ha salvado por los pelos. Estoy en una sala de espera del hospital, y para escribirte me apoyo en el periódico de hoy, donde viene su fotografía. Ni el papel que uso ni la letra que me sale están a la altura de lo anterior, como salta a la vista. En este mundo de espejos hechos añicos, la paz es un lujo efímero.

Contesto, aunque sea en plan telegrama, a la nota que acompañaba a tus ocho folios mecanografiados. «Te mando los deberes —me decías—. Gracias, Mariana. Hace mucho que nadie me ponía deberes de este tipo y lo he pasado muy bien haciéndolos. Si no te aburre, puedo continuar.» No es que puedas, es que debes, puesto que de deberes se trata. Pero encima divertidos, y ésa es la razón que invoco para que no me cortes el suministro, ahora que estoy tan ahogada. Acuérdate de don Pedro Larroque, de cuando te decía, al leer tus ejercicios de redacción, que el que lo pasa bien escribiendo a la fuerza tiene que divertir a los demás, de cómo le brillaban los ojos por detrás de las gafas mientras te daba una palmadita en la espalda: «Siga usted, señorita Montalvo, siga siempre.» Pues yo, en este momento, soy don Pedro Larroque. Por favor, Sofía, sigue por donde sea y hablando de lo que sea, porque a todo lo que tocas le sacas jugo, lo más sórdido y rutinario lo conviertes en literatura. Echas sobre la mesa un dos de espadas y resulta que era el rey de oros. No tienes derecho a malversar ese don.

¿Aburrirme dices?, tengo miedo de que mi silencio te lo haya hecho sospechar. Nada tan lejos de la verdad. Añoro tu próxima entrega, la espero impaciente, trate de lo que trate, ya venga en plan flash back, en primera persona o en endecasílabos. Siga usted, señorita Montalvo, siga siempre.

Te tengo que dejar. Algún día te llamaré para vernos. Pero por ahora no, necesito encontrarme mejor. Estos días, de verdad, no sé ni cómo me tengo en pie. Es posible que me vaya una semana fuera de Madrid.

Adiós guapa, y bendita sea por siempre la liebre en el erial.

Te abraza con cariño,

Mariana

P.D. (1) Una única sugerencia para próximos capítulos: el personaje de Eduardo no interesa al lector. ¿No podía ser desplazado un poco de la acción, darle menos papel?

P.D. (2) Te incluyo una receta de Loramet. No sé si es el somnífero que tomas, pero si no, te lo recomiendo. No deja resaca.

III. SE INICIAN LOS EJERCICIOS DE COLLAGE

Eran las cinco y media. Llegó Amelia vestida de azafata y con un maletín en la mano. Venía de Colombia. Se ha cortado el pelo. Ni la esperaba ni la había sentido entrar, así que me quedé un poco cohibida de que me encontrase encerrada en el cuarto que sigue siendo suyo, a pesar de que ya pocas veces se queda a dormir aquí. A mí es el cuarto que más me gusta de toda la casa, y a veces pienso que se lo estoy vampirizando. Pero ella nunca me ha dicho nada, al contrario, parece que lo considera natural. Se acercó a la mesa sonriendo. Me quité las gafas enseguida. No disfruto de un beso si me lo dan con las gafas puestas.

—¿Qué hacías, mamá?

—Nada. Enredos. Hoy me ha dado el pronto por dibujar, me entraron ganas desde que me desperté, ya ves tú. ¿Te molesta que te haya cogido la caja de acuarelas?

—No, no, me encanta. Las cosas se pudren metidas en un cajón, tú lo dices siempre. Yo, ahora, como no dibuje nubes... Pero qué bonito y qué raro, ¿no? ¿Qué es?

—Se titula «Gente en un cóctel». Es un poco en plan collage. Ahora le voy a pegar por todas partes triangulitos de papel de plata, como si fueran trozos de espejo. ¿Ves? Los estaba recortando del forro del Winston.

Se había quedado de pie detrás de mí y me posaba una mano en el hombro. Se la acaricié con la mía.

—¿Y ese conejo blanco que hay en medio? Se parece un poco al de Alicia, ¿no?

—Puede. Pero aquél llevaba chaleco y reloj. Ésta es una liebre, o, bueno, pretendo que sea una liebre. Simboliza la sorpresa, ¿sabes?

—¿Qué sorpresa?

—Pues no sé, la de que hayas aparecido tú ahora, por ejemplo. La sorpresa en general. Pero también puede ser un homenaje a Lewis Carroll. No se me había ocurrido. Si quieres, le ponemos chaleco. Mira, se puede hacer con esta cartulina de rayas verdes y rojas. ¿Qué tal?, ¿se lo ponemos?

Amelia se echó a reír y me abrazó por el cuello.

—Eres un ser tronchante. No sabes lo que me gusta llegar a casa y encontrarte así. Déjame que te saque una foto ahora mismo tal como estás.

Se puso a hurgar en el interior de su bolso grande y atiborrado de objetos dispares. Acabó volcándolo todo encima de una butaca y una vez más me sorprendí de la cantidad de cosas que le caben a Amelia en su bolso. La máquina era una Polaroid, de esas que no dan lugar a la impaciencia por ver el resultado del «clic». La imagen recién captada se va configurando poco a poco ante nuestros ojos, como pasaba con las antiguas calcomanías. A los chicos les hace mucha gracia la mezcla de fascinación y temor reverencial con que me enfrento a cualquier avance de la técnica. La Polaroid ya no es para ellos ninguna liebre blanca. Me pregunto si verán liebres blancas y dónde.

—Extranjero traer collares de abalorios a Gran Jefe Indio —dijo Amelia, al percatarse de mi concentración, a la expectativa del prodigio—. Gran Jefe no temer, no cosa del diablo.

Me vi surgir de la mancha húmeda de aquel rectángulo recién expulsado, como si me abriera paso entre una neblina de color barro, con la barbilla apoyada en las manos y una sonrisa de felicidad que era el reflejo de mirar a Amelia. La luz de la sonrisa se iba acentuando hasta invadirlo todo. También el revoltijo de la mesa quedaba muy bonito, a medida que cada objeto se delimitaba y se iba coloreando: la caja de acuarelas abierta, las tijeras, mis gafas, el cilindro blanco y rojo del pegamento, la cajetilla de Winston, los lápices y la liebre grande campeando en el centro del dibujo. Comprendí que hay que mirar las cosas desde fuera para que el desorden se convierta en orden y tenga un sentido. Todo se entiende y se aprecia de otra manera.

—¡Qué bien he quedado! ¿Verdad?

Amelia se quitó los zapatos y se tumbó en la cama turca.

—Sí, Gran Jefe, pero no tocar todavía. Dedos dejar huella maligna.

Luego bostezó y dijo que estaba cansada. Le salía una voz mimosa de principios de gripe, de niña que no quiere ir al colegio y remolonea.

A pesar de que es la única que se gana la vida —porque los otros dos no llevan trazas—, sigue siendo la más pequeña y no le da vergüenza que a veces le salga esa voz conmigo en momentos de flojera. Le pregunté que si se iba a quedar a dormir y se tapó la cara con el antebrazo. Dijo que no sabía nada, nada de nada, en un tono de desaliento veteado repentinamente de impaciencia que cerraba la entrada a más preguntas. Hasta hace poco, cuando no andaba por el aire, vivía por Chamberí en el piso de un amigo suyo que se dedica al cine. Yo no lo conozco. Encarna dice que es muy guapo y que Amelia está enamorada como una loca, a estilo antiguo. Pero, según parece, ahora no están en buenas relaciones, lo de siempre, los celos. También me lo ha contado Encarna.

Me puse a recoger la mesa, que estaba hecha un verdadero lío. No quería que se me perdieran los triángulos de espejo y los metí en un sobre.

—¿Hay algo de comer? —preguntó Amelia—. Estoy un poco harta de comidas de plástico y zumo sintético de naranja.

—Voy a ver. Tú quédate ahí relajadita, que ahora te aviso. ¡Qué gusto que hayas venido!

Fui a la cocina. Daría, la asistenta, había tenido que ir al médico porque anda algo pachucha. Me puse a recalentar una cazuelita de bacalao a la gallega que había sobrado de ayer, y estaba empezando a sacar ingredientes para preparar una ensalada imaginativa cuando oí los pasos de Amelia por el pasillo. Asomó la cabeza. Llevaba unas prendas de ropa al hombro.

—Pon la mesa en la cocina, mamá. Me voy a dar una ducha y a cambiarme, a ver si me despejo. ¿Puedo usar El Escorial?

—Sí, claro. Tienes toallas limpias en el vestidor, en un mueble nuevo que verás a la derecha. Y si traes ropa sucia, déjala en el cuartito de la lavadora.

Enseguida supe que el motivo más urgente de su excursión hacia el fondo de la casa había sido el de llamar por teléfono sin testigos. El aparato que hay sobre la mesilla de nuestro dormitorio está conectado con el del office, y repercuten aquí con un tintineo amortiguado los giros que desde allí se van imprimiendo a la ruedecita para marcar los números. Gran Jefe Indio dejar de atender recogida hortalizas y quedarse a la escucha. Venían como de muy lejos los acordes de aquel tam-tam, sonaban espaciados, reflejando la indecisión del dedo que los dirigia. Marcó cinco veces y luego, tras una breve pausa, se percibió una vibración más seca. Había colgado. No resistía la prueba.

Abandoné mis tareas culinarias y me senté de codos en la mesa, con los ojos fijos en el teléfono blanco colgado en la pared del office, en un estado de total concentración. El corazón había empezado a latirme más deprisa, igual que cuando estoy viendo una película y se avecina una escena de esas que permiten el desdoblamiento del espectador, que le brindan una identificación absoluta con el protagonista. No sólo sabía lo que iba a pasar, sino que lo estaba orquestando yo desde mi asiento, dependía de mí, porque yo era ella.

Ahora necesita recuperar confianza y va hacia el espejo del armario de luna, que le devuelve la mirada soñadora y llena de deseo. Se empieza a quitar el vestido, las medias, los zapatos, todo muy lentamente. «Me gusta ver cómo te desnudas», dice una voz a sus espaldas. El espectador sabe que es una voz en off, porque no hay nadie, pero ella se acaricia los hombros y responde pronunciando un nombre casi imperceptible, secreto. Y, por supuesto, susceptible de transformación según las resonancias internas de cada cual. Guillermo-Guillermo-Guillermo. Se tumba en la cama y enciende un pitillo. «Atrévete —me digo a mí misma—, atrévete», y del desván de la memoria surge una combinación de siete cifras invulnerable a la destrucción. Desde que empecé a luchar contra la tentación de usarla, se me quedó grabada a fuego, a medida que cada número, antes marcado con descuido y naturalidad, se iba convirtiendo en una cicatriz, en un paso hacia el abismo. No sabemos lo que es respirar hasta que la respiración se vuelve dificultosa. Anda, llama otra vez, atrévete.

Había descolgado nuevamente. Esta vez los primeros seis ecos de la llamada se sucedieron más rápido. Luego se produjo una pausa, rematada finalmente por un último tintineo enérgico, que a juzgar por la duración del trayecto debía corresponder a un nueve. Me mantuve a la espera. No cuelgues. No colgó. Se había atrevido. Ahora ya podía desentenderme, el asunto escapaba a mi control.

Me levanté aprisa porque del hornillo encendido venía un olor sospechoso. El guiso de bacalao se estaba pegando. Le bajé el fuego, le añadí un poco de agua y me puse a revolverlo con una cuchara de palo sin convicción, presa de un repentino desfallecimiento.

Tenía el teléfono del office a cinco pasos, podía acercarme y descolgarlo furtivamente, participar como un espía de aquella conversación. Pero no lo iba a hacer, y Amelia estaba segura de que no lo iba a hacer. A mi madre empecé a odiarla desde que supe que me leía las cartas de Guillermo. Hace diez años, cuando murió, me di cuenta de que todavía no había sido capaz de perdonarle aquello. Traté de concentrarme ahora en la ensalada, y encendí la radio para entretener la espera.

Amelia tardó bastante en volver. Yo ya había puesto la mesa hacía rato y estaba abriendo una botella de vino. Siempre se rompen los corchos; lo sé desde el principio que se me van a romper.

—Trae —dijo Amelia—, no seas calamidad. Si es que lo metes torcido. Déjame a mí.

Venía de vaqueros y camiseta color malva con un letrero en blanco donde decía «I'm free». No sé si será tan *free* como proclama. Nadie lo es cuando se enamora. Noté que no se había duchado, porque ella nunca usa gorro de baño y el pelo lo traía completamente seco. Había estado hablando por teléfono todo el tiempo. Y no parecía haberle sentado demasiado bien.

—Mira que son feos esos uniformes que os ponen, hija. Así estás mucho más guapa, da gusto verte.

—¿Tú crees?

Esbozaba una sonrisa dirigida al sacacorchos, pero se le quebró a medio camino, como tragada hacia un pozo de sombras del que yo no sé nada. Seguramente ella sabe más del mío.

En la radio empezó a sonar la voz de Georges Moustaki:

> *Votre fille a vingt ans,*
> *que le temps passe vite,*
> *madame!*
> *Hier encore elle était si pétite...*

De pronto, me veía al borde de mi propio pozo, y no quería mirarlo, trataba de resistirme a ese vértigo malsano y capcioso, pero me atraía. La cocina era el pozo, y del fondo surgían como fantasmas movedizos tres rostros infantiles llamándome con voces de sirena, pidiéndome la merienda, tres siluetas confundidas en una que se entrelazaban y bailoteaban a mi alrededor a los sones del clarinete del burro flautista, tirando por el aire cuadernos y cáscaras de plátano. Mamá, mira Lorenzo lo que hace, ¿quién ha roto el tarro de mermelada? yo no he sido, oye, mírame el cuaderno, no le hagas caso, mamá, mírame, mira qué bien silbo, Daría, cara de arpía, por favor, callaros, mira, Encarna se ha hecho sangre en un dedo, ven, mira-mira-mira. Y mi espejo giraba para dar abasto a todo, yo era un espejo de cuerpo entero que los reflejaba a ellos al mirarlos, al devolverles la imagen que necesitaban

40

para seguir existiendo, absueltos de la culpa y de la amenaza, un espejo que no se podía cuartear ni perder el azogue. No les haga caso, Daría; venga, sentaros a comer, papá llega enseguida, tocáis a cinco croquetas, ¿sólo?, ¡qué ricas!, ¿las has hecho tú?

Amelia había conseguido sacar el sacacorchos sin que se le rompiera el corcho y se sentó. Tenía una mirada inerte, impenetrable. Era evidente que mi espejo ya no le servía. Dijo que no aguantaba a Moustaki, y cerró la radio.

—¿Por qué has puesto dos platos? —preguntó luego—. ¿Es que vas a comer también tú?

—Sí. Antes no tuve ganas. Me deprime comer sola. Y eso que, a estas alturas, ya me tendría que haber acostumbrado.

Inmediatamente me arrepentí de haberlo dicho. Porque además no es una verdad absoluta, por ejemplo de la canción de Moustaki hubiera disfrutado más estando sola, muchas veces me encuentro muy a gusto sin tener que estar pendiente del gusto de los demás. Pero ya lo había dicho, y el retintín victimista de las últimas palabras se quedó reptando por las paredes de la cocina como una serpentina negra.

Amelia bajó los ojos al plato y se aplicó a comer en silencio, sin decir siquiera si lo que se estaba llevando a la boca le gustaba o no. A lo largo de una serie de años, que ahora se pierden en la niebla, mi equilibrio mental estuvo supeditado al logro de recetas de cocina apetitosas y de un comentario aprobatorio por parte de los duendecillos reflejados en mi espejo. Son vicios que se pueden quedar crónicos si no se lucha contra ellos. Me negaba a preguntarle a Amelia si estaba bueno el bacalao. Pero lo malo es que cualquier otra pregunta de las que se me ocurrían la rechazaba igualmente. Todas me parecían un remiendo torpe sobre aquel desgarrón de silencio que se iba espesando y se bifurcaba en dos caudales divergentes, el suyo y el mío, cada cual arrastrando su propio aluvión, ensombrecidos por la misma serpentina negra.

Llamaron al teléfono y fui a cogerlo al office.

—Si es para mí, no estoy —dijo Amelia.

No era para ella. Era Consuelo, la hija de Daría, otro de

los pobladores de las profundidades del pozo, el más descarado y rebelde. Una pelirroja a quien le vino el periodo a los diez años. Los niños se sentían fascinados por su desparpajo de chica barriobajera. Ahora se alterna con su madre, cuando ella no puede venir a hacer las faenas, y además le pago un tanto fijo al mes para que vaya a adecentar un poco el apartamento donde viven Lorenzo y Encarna, que responde, en léxico familiar, al mote de «refugio para tortugas».

Consuelo habla con acento madrileño muy marcado, salpicado de expresiones de reciente hornada que recoge a diario en la calle, porque, según su madre, si la casa se cae, será un milagro que la pille debajo. Su sueño es entrar en un conjunto de rock, y los chicos la animan porque dicen que tiene madera. Su zona de operaciones es Vallecas.

Me telefoneaba desde el refugio o «refu», como lo llama ella, que tiende al apócope. Tardé en entender el problema que motivaba su llamada, pero eso no me cogió de nuevas. Tiene la costumbre —bastante generalizada, por otra parte— de entrar en materia sin ponerle a uno en antecedentes, en plan «relato a perdigonadas», como Mariana y yo llamábamos en tiempos a este tipo de narraciones donde se ignoran los puntos cardinales del interlocutor y su falta de información previa sobre el asunto, generalmente conflictivo, que le disparan sin más preámbulo.

Esta vez el argumento central parecían ser unos jarrones, que Consuelo daba por supuesto que eran míos.

—Y, como yo he dicho al hombre, que desde el tercero los ha tenido que subir a brazo, eso es de la otra casa, eso tiene que ser cosa de la señora, pero él las señas que trae apuntadas son éstas y el nombre del señorito Lorenzo aunque debajo dice «para Antonio», y yo, claro, como no están ahora ninguno no se lo puedo preguntar, pero desde luego aquí en el refu no pegan ni con cola, y dónde los ponemos, si además es que son enormes, ¿cómo se le ha ocurrido a usted comprar unos jarrones tan enormes?, por cierto que debían ser dos, pero de uno viene sólo el soporte, espere un momento... ¿Cómo dice...? Ah, nada, dice este hombre que a él se los han dado así, que no le líe.

—¿Pero se los ha dado quién? ¿Y cuándo? Por lo que más quieras, Consuelo, explícate mejor, yo no sé nada de esos jarrones.

—Son como chinos, con mucho floripondio.

—Pero ese hombre ¿quiés es...? Que no, Consuelo, escucha, que no te estoy preguntando su nombre... no, no, ni tampoco quiero que se ponga al teléfono. Lo único que quiero saber es quién le manda o de dónde trae eso... Sí, de acuerdo, espero.

Amelia había levantado la cabeza del plato y me miró a través del arco que separa la cocina del office.

—¿Qué pasa? —preguntó.

—No sé, no me aclaro. Una historia barroca de los del refu, ya sabes.

—¡Vaya por Dios! —dijo ella—. Pues a ver en qué para. Si la información viene por radio Consuelo, seguro que se te enfría la comida.

—Bueno, pero te podré hacer un resumen divertido.

—Eso no lo pongo en duda —dijo Amelia, sonriendo por primera vez desde que había entrado en la cocina.

Y siguió comiendo, pero ya no tan abstraída ni tan ausente de mí. Cuando Consuelo reinició sus explicotes al otro lado del hilo, yo ya estaba mucho más interesada en provocar la sonrisa de Amelia con mis comentarios sobre aquella confusa historia que de entenderla. Hablaba para ella, para convocar su mirada, que enlazaba con la mía como a través de un puente que se endereza.

—Bueno, a ver. Personajes de la trama —me dijo en cuanto colgué el teléfono y me volví a sentar.

—Un transportista llamado Cayetano Trueba, un señor que vive en la calle Covarrubias, unos jarrones chinos y un tal Antonio habitual del refu que parece ser el destinatario de este misterioso envío. Pero ahora no está allí. No creas que me he enterado de mucho más. Consuelo no es Flaubert precisamente, lo suyo es el rock duro. Confiemos en las dotes narrativas del transportista, que viene para acá, porque, según pa-

43

rece, yo tengo que pagar el porte de esos jarrones. ¿Te sirvo más ensalada?

—Sí, está riquísima. Pero eres tonta, mamá, tú no pagues nada, ¿tú qué tienes que ver? Te tienen comido el coco.

—No creas que tanto. También me hacen pasar ratos muy buenos.

El resto de la comida transcurrió en un clima mucho más distendido, y Amelia llegó a reírse por dos veces a plena carcajada. Las historias del refugio para tortugas siempre han dado mucho juego y a ella le divierten cuando se las cuento en plan comedia de Jardiel Poncela, que he descubierto que es el tono que les va. En cambio la relación directa con sus hermanos —que desde niños formaron un bloque excluyente— se le ha ido haciendo cada vez más difícil con el correr del tiempo, le pone muy nerviosa su desorden y por el refugio va poco, aunque en realidad es de los tres, se lo dejó la abuela en el testamento al morir, y hay sitio de sobra. Cuando ella vivía allí sola, después de morir papá y dividir en dos la casa, lo llamábamos el «c.d.l.», cuarto derecha de Lagasca, creo que el nombre se lo puso Lorenzo. Y últimamente, reunirlos los domingos a los tres para ir a comer al c.d.l. se había convertido en una auténtica caza a lazo. Pero cuando faltaba alguno mamá se disgustaba, y me echaba las culpas a mí, decía que los tenía pocos sujetos, que no me sabía hacer respetar. Me parece mentira que sea la misma casa.

Salieron a relucir recuerdos de la mudanza al «refu», que para mí supone un hito importante en lo que un sociólogo llamaría «dinámica de las relaciones familiares». Pero todo aquel trastorno se convierte en diversión al ser revivido para alguien que entiende sus claves jocosas. Entre Amelia y yo había surgido una complicidad lingüística que nos liberaba de nuestros pozos respectivos, y en medio del erial volvía a dibujarse la liebre rodeada de espejos rotos. Muchísimos. Tantos que no se puede atender a todos a la vez.

Por ejemplo, el fragmento que reflejaba la guarida de Encarna, Lorenzo y sus refugiados eventuales empezaba a quedar desenfocado, tapado por una nube. ¿Qué pasó antes de aquella mudanza? Y ya la luz arrancaba destellos de otro añico de espejo correspondiente a un estrato anterior de la historia. Tengo que atender a este flash back, lo tengo que pegar en el collage, aunque sea con saliva.

La escena se desarrolla en un aeropuerto. Es verano. Yo he ido allí a despedir a dos amigas de dieciséis años que viajan por primera vez juntas al extranjero. Cuchichean en voz baja y excitada, sin hacerme caso, radiantes, ingrávidas, mientras yo recuento los bultos del equipaje y pugno por identificarme con su aventura. ¡Qué ganas me dan de irme con vosotras!, les digo. Soledad me sonríe como por cumplir, pero Amelia ni siquiera me ha oído. Me han expulsado del paraíso, no son ellas las que se despiden, sino yo. Lo noté como una corazonada.

—Se me olvidaba decirte que el otro día llamó Soledad preguntando por ti.

Los ojos de Amelia se encendieron como ascuas y todo su rostro se transfiguró.

—Pero, por Dios, mamá, ¿cómo no me has dicho eso lo primero de todo? Le escribí hace muy poco a unas señas que tenía de París y me devolvieron la carta. ¿Llamaba desde París?

—No, está aquí.

Amelia se puso de pie y tiró la servilleta por el aire como si fuera un cartón de bingo premiado.

—*I can't believe it!* —gritó—. *I am happy!* ¿Cuántos días va a quedarse en Madrid? No se habrá ido.

—No creo. Quedó en venir a verme, dijo que tenía ganas de hablar conmigo. Sus padres se han divorciado, por lo visto, así, sin más ni más, una cosa de repente. Bueno, ya sabes que Soledad, cuando erais más pequeñas, me contaba siempre sus cosas. Yo creo que me quería tanto como tú.

Amelia no me escuchaba.

—Parece un milagro, de verdad, mamá. Llevo varios meses pensando en ella sin parar, te distancias por tonterías de gente que ha sido fundamental para ti, a mí me ha pasado con ella, pierdes el rastro de su vida, y de pronto comprendes que no puede ser, esta misma tarde lo venía pensando cuando aterrizábamos en Barajas, yo me muero de tanto como necesito volver a ver a Soledad, sin ella se me cruzan los cables. No sabes

45

qué palo cuando me devolvieron hace poco la carta larguísima con todo lo que no le he contado en estos años. Y ahora, fíjate, ¡la voy a ver!, seguro que la veo y es mejor que ninguna carta, que con sólo oírle la voz volvemos a estar montadas en el avión que nos llevaba a Brighton, aquella maravilla de ir subiendo juntas, de mirar las nubes, con lo que me aburre a mí ahora viajar en avión. No sé si te ha pasado alguna vez una cosa así, que de pronto, cuando más lo estás necesitando, hay algo que hace «clic», que te revive, ¿lo entiendes?

Puse una mano sobre la suya, que tenía posada en la mesa, y acaricié brevemente sus dedos delgados y fríos. En el anular lleva una sortija fina con brillantitos que era de mi madre y a mí ya no me cabe. La llevaba puesta la primera vez que Guillermo me cogió una mano.

—Claro que lo entiendo. También a mí me ha pasado. Hace dos días.

Pareció despertar de su arrebato y me miró extrañada.

—¿Que te ha pasado qué?

—Un encuentro de esos de liebre blanca. ¿Te acuerdas de Mariana León? Te he enseñado fotos suyas varias veces, aquella amiga mía del instituto.

Amelia puso una cara neutra.

—No me acuerdo. Me lo cuentas luego, ¿eh?, si no te importa. Voy a llamar a Soledad sin perder más tiempo. ¡Vaya por Dios! Lo siento mucho. Es que estoy tan nerviosa.

Al retirar su mano de la mía con cierta brusquedad, había derramado un vaso de vino.

—Da igual, no te preocupes. Corre a ver si la encuentras, anda.

Me quedé sola, mirando la mancha roja sobre el mantel. Casi enseguida volvieron a sonar los timbrazos amortiguados en el teléfono del office. Ni siquiera puse de pie el vaso volcado, tanta era mi apatía. De pronto no tenía ganas de nada más que de irme. La simple idea de recoger la cocina se me hacía una montaña, y otra todavía mayor esperar a que volviera Amelia y esforzarme por compartir sus emociones. Necesitaba salir, concederme una tregua.

Agarré el cuadernito donde apunta Daría si hay que comprar leche, azúcar o patatas y le arranqué la segunda hoja, que estaba limpia. «Gran Jefe, ahogado pozo doméstico, largarse calle. *Be happy*», escribí. Luego llevé la nota al cuarto de Amelia y se la dejé encima de la cama.

Salí, sin peinarme siquiera, sin cambiarme de pantalones, sin bolso. No había cogido más que las llaves y el monedero, como cuando bajo al bar a comprar tabaco. Crucé el portal casi corriendo.

—¿Va usted a volver ahora? —me preguntó el portero, que estaba hablando con otro hombre.

Quería preguntarme cuándo nos viene bien que nos pase la factura de los gastos del mes. Es verdad, ya estamos en los umbrales de mayo. Le dije en tono cortante que tenía prisa, que se lo preguntara a mi marido. Una reacción histérica. Pero es que al bajar en el ascensor había visto parada en el séptimo a la señora Acosta y la cosa que menos me apetecía en este mundo era encontrarme con ella, hay pendiente un recibo de no se qué, no quería saber nada del pozo ni de sus pobladores. De todas maneras, al decir «mi marido» ya me había asomado al pozo sin darme cuenta, y su visión furtiva me paralizaba. Miré el reloj, habíamos quedado en ir al teatro con su hermano y su cuñada, tendría que subir a dejar otra nota. ¿Es posible que no me hubiera acordado de Eduardo en todo el día? Y además me daba cuenta de algo que me dejaba aún más confusa: de que Amelia ni siquiera me había preguntado por él. Demasiadas perplejidades. Tenía que ventilarlas en la calle, eso es lo único que quedaba claro. Gran Jefe pozo no volver ahora.

—Perdone —dijo el portero—. Este hombre creo que pregunta por usted.

Le miré. Era un hombre fornido, un poco calvo, de mirada franca. ¿Lo conocería de algo? Me tendió la mano con cierta familiaridad.

—Cayetano Trueba, para servirla —dijo.

El ascensor había subido y estaba volviendo a bajar. No, ver a la señora Acosta sí que no.

—¡Ah, ya, el transportista de lo de mis hijos! Mucho gusto. Si no le importa, venga conmigo, entramos en el bar a que me cambien y allí le pago. Vamos.

Las últimas palabras las dije ya en pleno trotecillo hacia la salida, sin comprobar si él me seguía o no, hasta que llegué a la puerta del bar y me paré. Lo tenía junto a mí. Llevaba una chaqueta de pana.

—Sí que anda usted ligera, mujer —comentó sonriendo.

Pero era un comentario limpio, gracioso, desde fuera. Algo que no requería explicaciones. Y era grato oír la voz de un desconocido que ya a primera vista inspira confianza y hace compañía.

En cuanto empujé la puerta del bar y empecé a oler a gambas a la plancha y a café, me sentí provisionalmente a salvo y se me apaciguó el agobio. Había bastante gente y se oían fragmentos de conversaciones ensordecidas por un chirriar de máquinas tragaperras. Todos estaban allí buscando alivio a algo, restañando la herida de la media tarde. Los miraba con curiosidad serena, no incidían en mis humores ni yo en los suyos, nos admitíamos unos a otros sin exigirnos nada.

Cayetano Trueba es de un pueblo de la Alcarria, de familia de mieleros. Me lo contó mientras nos tomábamos unas cervezas en la barra por iniciativa mía. Él está muy apegado a su tierra y a sus parientes y ahora tiene encima un disgusto horrible porque se ha extendido por toda España una plaga que se llama barroasis y que no está dejando abeja sana; hay familias enteras —y no sólo la suya— que se van a quedar en la miseria. En toda la comarca de Las Hurdes, por la parte de Salamanca, la gente anda llorando por las calles. Un dolor.

—Porque además, fíjese usted, es visto y no visto. Llegas un buen día a visitar las colmenas, un poco como a ver si sigue durmiendo un niño, porque ya sabe usted que todo el invierno los avichuchos se lo pasan en letargo, y nada, que no están. Busca por arriba, busca por abajo, ¿pero cómo que no están?, no puede ser, pues nada, ni rastros, ni siquiera el consuelo de verlas muertas, porque es que cuando las ataca el mal ése se escapan y se van a morir por el campo, fuera de la colmena, ¿qué instinto las empujará?, debe ser que no quieren funerales. Dicen que es un acárido, yo no sé lo que es eso, pero vamos, que no hay remedio, como una especie de sida, hablan de que están inventando una vacuna, ¿pero quién ha vacunado nunca a las abejas?, ¿de cuando acá?, si es que no puede ser, las dos vaquerías que hay en mi pueblo parecen farmacias de tanto potingue para que no se les pongan pachuchos los animales, y los peces de los ríos muriéndose y muchas especies del coto de Doñana, que ya las tienen como entre algodones, lo habrá usted oído decir. Y, claro, es que está todo envenenado, el aire, el agua, todo. Yo eso de la barroasis, ya ve, en mi vida lo había oído y ahora de la noche a la mañana ¡toma barroasis!, es una palabra que te la tienes que aprender quieras o no, yo por lo menos la tengo metida en los sesos.

Me dijo que antes de casarse él también era mielero, se vino porque a su mujer le tiraba la capital. Aquí ha trabajado el camión hasta hace unos años, pero era una vida mucho más dura; prefiere los transportes, por lo menos se conocen casas distintas y se ven gentes muy particulares, da lugar a un trato, a una cavilación. Y luego, como ahora el personal se muda tanto, porque es que nadie para, pues trabajo no falta, gracias a Dios.

Me dio una tarjeta donde ponía: «Un rayo soy y donde me llaman voy: Transportes EL OSO». Así se llama su furgoneta, la suele aparcar junto al Palacio de los Deportes. Ahora ha comprado otra para su hijo, un chaval muy majo, no tiene más que ése. Vive con ellos.

—Usted ¿cuántos hijos tiene? —me preguntó.

—Yo tres, pero ya no viven en casa.

—Vaya, tan joven. Pues ahora lo que hace falta es que los vea bien casados. ¿O está ya casado alguno?

—No, ahora la gente joven no se casa tan fácil. Son más listos que nosotros.

—Ya, tiempo tienen, en eso lleva usted razón. Y luego con el paro que hay.

—Pues sí.

Me cambiaron cinco mil pesetas y le pagué, pero no consintió que le invitara a las cañas. Los de la Alcarria no tienen por costumbre dejar que pague la mujer; se verá antiguo, pero a él le parece una cosa bonita. Dijo que había pasado un rato muy bueno. En las capitales se va perdiendo el gusto por la tertulia, cada cual va a lo suyo, pero de todas maneras siempre aparecen personas tratables. Ya se lo había advertido la chica pelirroja, que yo era muy tratable. Una chica bien simpática, por cierto, un cascabel. Él a lo primero creyó que era de la familia por cómo hablaba de nosotros, con esa confianza.

—Sí, claro, es que Consuelo ha crecido en casa, como aquel que dice.

Al despedirse, ya en la calle, me preguntó si tampoco, entonces, era familia nuestra don Raimundo.

—¿Qué don Raimundo?

—El que manda los jarrones ésos. Por cierto, ¡qué casa más rara tiene! ¿Ha visto usted su casa?

—Yo no, si no lo conozco. Debe ser un amigo de mis hijos.

—Es un señor muy nervioso —se limitó a decir.

No le fui tras la pregunta: le tendí la mano y le dije que le llamaría cuando tuviera algún traslado que hacer. Ya eran muchos trocitos de espejo. Demasiados.

Eché a andar por la acera sin rumbo fijo, a buen paso. Se había quedado una tarde muy fría. Yo iba a cuerpo, con las manos metidas en los bolsillos del pantalón, en plan «pordio», y me sentía libre.

Necesitaba pensar, por lo menos durante media hora, exclusivamente en Mariana León. Había huido para pensar en ella, para tratar de recordar su voz y reproducir sus gestos. La otra tarde hubo momentos en que me pareció la misma de antes, pero no sé, la vida nos cambia tanto. Al acordarme de la seguridad con que se mueve y de toda la gente a la que conoce, me arrepentía de haberle mandado mi primera tanda de deberes y sentía una punzada de celos. No podré descansar hasta que me escriba.

IV. CAMINO DEL SUR

7 de mayo, camino del Sur

Querida Sofía:

Está anocheciendo y te escribo sentada en un compartimento de coche-cama, mientras al otro lado de la ventanilla se suceden barriadas modestas, cementerios de coches, huertas, fábricas, desmontes, vertederos de basura y chatarra y esos grupos de chabolas que se van desplazando cada día más allá, propagándose como los labios de una llaga, a medida que los especuladores con sus excavadoras hacen batirse en retirada a la miseria del extrarradio, como si quisieran negarle la existencia al apartarla de su vista. El sol se estaba poniendo justo al salir de la estación de Atocha, pero todavía quedan sobre las nubes oscurecidas algunos resplandores de color naranja.

Este tren va a Cádiz, pero yo me bajaré un poquito antes, en Puerto Real, meta de mi viaje. Ya he estado otra vez el año pasado y me encontré a gusto. Una amiga mía de sesenta años, marquesa por más señas, tiene allí una casa grande en la calle de la Amargura, de verdad, se llama así la calle, y a mí me ha dado un juego de llaves de esa casa. Ella la habita poco porque no da abasto a desplazarse de acá para allá y tomar decisiones sobre las muchas fincas y negocios que le cayeron encima a la muerte de su padre, un terrateniente andaluz como de novela decimonónica; así que me agradece que venga yo a

51

Puerto Real cada vez que necesite descanso. Dice que mis ojos, al mirar como refugio la casa deshabitada, la limpian de fantasmas y la desembrujan de tanto tedio y rutina como ha albergado. Hasta en una ocasión, bajo los efectos de la bebida, me propuso regalármela, y creo que iba en serio. Pero yo procuré hacerle entender —lo entendió enseguida porque es muy lista, y cuando bebe, más— que en tal caso los fantasmas empezarían a esclavizarme a mí y adiós refugio provisional; yo miro esos cuadros y esos muebles y lo que me gusta es que no me recuerdan nada, que no me importa el precio que tienen ni a quién han pertenecido ni adónde van a ir a parar cuando yo esté en el otro mundo. Silvia se echó a llorar y dijo que me envidiaba, que cómo le gustaría poder mirar así su propia casa. «Para ti es un novio, claro, y para mí un marido enfermo, y ni siquiera le puedo desear la muerte porque eso lo castiga Dios.» Se la desea, sí, como a todas las fincas que tiene, pero es un deseo esquizoide, en lucha con los principios de lealtad al patrimonio familiar que le inculcaron desde niña. Esa contradicción entre el arraigo y el desarraigo forma el núcleo de la neurosis que la trajo a mi consulta cuando se quedó sola en el mundo. Unas veces decide que se va a desprender de todo y otras que no se puede desprender de nada, son rachas, y ella lo sabe. Te diré que la relación con gran parte de las personas que trato actualmente me viene por la vía del diván, lo cual a la larga resulta empobrecedor y fatigoso. O, por lo menos, falto de armonía. Pero bueno, dejemos ahora a Silvia; supongo que ya tendré ocasión de volverte a hablar de ella cuando venga a cuento. Ahora lo que necesito es que escuches el mío.

Me voy, como te digo, a vacunarme de mis amarguras a las mismísima calle de la Amargura, trabalenguas que no deja de tener su miga sarcástica. La vida, hasta cuando la vemos más negra, puede ofrecernos estas compensaciones lingüísticas capaces de arrancarnos una sonrisa momentánea.

Más que irme, me largo. Me he liado la manta a la cabeza y he salido de estampía. De momento no pienso en las consecuencias, procuro sacarle placer a la sensación misma de la huida. Veremos lo que me dura, probablemente poco, porque ha sido una decisión a contrapelo de mi propio acuerdo. Siempre que decido hacer un viaje, supedito el proyecto a fechas libres, a compromisos pendientes. O sea, que prevalece la sensatez. Pero lo de ahora es un arrebato, como la espantada de un torero que tira los trastos y echa a correr ante un toro que amenaza con derrotes de muerte. Si has leído mi carta anterior, no te costará mucho entender que ese toro es Raimundo.

Y el caso es que iba todo tan bien; fue de repente. No hace ni siete horas que estaba en su casa, dispuesta a seguir allí con él el tiempo que hiciera falta, me daba igual que fuera una semana como toda la vida si él me lo pidiera, así como suena, y no sabes lo raro que a mí misma me suena ahora, pero era tan feliz.

Es que, no sé, te lo querría contar bien, porque, si no, no lo voy a entender yo tampoco, menos mal que te puedo escribir. Por favor, no te impacientes.

Desde que salió ayer por la mañana del hospital, en un estado de ánimo totalmente distinto del que yo había previsto (lo suyo es salir por registros inesperados), desde que llamó a un taxi y me dijo: «Pasa, vienes conmigo, ¿no?», supe que me estaba abandonando a lo que él decidiera, porque yo no tenía fuerzas para seguir llevando las riendas de nada. Bueno, es que ha sido una semana de infierno. Me sentía como una niña convaleciente de la que alguien, por lógica, se tiene que hacer cargo; y la voz bien templada de Raimundo, mientras se inclinaba hacia delante y le daba al taxista las señas de su casa, invertía radicalmente los papeles de protector y protegido marcados hasta entonces en el reparto. ¡Qué alivio! Recliné la cabeza en el respaldo del asiento y cerré los ojos, segura de que él lo había entendido así. Su primer gesto de pasarme el brazo izquierdo por los hombros ya fue una garantía esperanzadora. Luego, a lo largo del trayecto —un prólogo con más música que letra—, todo fue un crescendo de aciertos.

Yo no hablaba ni casi me atrevía a moverme, me dejaba llevar a ciegas, y él me acariciaba de vez en cuando las manos y el pelo con una delicadeza cargada de electricidad. Acercó los labios a mi oído: *«Ferme tes jolis yeux, car tout n'est que mensonge»;* y ahí ya se me empezaron a escapar las lágrimas que a duras penas estaba reteniendo, porque la voz le salía de ese recinto del alma que tienen tan amurallado las personas acostumbradas a fingir y a defenderse. Era una orden bien dulce, la más apropiada para una niña que ha tenido tanta fiebre, tantos delirios, ¿cómo no obedecer? Así que seguí saboreando con los párpados cerrados la vecindad de quien me había recogido y me llevaba con él, el olor de sus ropas y aquellas caricias que ahora se centraban en un recorrido lento de sus pulgares por el surco de humedad que me dejaba el llanto sobre la mejilla, hasta que vomité todo el miedo y el veneno que se me habían depositado durante las noches en vela en el fondo de los ojos.

No los abrí hasta que, al cabo de no sé cuánto tiempo, le oí decir, dirigiéndose al taxista: «Pare un momento aquí, si hace el favor, que a mi novia le gustan mucho las lilas.» Fue como salir de un túnel. Estábamos en la glorieta de Alonso Martínez, ya cerca de su casa, hacía mucho sol y en el paso de peatones había una gitana vendiendo flores. Raimundo vino con un ramo de lilas, y todavía huelen como en aquel momento en que salí del túnel, ahora las pondré en agua para que presidan mi viaje, es lo único que me he traído como recuerdo de las horas pasadas con él en su casa, unas treinta según el reloj, pero yo de esas cuentas no hago caso.

Raimundo vive en un piso disparatado en la calle de Covarrubias. Muchas veces me he quedado a dormir allí. O mejor dicho, a lidiar con sus insomnios, a derrochar energía para convencerle de que vale la pena seguir viviendo, aun a riesgo de perder pie y acabar convencida yo de lo contrario, cosa que ocurría con cierta frecuencia. Solía salir de madrugada y generalmente con la moral por los suelos, cuando él ya había conseguido conciliar el sueño. Le dejaba una nota. Podían pasar días, semanas y hasta meses sin volver a tener noticias de su vida más que a través de amigos comunes. Y esas noticias no siempre me tranquilizaban, ni me eran nunca indiferentes.

Al entrar en el portal, cuando estábamos esperando el ascensor, me miró sonriendo y dijo: «Júrame una cosa, que te vas a olvidar de la doctora León, ¿te apetece el plan?» Y yo, abrazada a mi ramo de lilas, hundiendo en él la cara, recité la primera frase de mi nuevo papel: «No hay nada en el mundo que me pueda apetecer más, oh Raymond.» Te parecerá de novela rosa, como me lo está pareciendo a mí cuando te lo cuento. Y también entonces, según oía como entre sueños bajar el ascensor, pensé que esa doctora León tenía resonancias de protagonista de Carmen de Icaza, y que ya no estamos en edad. Pero fueron los últimos ramalazos de lucidez hasta esta tarde. Había decidido meterme en la función.

Las horas que hemos pasado en Covarrubias los dos solos, sin atender al teléfono ni al reloj, entreverando con música, café y poemas algunos ratitos de sueño, sin parar de hablar, de reírnos y de acariciarnos, son una creación de Raimundo, que sólo precisaba de mi asentimiento para tomar cuerpo en ese escenario gastado y renovarlo. Era él quien llevaba la batuta en aquella sinfonía de resurrección dedicada exclusivamente a mí. Notaba que me estaba fascinando y eso le espoleaba sus dotes de improvisación verbal, que desde luego no son pequeñas. Se me olvidó que es un ciclotímico, que hace poco más de una semana le dio por mandarles objetos y muebles a varios amigos en plan recuerdo póstumo, que luego tuve que llevarlo casi en coma al hospital, se me olvidó que ni a él hay quien lo aguante ni en su casa hay quien pare, y se me olvidaron, por supuesto, todos mis compromisos y citas pendientes. Hacía años que no lo había visto así, empleado a fondo en gustarme, en echarle cuento al cuento del *coup de foudre* entre almas gemelas, tan sabio, tan provocador y deslumbrante que llegué a decirle en un momento determinado «¡Max, no te pongas estupendo!». Era como descubrirlo otra vez, como acabar de conocerlo, pero más, una sensación más intensa todavía, porque aunque lo estaba olvidando todo al precio de entregarme a aquella borrachera, siempre hay algo que a los borrachos se les queda en las entretelas del recuerdo por mucho que beban. Y yo lo único que no podía olvidar era la causa que divinizaba aquella borrachera y la hacía distinta de cualquier otra: que Raimundo había estado a punto de morirse, y que mirar sus ojos negros y fulgurantes era como resucitar con él.

Recobrar siempre ha sido más excitante que cobrar, aunque también más propenso a espejismos. Y por cierto, ahora que escribo esto, me pregunto si no será igualmente un espejismo imaginar que te he recobrado a ti. De todas maneras, bendito espejismo, Sofía, caso de que lo sea. No sabes lo bien que me está sentando pensar en ti como la única destinataria posible de esta carta, que es a su vez mi única tabla de salvación. Y no tengo prisa por terminarla, me pasó lo mismo con la de hace una semana. Tengo toda la noche por delante. Con la ventaja de que hoy no caben interrupciones, porque nadie sabe dónde estoy en este momento. Ni siquiera tú.

* * *

Releo lo anterior y continúo, al cabo de dos horas que he pasado en el coche restaurante. Me había entrado hambre y además comprendí que me estaba liando y que necesitaba una pausa para ordenar la historia que te quiero contar. Tiene demasiadas ramificaciones que no conoces, y no es cosa de caer en el «relato a perdigonadas». Cogí un cuadernito, y según avanzaba de un vagón a otro siguiendo al camarero de la campanilla, se me ocurrió que podía hacer una especie de guión para no perderme y también para que no te pierdas tú. Son rutinas adquiridas en mis viajes a congresos o simposios, aprovechar el avión o el tren para tomar notas sobre una conferencia que llevo sin preparar del todo, prendida con alfileres.

Pero luego, mientras cenaba y veía caer la noche a plomo sobre el campo, lo único que he hecho ha sido pensar en ti, en lo extraño de tu reaparición, y en los incógnitos azares que pueden haber guiado tus pensamientos y tus pasos a lo largo de esta semana. Y también en que la única alternativa que nos cabe a estas alturas es la de perdernos cada una por su lado, sin andar soñando con que vamos a juntar nuestros respectivos perdederos, por mucha noticia que nos demos de ellos. Tu vida, aunque sólo la atisbo a través de una rendija, está claro que lleva un ritmo distinto de la mía. Y es que hemos crecido. Crecer es empezar a separarse de los demás, claro, reconocer esa distancia y aceptarla. El entusiasmo de aquellos encuentros juveniles con personas que despertaban nuestro interés se basaba en que dábamos por supuesta una permeabilidad continua entre nuestra vida y la de ellos, entre nuestros problemas y los de ellos, parecía posible la anexión. Es cierto que aún se dan momentos en que surge esa ilusión de permeabilidad, pero son momentos extraordinarios y fugaces, a los que no se puede pedir continuidad, vigencia permanente. Yo de jovencita —y a ti te pasaba lo mismo— estaba segura de que las gentes que me querían nunca se iban a desentender de mí, que mi vida era indispensable para la suya. Pero, en el fondo, lo que quería es que no me dejaran nunca de necesitar. Pues no. Luego ves que no, y además es mejor que nadie te necesite mucho.

Pensaba con nostalgia en lo fácil que me resultaba escribirte tiempo atrás, cuando no había que hacer un «resumen de lo publicado», cuando bastaba con simples alusiones, con echar mano de un lenguaje común que reflejaba gustos, bromas y emociones comunes. Yo ahora, aparte de que tienes problemas de fontanería, tres hijos y un marido del tipo «ejecutivos al poder», de tus últimos treinta años sé bien poca cosa. Este viaje interrumpe, además, la posibilidad de recuperar una cierta sincronía entre lo que tú me vayas contando y lo que te cuento yo, porque cuando recibas esta carta, sabe Dios el sesgo que habrán tomado tus deberes, caso de que hayas tenido ganas de seguirlos. Se me ha olvidado decirle al portero que me mande el correo a Puerto Real. Bueno, la verdad es que ni siquiera he visto al portero. Me he pasado un rato por casa a meter cuatro cosas en la maleta, a buscar las llaves de la calle de la Amargura y a encargar el billete por teléfono. Ya en el portal, volví a subir para dejarle una nota apresurada a Josefina Carreras, mi suplente. No me ha dado tiempo a otra cosa, perdía el tren.

Y aquí me tienes, bebiendo y pensando en ti, acodada en la

mesita de un coche restaurante mientras cae la noche. ¡Qué graciosa eras a los trece años, cuando te peinabas con aquellas trenzas sujetas en lo alto de la cabeza, que tantas veces te deshice y te cepillé, las noches que te dejaban venir a dormir en mi casa de la calle de Serrano! «No os quedéis hablando hasta muy tarde, que luego mañana no hay quien os despierte», decía mamá cuando entraba a darnos un beso. Pero nunca le hacíamos caso, y ella sabía que no se lo íbamos a hacer. Hablábamos incansablemente, en un cuchicheo de cama a cama, ahogando las risas unas veces debajo del embozo y otras notando, aunque estuviéramos a oscuras, que las lágrimas se nos estaban escapando al mismo tiempo. Hablabas sobre todo tú, tus palabras despegaban hacia exóticos territorios de ficción, decías que la noche te soltaba la lengua. Y la noche, como todo lo que nombrabas, se convertía en personaje de cuento. Era el duendecillo Noc, lo sentías revolotear con sus alas irisadas y negras, bajar dulcemente hasta ti, hasta tu boca abierta, y meterse en tu cuerpo; te desataba los lazos de la lengua, irrumpía casa adentro por los pasillos de los pulmones, del corazón y de los intestinos, y notabas cómo a su paso iba apagando los interruptores que dan calambre y encendiendo los que dan luz de luna. Y en todos tus cuentos había luz de luna. Te gustaba, más que nada, fabular situaciones de futuro, enriquecidas con tantos detalles, que oírte era como leer una novela. Un tema recurrente en esas historias era el de nuestro reencuentro cuando fuéramos mayores, después de haber estado largo tiempo separadas por circunstancias de la vida. Tanto estas circunstancias como las del reencuentro tomaban las variantes más inesperadas, según patrones de novela gótica o de caballerías, que eran los géneros que más nos atraían en ese tiempo. Pero mi vida siempre había sido más peligrosa y más romántica que la tuya, y tan pronto me veía atrapada en un castillo del que me resultaba muy difícil salir, como se provocaba una pelea a espada entre dos de mis amantes, como estaba a punto de tomar un transatlántico para no volver nunca al continente. Y en un momento determinado nos volvíamos a encontrar, variaba el paisaje pero había siempre luz de luna, y yo te contaba una historia muy larga que luego tú te ponías a escribir. «Porque yo soy Per Abat —decías—, el trancriptor del Poema del Cid.» Y era una risa oír cómo ahuecabas la voz para dar teatralidad a ese personaje borroso del pasado, que acabó convirtiéndose en tu mote. «Anda, cuéntame un cuento, Per Abat.»

Por eso me sonreía en el coche restaurante. ¡Qué gusto que hayas resucitado, mi buen Per Abat! Date cuenta de una cosa, de que en el fondo soñábamos con lo que nos está pasando, ¿cabe mayor felicidad? Solamente prestamos atención a lo que ya vivimos o a lo que esperamos vivir; a lo que nos está pasando casi nunca le hacemos caso, contamos con ello como algo normal. Pero no es normal, Sofía, no es nada normal lo que nos está pasando. Una carta tan especial como ésta nunca habrías sabido inventarla para adornar tus versiones de futuro, y sin embargo, ¿a que te habría encantado leerla? Pues ya ves. Va dirigida, en realidad, a la niña de las trenzas, para su archivo.

Y por ahí derivé a pensar en lo enredoso de cualquier empeño de escritura que pretenda coherencia sin renegar de lo anacrónico, y en lo que dijiste de los espejos rotos, y en la relación que guarda el argumento de un mensaje con la situación del que lo recibe, y en Roland Barthes —*Le plaisir du texte*—, en fin, un absoluto pire que me hizo olvidarme de Raimundo.

Porque es que además, fíjate, ¡hace un rato hemos pasado por Aranjuez, mi buen Per Abat! ¿Se puede pedir más? De repente la excursión que hicimos juntas a Aranjuez el otoño anterior al ennegrecimiento de nuestro oro se convirtió en polo magnético de todo el discurso interior que se me venía desbaratando. Ya ves qué momento para pasar ahora por Aranjuez, una peregrinación en plan conmemorativo no podría venir mejor traída ni más a cuento.

Fue allí donde te hablé por primera vez de Guillermo, ¿te acuerdas?, donde empezamos a ser dos y no una, a crecer. Los resplandores de esa tarde a orillas del Tajo, después de haber estado paseando por los jardines reales, coinciden con los últimos brillos de oro puro que nimban nuestra simbiosis de adolescencia, oro en los árboles, oro en las nubes, oro en tu pelo. Y un deseo agudo, casi doloroso de que el tiempo no pasara. Pero tú me notabas distinta y me empezaste a sonsacar. «¿Distinta, cómo?» «Pues distinta, no sé, como si estuvieras metida dentro de un cuadro de la escuela flamenca, con las manos apretadas escondiendo una cosa que no me quieres enseñar.» No, no te la quería enseñar. Le daba largas. Me parecía que algo se iba a estropear si abría las manos y te la enseñaba. Y cuando, al final de la tarde, merendando en La Rana Verde, las abrí por fin y pronuncié el nombre de Guillermo, me di cuenta de que mis recelos eran fundados. No me había gustado decirlo; durante una semana no se lo había dicho más que a él en voz baja y secreta, para recibir a cambio el mío, un intercambio de respiración intransferible, insuflado boca a boca, y ni siquiera tú tenías nada que ver con esa historia. Hubo un silencio incómodo, y el nombre de Guillermo se quedó cruzado entre las dos ya para siempre. Hasta entonces nos habíamos dado parte puntual de nuestros escarceos amorosos con absoluta naturalidad, consciente cada una de que lo más bonito era dejárselos compartir a la otra, y en cierta manera aquellos brotes tomaban cuerpo al comentarlos, se inventaban. Pero no. Tú notaste que aquello era otra cosa, sólo por cómo dije el nombre de Guillermo y cómo inmediatamente me retraje. Te quedaste muy callada mirando al río. Luego me preguntaste que cómo era. «No sé, nunca he conocido a nadie como él. No es muy simpático. Tiene cara de lobo.» «Me das envidia», dijiste.

Pues ya ves lo que son las cosas, Sofía, también Raimundo tiene cara de lobo. Te lo tenía que haber dicho antes de nada. Y mira por donde, sin necesidad de tomar notas, he reenganchado con la historia.

Ya hace bastante rato que estoy acostada en la litera, con las piernas en pico donde apoyo este bloc de papel avión, la lucecita encendida y la cortinilla de la ventana levantada para ver la noche contra la que se dibujan perfiles fugaces. El duendecillo Noc se me ha metido en la sangre y la luna está

60

en cuarto creciente. Me abandono al traqueteo del tren que me lleva en volandas.

Pues sí, tiene cara de lobo. Y yo creo que eso fue lo que me pasó ayer, ahora lo he entendido, que le vi como por primera vez la cara de lobo y se me fue la cabeza. Porque lo raro es que había dejado de tenerle miedo, y hasta su cubil, del que he renegado tantas veces, que me ha llegado a producir repugnancia, me atraía como una promesa gloriosa de pasión y desorden, como la cueva de un brujo que te está dando a beber elixir de juventud en una pócima amarga. Sí, se me fue la cabeza. ¡Qué gusto! Estoy harta de mantenerla en su sitio, de aguantarla sobre los hombros en equilibrio inestable; se echó a rodar por debajo del sofá, a rebotar contra las paredes, a posarse encima de la librería, y sobre todo a acurrucarse entre las patas de ese hombre lobo que está en su derecho de destruirla o someterla a mutaciones inquietantes, cabeza loca, sí, desaforada, entregada al hechizo de una alimaña antojadiza y cruel. Que hiciera con mi cabeza y con mi vida lo que le diera la gana, con tal de que no dejara de dedicarme todos sus aullidos de placer y de dolor, todas sus miradas, con tal de ser su única presa, de que no volviera a necesitar a nadie más que a mí. En modalidad de copla gitana: «Si tu me pidieras que al fuego me echase,/igual que madera me consumiría./Si tú me pidieras que abriera mis venas,/ un chorro de sangre te salpicaría.» Y en jerga psicoanalítica de la doctora León: Inmolarse en aras de la discutible felicidad que la disgregación de uno mismo puede proporcionar a otro. Pero no es broma, Sofía, lo malo es que no es broma. ¡Qué condena llevamos las mujeres con esta retórica de la abnegación, cómo se nos agarra a las tripas, por mucho que nos pasemos la vida tratando de reírnos de ella! Yo, aunque me dé vergüenza, te tengo que confesar —porque esta carta va de confesión— que mis ensueños eróticos más secretos se abrasan en el deseo de disolverme en otro, de entregarme a alguien sin reservas para que disponga de mí a su capricho; deseo analizado luego despiadadamente en mis horas de vigilia y amordazado sin más contemplaciones. Porque sé que es una pendiente resbaladiza. Y más que caer en ella lo que me espanta es que alguien lo note.

Pues bueno, ayer Raimundo lo notó. Y supongo que era eso lo que le hacía sentirse tan feliz, tan excitado y seguro de sí mismo. Y también lo que le llevó a cansarse antes de que en mi actitud se reflejara el menor síntoma de cansancio. Tomar la delantera, ¡cuánto gusta! A partir de las cinco de la tarde, sin una transición justificada, la euforia que le producía saberse dueño de la situación empezó a canalizarla por vías más tortuosas.

El antecedente fueron dos llamadas por teléfono entre las que mediaría un cuarto de hora, y a ninguna de las cuales se atendió. Pero Raimundo las recibió de una manera distinta de como había recibido todas las anteriores, que o no le habían inmutado o le provocaron comentarios de hartazgo, rematados a veces por la decisión de dejar el teléfono descolgado durante un rato. Luego lo volvía a colgar porque decía que era peor, que la señal de estar comunicando significaba ya de por sí un indicio que podía animar a algunos amigos a presentarse. Se resiste a poner contestador automático.

Estas dos llamadas, sin embargo, sí lo inmutaron, aunque no dijo nada. Lo sumieron en un silencio que presagiaba extrañas mudanzas. Cuando se inició la segunda, insoportablemente tenaz, Raimundo se levantó bruscamente y se puso a pasearse por la habitación. Se acercó al tocadiscos, donde sonaba la Quinta Sinfonía de Beethoven, dirigida por Von Karajan, y la quitó, sin consultarme si me gustaba o no seguirla oyendo. Se quedó de pie junto al teléfono, con las manos en los bolsillos, mirándolo, aunque no lo descolgó. Cuando se hizo el silencio, que para mí fue un enorme alivio, fingió que estaba buscando un libro en esa parte de la habitación. Se demoró bastante. Yo no me atrevía a preguntarle nada. Al cabo volvió a sentarse en la butaca enfrente de la mía. Se acariciaba el pelo voluptuosamente, mirando distraído hacia la ventana. Lo más bonito que tiene Raimundo es el pelo, suave, ondulado y casi completamente blanco. Presume de pelo, sabe que es su primer reclamo erótico.

—Supongo que tendrás que hacer algo —dijo de pronto—. No nos vamos a pasar así toda la vida.

Era un comentario totalmente lógico, pero me pilló desprevenida. Además no me miraba. Seguía acariciándose el pelo.

—Bueno, claro que tengo qué hacer, ya lo sabes, montones de cosas. Pero no me lo recuerdes ahora.

No contestó. Entonces me acerqué a su butaca y me arrodillé sobre la alfombra.

—Raimundo, ¿qué te pasa? No me digas que no te pasa algo. Por favor, mírame.

Me miró, disimulando torpemente su impaciencia detrás de una sonrisa de mal actor.

—¿Qué me va a pasar, mujer? No lo eches todo a perder, no empecemos con interrogatorios.

Bajé los ojos a la alfombra. Estaba muy sucia, incluso había colillas pisadas. A saber el tiempo que lleva Covarrubias sin que entre una mujer a limpiar. Y de repente me sorprendí imaginándome con un mandil y un escobón, abriendo las ventanas y entonando coplas alegres, mientras de la cocina venía un olor a guiso casero, y yo me acercaba a la mesa grande, casi con devoción, a poner en orden los papeles de Raimundo.

—No, es que me pareció que me estabas echando —dije en un tono algo mimoso, sin levantar los ojos de la alfombra.

Estaba empezando a resbalar por la pendiente y lo sabía. Ahora le tocaba a él pedirme que lo mirase, pero se saltó el turno. El cuarto olía a cerrado, a tabaco, a sudor.

—No te echo, reina, quédate si quieres —dijo con voz desenfadada—. Lo único es que voy a salir un rato. Empiezo a sentir un poco de claustrofobia y necesito darme una vuelta. Me imagino que lo comprenderás, ¿no?

—Sí, claro. ¿Te apetece que te acompañe?

—Pues mucho no, francamente. Veo que no lo has comprendido.

—¿Y adónde vas?

—No sé, igual me paso a ver a gente que a ti no te cae muy bien. Seguro que han llamado muchos de mis amigos. Como no has querido que cojamos el teléfono.

Levanté la cara y noté que me ardía. Se me desencadenaron los demonios.

—¿Yo? ¡Eras tú el que no quería saber nada de nadie! Lo has dicho ayer, acuérdate. Que te bastaba y te sobraba conmigo. Raimundo, por lo que más quieras, contesta. ¿Lo dijiste o no?

Se echó a reír.

—Anda, guapa, no me montes un número ahora, que no te va. Si lo he dicho, ¡qué importa!, habré cambiado de opinión. ¡Quién habló! ¿O es que tú no cambias nunca de opinión?

Ahí ya perdí los estribos. Comprendo que los perdí. Los estribos de la dialéctica, en este caso. Conozco muy bien el fenómeno. Consiste en dejar de escuchar al otro, en cargar las baterías de la propia obsesión y dispararlas como contra una pared, sin atender a más razones. Me abracé a sus rodillas, que de pronto se habían vuelto de piedra. Le pedí que no volviera a meterse en la espiral de buscar a esa gente que lo vampiriza para luego burlarse de él, que por Dios no se dejara arrastrar hacia semejante sumidero de dependencia, que son ellos los que le han anulado la voluntad y lo empujan al hoyo. Llegué a hablar de tortuosos manejos. Un discurso típico de madre acaparadora que pone a su hijo en guardia contra las malas compañías. Y, entrándole por ese lado, Raimundo se resabia y empieza hacer extraños, cosa que, por otra parte, es natural. Cada cual se defiende como puede.

¿Sumidero? ¿Manejos? ¿Vampirismo? Por favor, sonaba a serial radiofónico. Me propuso discutir la cuestión en un plano más teórico, y en ese terreno llevaba las de ganar por la sencilla razón de que él estaba completamente tranquilo y yo, en cambio, fuera de mí. Me acusó de subjetividad y falta de perspectiva, rebatió mis metáforas, que le parecían demasiado elementales, y se enredó en una brillante disquisición sobre la cara y cruz de esa tendencia al dramatismo que caracteriza a los españoles y que los lleva a considerar como pecado el derecho al placer. Experimentar emociones peligrosas no tenía por qué significar caer en un hoyo, sino simplemente explorarlo, sobrevolarlo. Aprender buceando en las sombras, no sólo en la luz. Yo le seguía a duras penas. Lo único que captaba era la altivez de su tono y me daba miedo. ¿Cuántas horas harían falta para que se volviera contra él mismo, hecha añicos, esa dialéctica del explorador de ruinas ajenas?

—Además —concluyó—, ¿tú qué sabes de hoyos?

Pues sí, de hoyos sabía mucho, ¿cómo no iba a saber yo de hoyos y de sumideros y de conductos subterráneos?

—Por los libros, claro —dijo él.

—¡Por los libros y por vosotros que me lo contáis!

No hay mayor torpeza que repetirle en voz alta a un paciente los mismos argumentos que en alguna ocasión él pudo haber empleado para poner en evidencia sus propias contradicciones. Un buen psiquiatra tiene que hacer como que no recuerda ninguna confesión de las que brotaron en sesiones anteriores, fingir que no existieron. Pero a veces no se puede. ¿Por quién sino por Raimundo me he enterado yo de que se mete a sabiendas en callejones sin salida, de que se mezcla con personas que ni le entienden ni le llegan a la suela del zapato? Y encima ni siquiera siempre se ve guapo en esos espejos de alquiler, son como los espejos deformantes del callejón del Gato, él mismo lo ha dicho con esas palabras, no viene en ningún libro de los que yo estudio. Si no quería que me hubiera enterado de los detalles de este proceso que acaba convirtiéndolo en un guiñapo, no habérmelo contado en cientos de versiones ni haberme llamado en su ayuda cuando se ha visto por los suelos. Yo no tengo la culpa de tener buena memoria.

Se lo solté todo a borbotones, sin método ni cautela, casi gritando, como si se estuviera prendiendo fuego a la habitación y fuera yo el único testigo capaz de ver subir las llamas y de pedir socorro. No podía tratar aquello en plan teórico, que no me pidiera eso, porque no.

Los ojos de Raimundo se fueron ensombreciendo hasta adquirir un tinte casi de ferocidad. Una mirada que ya conoce bien la doctora León y que a veces, a base de tacto y paciencia, ha conseguido desactivar. Pero la doctora León no estaba, no me podía echar una mano. Se habría avergonzado de verme allí derrotada sobre la alfombra, disparando argumentos mal enhebrados, perdiendo pie, abrazándome angustiada a las rodillas del hombre lobo.

—¡Volverás a las andadas, pero entonces a mí no acudas, ya te lo aviso, Raimundo! ¡Tendrás que salir tú sólo de la caverna, te lo juro por Dios! ¡O buscarte otro psiquiatra que te saque, y no te será fácil encontrarlo!

Se desprendió de mí y se puso de pie.

—¡Basta, Mariana, ya está bien! Recapacita un momento, cuando se te pase el ataque, y dime quién está aquí de psiquiatra, ¿tú o yo?

El colmo. Aquello era ya tocar fondo. Comprendí que había que levantarse del suelo y tomar una determinación. Pero no tenía fuerzas. Ahora él había vuelto a acercarse. Vi sus botas cortas de ante que se paraban a poca distancia de mis rodillas, los pantalones de terciopelo gris ceñidos a la pantorrilla recta. Me rozó brevemente el pelo con la punta de los dedos.

—Es que a veces, niña, para que te enteres, los psiquiatras necesitáis de un desequilibrado que os abra los ojos —dijo en un tono superior y condescendiente, bien distinto del que usó en el taxi para pedirme poéticamente que los cerrara.

Escondí la cabeza entre los brazos y la apoyé en el asiento que él había dejado vacío, tratando de evocar el aliento cálido de aquella voz que me susurró al oído: «*Ferme tes jolis yeux, car tout n'est que mensonge.*» Cerrar los ojos. Dormir. Todo es mentira. Todo.

—Estás muy cansada, se te nota —dijo Raimundo—. Lo que te convendría, te lo digo de verdad, es pasarte dos días enteros durmiendo. Pero, en fin, haz lo que quieras. Yo me voy a lavar la cabeza. Tengo el pelo asqueroso.

No contesté. Sus pies volvieron a alejarse de mi campo visual. Oí que sonaba el teléfono y que él lo cogía enseguida. Entonces levanté la vista y agucé la atención. Hay media pared de librería dividiendo el cuarto y el teléfono está al otro lado, de manera que le podía escuchar sin que nos viéramos las caras. Pero la expresión de la suya, a juzgar por el tono de la voz, debía ser de profundo júbilo. Hablaba bajo.

—¡Salve, hombre! ¿Qué pasa...? ¿A mí? A mí nada, me encuentro más en forma que nunca... En plan ave fénix, sí, un cambio de piel... ¿De verdad? No halagues mis bajos instintos, *honey*... Pues solo... Sí, en serio, estoy solo, ¿por qué...? Ah, ya te entiendo.

Me levanté sin hacer ruido, cogí el bolso y el ramo de lilas y me dirigí de puntillas hacia la puerta. Aún alcancé a oírle decir, ahora más susurrado:

—¿Estás en casa...? Es que me has pillado en la ducha, no hay más misterio que ése... Sí, claro, desnudo... Anda, calla... Te llamo dentro de diez minutos... Que sí, palabra... Palabra de monstruo, sí... ¿Qué dices?

Salí silenciosamente, sin dar portazo, con los gestos lentos y cronometrados del ladrón furtivo de las películas, y, una vez fuera del recinto amenazador, eché a correr escaleras abajo como alma que lleva el diablo, despeinada, con las mejillas ardiendo.

No sé lo que pensaría Raimundo al volver y no encontrarme. No sé lo que habrá sido de él ni si habrá llamado o no, ni a quién estará dedicando esta noche de brisa tibia la letanía gloriosa de su resurreción. No sé nada ni quiero imaginármelo.

Eran la seis y cuarto y hacía una tarde muy buena. Anduve bastante rato por la calle sin rumbo fijo, tropezándome con la gente y haciendo eses, como cuando se sale de la montaña rusa. Luego me acordé de que apenas habíamos comido y en cambio no habíamos parado de fumar y de beber. El mareo podía venir de eso. Y de la falta de sueño.

Me metí en un bar de la plaza del Dos de Mayo, pedí un café en la barra, y nada más caerme en el estómago me entró un sudor frío, me dieron arcadas y tuve que salir pitando para el servicio, con la boca tapada por un pañuelo.

Las lilas las había dejado en el mostrador, y volverlas a oler después de la vomitona me dio la ilusión de un cierto restablecimiento. Pero en el espejo que había detrás de las botellas me vi una cara muy pálida y además me notaba las piernas como de trapo, casi no me sostenían. Me acordé del poema de Poe: «Nunca más, nunca más.»

—Me voy a sentar un momento en aquella mesa, oye —le dije al camarero.

—¿Te llevo otro café?

—No, un vaso de agua, por favor.

Cuando me lo trajo, yo había apoyado la cabeza contra la pared, y miraba con los ojos entrecerrados las figuras que se movían perezosamente fuera, al otro lado de la ventana. Trataba de respirar hondo y de concentrarme en la decisión de no montar una escena de llanto, decisión fluctuante, como todos los humores y jugos de mi cuerpo en aquel momento. El camarero dejó el vaso de agua encima del velador y se sentó a mi lado con total naturalidad. Era un chico delgado, muy guapo, con pelo afro. Llevaba un pendiente en la oreja izquierda. Yo seguía oliendo las lilas de vez en cuando.

—¿Cómo va la cosa? —me preguntó sonriendo—. Estás muy pálida.

—Se pasa, gracias.

—¿Es lipotimia o mareo de coco?

—Pues serán las dos cosas. ¡Yo qué sé!

—¿Y ahora te montas el pire a base de jarabe de lila? Pero venga, tía, no llores. Bebe agua, anda. El pulso lo tienes bien.

Me había cogido la muñeca, no me la soltaba y estuvimos así un rato sin hablar. No me resultaba violento ni llorar ni sentirlo tan cerca, atento a mis pulsaciones. Al contrario, me gustaba. La tarde se detenía estática sobre la plaza.

—Oye, ¿y a ti qué te pasa?, ¿qué vas de abstracta por la vida?

—¿Por qué?

—No sé, por cómo lloras, yo es que te veo llorar y alucino. ¿Has visto *Casablanca*?

—Sí, pero allí no lloraba nadie, que yo recuerde.

—Bueno, da igual, tampoco aquí hay piano; se me ocurre eso porque has entrado como Ingrid Bergman buscando al Humphrey. ¿O no? Eres demasiado. Te veo en blanco y negro.

El local estaba casi vacío, sólo había tres chicos en la barra, pero no nos miraban. Me sequé las lágrimas con la mano libre.

—¡Tino! —llamó uno de ellos—, ¿me pones otro cubata?

Tino se levantó y me dio un golpecito amistoso en la rodilla.

—Te dejo para que pienses en tus cosas. Pero no te comas el tarro. ¿De verdad no quieres otro café?

—De verdad, si además me voy a ir enseguida.

—Quédate lo que quieras. Tú tranquila. Y hazme caso, no te comas el tarro, que no vale la pena.

—Gracias. Tienes razón.

Me quedé un ratito arropada por aquella gente desconocida y me iba encontrando cada vez mejor. Sí, era como una escena de cine en blanco y negro. De vez en cuando, Tino me miraba desde la barra y yo le sonreía. Cuando me levanté para pagarle, no me quiso cobrar, dijo que allí los vómitos los daban gratis. Arranqué un ramito de lilas y se lo alargué. Me miraba fijamente al cogerlo, y, sin dejar de mirarme, se inclinó hacia mí a través del mostrador.

—Oye, ¿no has salido tú en la tele hace cosa de una semana hablando de la movida de los drogotas?

Los otros lo habían oído y me miraron también.

—¿En la tele? Yo no. Sería otra.

—Pues se parecía a ti un montón —dijo uno que llevaba una cazadora de tela vaquera con un tigre estampado en la parte de atrás.

—Ella es mucho más guapa —dijo Tino—. Es una tía total. ¿A que ligas de espaldas?

—Bueno, también es que las lilas le dan un toque guay —dijo el del tigre.

Me despedí muy recuperada y con la promesa de volver otro día. ¡Qué bien se está a veces en los bares de Madrid a media tarde!

Al salir de aquél y enfilar la calle de Ruiz, me iba diciendo para mis adentros, mientras recuperaba el ritmo de mi habitual caminar, que ni Raimundo ni nadie se merecen un mareo de coco, que cada palo aguante su vela, que más pierde él y que no hay derecho a que me traiga arrastrada por la calle de la amargura. En ese momento fue cuando se me presentó a la imaginación, como dentro de una nubecita de tebeo, la casa de mi amiga Silvia en Puerto Real. Al llegar a la Glorieta de Bilbao, cogí un taxi. Poner tierra por medio, largarse, ¡qué maravilla! A la amargura con lo amargo.

Y hacia allá me dirijo, rumbo a la calle de la Amargura. Ya veremos lo que pasa.

Pero mira, en una cosa tenía razón Raimundo, por mucho que me doliera oírselo decir, que es lo que más me dolió. Ya era hora de que me enterara y de que se me bajaran los humos. Yo estoy necesitando de un psiquiatra más que todos mis pacientes juntos. Y si no, que te lo digan a ti, mi buen Per Abat. Menos mal que has aparecido, que puedo imaginar que me escuchas.

Son las tres y me está entrando sueño. Voy a apagar la luz y a darle coba a la idea de que vas durmiendo en la litera de arriba. Me encuentro muy a gusto.

Buenas noches, donde estés.

Te volveré a escribir desde Puerto Real.

Te quiere mucho,

Mariana

V. PULPOS EN UN GARAJE

Desde que me he puesto a escribir, mi vida ha dado un giro copernicano. Creí que me lo notaba yo sola por dentro, pero me debe salir a la cara.

—A usted le pasa algo, no me diga que no —me ha soltado Consuelo esta mañana, a modo de saludo, cuando me ha visto entrar en la cocina, recién duchada, para hacerme un café.

Lleva dos días viniendo ella, porque su madre tiene un ataque de lumbago. Consuelo dice que le ha arreado «el palo de la bruja», que todo el día está buscando querella y que no se la puede aguantar, mayormente por las mañanas.

—Por eso me he quitado de en medio yo hoy más temprano, porque no vea lo borde que se pone, con una cara de kun fu que se la pisa, como si yo tuviera la culpa de sus achaques, en fin, lo que se dice en plan ciezo.

—¿Y yo también estoy en plan ciezo? ¿Es lo que quieres decir? —la interrumpí, mientras buscaba el bote de café, que no lo veía por ninguna parte.

—¡Qué va! Su rollo no tiene nada que ver con eso. Se ve que yo me explico mal o que usted no coge onda. Si busca el café, lo he visto en el «ofís», encima de un taburete, ahora se lo traigo. ¡Qué cuadro de cocina, válgame san Isidro! Esto parece el refu. No sabe una por dónde empezar.

—Prueba a empezar por explicarte mejor, a ver si cojo onda. ¿De qué va mi rollo?

—Usted sabrá. Yo en su vida no me meto. Pero la veo más

esponjada que hace unos días, no sé, como en plan pasota. Ahora, cuando la he oído venir cantando por el pasillo, digo «Será Amelia», porque, a ver, descolgarse a estas horas con «El submarino amarillo», ya me explicará. Era «El submarino amarillo», ¿no? Por cierto, lo entona usted de cine, y luego con esa pronunciación tan propia, «llélou saunmarín», es que es precioso.

—A ver si te crees que eres tú la única que sabe cantar.

—Dios me libre, yo no me acampano ni le quito cancha a nadie, al contrario. Si yo le pudiera dar ese toque de inglés, me comía el mundo, jo, pues no me da poca envidia. Se lo decía ayer a Encarna y a un amigo suyo que estaba en el refu, el inglés es lo que más mola. Mola cantidad. Y mira que se empeñaron ustedes en enseñarme, pero yo es que he sido muy burra de pequeña, ahí, ya ve, en eso le doy toda la razón a mi madre. Luego, con los años, te espabilas, no sé cómo decirle, comprendes que hay que estar al loro. Algunas de las letras de los Beatles me las tiene usted que copiar. Es cuestión de paciencia, ¿verdad?

—Sí, hija, todo es cuestión de paciencia.

—Deje, que ya le hago yo el café.

La cocina estaba, efectivamente, muy revuelta. Anoche, cuando volvimos a casa Eduardo y yo, había una nota de Amelia en la entrada diciendo que había venido con Soledad y que se quedaban las dos a dormir en su cuarto, que por favor hasta la hora de comer no las llamáramos porque se dormirían tarde. Nosotros volvimos a las tres y media y al oír la llave en la puerta apagaron inmediatamente la luz. Eduardo no se dio cuenta ni yo le dije nada. Pero enseguida percibimos las huellas del desorden, porque los dos fuimos derechos a la nevera a beber agua. Debía haber estado más gente cenando con ellas en la cocina, y no se habían molestado en recoger nada ni en vaciar los ceniceros. A mí, tratándose de Amelia, que según su hermana lleva camino de solterona maniática, me pareció buen síntoma. La conozco y sé que únicamente se relaja cuando lo está pasando bien, así que me dio gusto pensar que tal vez se hubiera decidido a traer a su novio. Además a mí el desorden, en principio, no me desagrada. Son huellas de vida. Pero Eduardo torció el gesto, y aquello le dio pie para insistir en su obsesión actual predominante: que esta casa no reúne condiciones. ¿Condiciones para qué —pregunto yo—, si apenas para en ella? Pues nada, le da por ahí. Ya en el coche me había venido dando la matraca con lo mismo, y yo poniendo cara de palo, porque si le objetas es peor. Siempre, bajo este tipo de comentarios, late una alusión más o menos velada a que la que no reúne condiciones como ama de casa soy yo. Es un tema que ya viene de antiguo y que se recrudece ante mi rechazo a organizar parties y fiestas similares a las que le dan sus amigos de ahora. Me niego a corresponder, a representar el papel de esposa de alto status, que esconde su cansancio tras una sonrisa, lleva la batuta en conversaciones sin fuste, pasa bandejitas y se siente pagada de su trabajera con la típica frase: «Has estado maravillosa, querida», que le dirige el marido cuando se van los invitados, ninguno de los cuales se ha divertido un pelo. Menos mal que ya me deja por imposible; he conseguido eso, que no es poco conseguir. Y todo a base de actitud pasiva.

—Al señor me lo he encontrado en el portal cuando yo entraba —dijo Consuelo—. Iba de mala leche. O, bueno, no sé si es que la tiene tomada conmigo.

—No, mujer. Es que trabaja mucho.

—Jolines, pero también ganará pasta. El que quiere la col, quiere la hojitas de alrededor, ¿no? Ahora, eso sí, lo que está es muy moderno. Se da un flash a Mario Conde.

Luego me preguntó que si anoche habíamos estado de fiesta.

—Sí, pero no aquí, en casa de otra gente. Una casa a todo tren. ¿Te acuerdas de aquel señor alto que nos arregló el cuarto de baño? Pues allí.

—¿El del Escorial? Vaya que si me acuerdo. Estaba como para hacerle padre, ¿no cree usted?

—Yo no. Pero gustos son gustos.

La nevera estaba pelada. Me tomé el café y le dejé dinero a Consuelo para que hiciera una buena compra y les preparara algún guiso rico a las chicas, que seguramente se quedarían a comer.

—¿Qué pasa? ¿Que usted se larga?

—Pues sí, hija, me largo. Es uno de mayo y me voy por ahí a celebrarlo a mi manera.

—¿Es el aniversario de su boda?

—De mis bodas con mayo. ¿Has visto qué día hace? Aquí estoy de más y mayo me echa de menos.

Consuelo se quedó mirándome con los ojos muy abiertos.

—¡Qué fuerte!, mayo me echa de menos. ¿Lo ha inventado usted?

—Sí, ya ves.

—Pues es un título virguero para una canción, un título que rompería pana, de verdad se lo digo. ¿Por qué no la escribe?

—A lo mejor, quién sabe. Según sople el aire. Yo ya del aire es de lo único que me fío.

—¡Cuando yo digo...! ¿Ve como está en plan pasota? Y no sabe lo bien que le sienta. Hasta más guapa la veo. Pero algún secreto tiene. Algo le ronda a usted por la cabeza.

—Pues sí, algo me ronda por la cabeza.

Entré en el cuarto de Amelia para dejarle una nota. Soledad estaba durmiendo en el sofá-cama abrazada al osito de peluche, como cuando eran pequeñas. Olía bastante a tabaco y no habían bajado las persianas. El álbum de fotos estaba tirado abierto encima de la alfombra. Me agaché para cerrarlo y me sonrieron las dos en minifalda desde una calle de Brighton. Les hice yo la foto cuando las fui a buscar a fines de aquel verano tan especial, la primera vez que viajaba sola después de muchos años, cuando se me volvió a aparecer Guillermo como la otra tarde Mariana, cuando menos lo esperaba, en plan «liebre en el erial». Tengo que hacer un ejercicio de redacción sobre aquel viaje mío a Brighton, se podría titular: «Reencuentro con Guillermo en la estación Victoria», bueno, ya no sé la de temas que tengo apuntados para seguir con los deberes, se me salen por las orejas.

Ninguna de las dos se despertó, aunque Amelia ronroneó con gesto voluptuoso cuando me incliné a darle un beso en la

74

frente. Luego bajé las persianas procurando no hacer ruido. En la nota ponía: «Parece que me rondan las musas. Me voy al Ateneo porque en casa me distraigo. Si me necesitáis para algo o queréis pasaros a verme, el teléfono es el 4194939. Consuelo os va a dejar hecha comida rica. Os llamará a la una. Podéis usar El Escorial. Besos: Gran Jefe.»

Ahora son las cuatro de la tarde y acaba de subir a la biblioteca uno de los conserjes del Ateneo, que me conoce de hace mucho, para decirme que me llamaban por teléfono. Era Amelia. Tenía una voz muy dulce y tranquilizadora. Todo en orden. No hay como quitarse de en medio para dejar de ser imprescindible. La comida estupenda. Ningún recado. Se habían reído muchísimo con Consuelo. ¿Y yo qué tal? ¿Me estaba cundiendo? Amelia vuelve a salir mañana de viaje transoceánico y esta noche quiere invitarme a ver una película de Mastroianni que echan de reestreno. Soledad también viene, porque tiene ganas de verme. He quedado con ellas a las diez a la puerta del cine. Me apetece mucho, pero más todavía que falten seis horas. Otras seis horas para mí. Evidentemente mayo me estaba echando de menos.

Estoy sentada en el pupitre 22, que es el que solía ocupar en mis tiempos de estudiante, y me he quedado mirando un rato la claraboya de cristales un poco sucios que forman el techo de esta sala, con esa sonrisa algo embobada que se le pone a uno cuando intenta evocar en bloque tramos de tiempo que no se sabe cuándo se iniciaron ni cuándo dejaron de tener vigencia. Siempre me ha gustado leer y escribir en las bibliotecas públicas, y todavía me sigo refugiando de tarde en tarde en este viejo local que tanto quiero, aunque ya no conozco a nadie de la gente que viene aquí. He comido de bocadillo en el bar y me siento libre y feliz reanudando mis deberes. Empiezo a tomármelos en serio.

Me quedé en lo de Cayetano Trueba. Pero como Mariana todavía no me ha escrito ni sé nada de ella, esta mañana me desperté decidida a pasar en limpio esa última tanda de deberes en preparación para que no se me pierdan los papelitos donde los tenía anotados de mala manera.

Se me ha ido el tiempo sin sentir, porque el mismo gusto que da pasar a limpio los apuntes, sin prisa, tratando de entenderlos, y de que vayan en letra clara, te obliga a corregirlos y adornarlos con historias laterales, que sólo estaban en borrador. Como la de Cayetano Trueba, que si le he dado tanta coba en esta segunda versión del cuaderno es con el propósito de que Mariana se ría cuando la pueda leer. Yo misma me he reído, porque realmente C. T. era un personaje muy gracioso, aunque no vuelva a salir. A Mariana siempre le encantaron los actores secundarios de las películas americanas. Era de los que más se acordaba cuando luego comentábamos el argumento.

De pronto me hace ilusión meter lo que sea, como ella me aconsejó el otro día en el cóctel, como me decía también cuando éramos pequeñas y me pedía que le contara cuentos, sigue, sigue por donde sea. La cuestión ahora es llenar este cuaderno de limpio para poder regalárselo el día que la vuelva a ver. «Mira, te he traído de regalo un cuaderno con deberes, ¿te gusta?» No sé qué día será ni dónde estaremos ni qué cara pondrá ella. Me basta con imaginármelo. Es un móvil suficiente. Me basta con estar segura de que voy a volver a verla. Antes de la exposición de Gregorio Termes, la idea de volver a ver a Mariana era una esperanza abstracta, como una flor marchita a la que se le ha desvirtuado el olor. Ahora no. Ahora vivo la espera apaciblemente, arrullada por el ruidito de la pluma estilográfica al correr sobre las hojas satinadas. Vivir la espera. Era la retórica imperante en nuestra juventud. Poner los cimientos de un deseo y alimentarlo para que dure. Parecía que la felicidad se iba a desvanecer entre los dedos en cuanto la tocáramos. Yo he deseado pocas cosas con la fuerza con que deseo en este momento volver a ver a Mariana, donde sea, cuando sea (sé que va a pasar), y poderle decir: «Mira, te he traído de regalo este cuaderno»; así que me gozo en irlo llenando despacio, esmerándome en la letra. Eso es como estar ya con ella también ahora según lo escribo, un anticipo de felicidad que conjura la muerte del tiempo. Y da también gusto en sí, un placer raro que se basa en lo anacrónico, porque ¿quién estrena ya un cuaderno con tanto mimo?, ni los niños siquiera. Se siente uno a contra corriente en plena era de las computadoras y de las máquinas de pantalla, casi como un artesano fin de raza. Y me parece notar, filtrándose por la claraboya de cristales, además de la luz de primeros de mayo, el alma de los ateneístas contumaces del siglo XIX, algunos de cuyos rostros me miran desde la galería de retratos cuando subo la escalera. Ellos también se sentaron en esta biblioteca a vivir la espera, mientras tomaban notas en sus cuadernos.

El mío es de argollas, tamaño folio, rayado, con las tapas negras. Bastante caro, porque tiene muy buen papel. Lo he comprado en Muñagorri antes de venir aquí, y también un tintero, pegamento y una carpeta con cintas rosas. Hace mucho que no iba de papelerías. En la primera página he pegado el collage de la liebre blanca, aunque está por rematar. De momento, le he añadido los triangulitos de espejo que recorté del forro del Winston.

Y hablando de espejos rotos, tiene que salir a relucir otra vez Gregorio Termes, porque anoche estuvimos en su casa. Daba una cena informal, para celebrar lo de su exposición, que ha tenido, según parece, un éxito mayúsculo. En menos de una semana le han quitado de las manos todos los lienzos aquellos con churretes de huevo frito, y eso que se cotizan de millón y medio para arriba. O, bueno, quizá los haya vendido precisamente por eso. En los tiempos que corren lo barato no gusta nada, está desprestigiado por principio, ya se sabe. Pero anoche me dio la impresión de que además resulta incluso un poco ofensivo en ciertos ambientes hablar de personas, de instituciones o de actividades que no mueven mucho dinero, pero no así como quiera, dinero a paletadas, manejan cifras que es que ya no le entran en la cabeza a un cristiano, qué exageración. Y la unidad de referencia es el kilo.

Gregorio Termes vive en un chalet enorme con piscina que se acaba de construir por Puerta de Hierro; y a través de los comentarios de algunos asistentes a la fiesta (que se daba también para inagurar este Escorial Posmoderno), me enteré de que todos los objetos, muebles y enseres que componen la decoración y menaje son de dibujo exclusivo, «first class», incluida en el ajuar una rubita muy pálida con gesto displicente y pantalones de seda tornasolada estilo moruno. Yo al principio creí que sería hija del anfitrión, porque era la única que parecía controlar, aunque con mando a distancia, aquella confusa Babel. Pero no. A sus hijos y a su santa esposa se ve que Gregorio los tiene aparcados en otra casa del barrio de Argüelles donde vivían antes de ser él tan moderno. A lo largo de la noche, me fui enterando de eso y de más cosas, basta con escuchar las conversaciones de los demás y poner cara de que ya lo sabes todo. La mujer de Gregorio es hija de un financiero, le lleva cinco años y aluden a ella como «la pobre Fefa». Se separaron cuando volvió él de Nueva York, donde estuvo un año ampliando conocimientos más o menos por cuenta del suegro. Atando cabos, pienso que entonces es cuando lo debió conocer Eduardo, cuando se empezó a hablar de la entrada en el dichoso Mercado Común. La fecha de aparición de la rubita de los pantalones morunos plantea una incógnita, pero supongo que será cosa reciente, porque no representa arriba de diecinueve años, por mucho que cultive un cierto parecido con Marlene Dietrich y otras pérfidas del cine antiguo. Se llama Aglae y es una diseñadora de modas con mucho futuro. Lo que no sé es si vive fija en el chalet o medio pensionista. Parece como si entre ella y todo lo que la rodea existiera un cristal grueso de tonos ahumados.

Me miró con cierto escándalo cuando le pedí polvos de talco para una mancha de mayonesa que se me había caído en la falda. Luego se echó a reír, una risa pasada por amortiguadores y sometida a una mezcla de efectos especiales.

—¿Polvos de talco? *Are you kidding? There are no babies here, oh, thanks.*

Tiene razón Consuelo. El inglés mola cantidad. Pero yo ya tenía algunas copas y preferí desahogarme en la lengua de mis mayores, que la domino mejor.

—Oye, guapa, pero aunque no haya niños chicos. Una casa

sin polvos de talco, bicarbonato y un huevo de madera, malos cimientos tiene.

Una señora con chaleco de lentejuelas, que llevaba un rato rondando alrededor mío, me rió la gracia a carcajadas estridentes, tanto que algunas caras se volvieron; pero a Aglae le sentó mal, dijo que para qué estaban los tintes y se fue hacia el buffet mirando al vacío. Me tropecé, de lejos, con los ojos serios de Eduardo y le saludé con la mano, en plan comedia americana:

—¡Enseguida soy con usted, mister Frivoly!

—¿Con quién hablas ahora? —me preguntó la señora del chaleco de lentejuelas, que evidentemente estaba algo trompa.

—Con William Powell.

Eduardo me contestó con una sonrisa tensa, parecida a la que traía en el coche. Se ve que mi nueva actitud le desconcierta. Estaba con una chica pelirroja bastante guapa, que también me había llamado la atención el día del cóctel, porque presenta un programa en televisión. Los dos tenían platos de comida en la mano. Se desplazaron de las cercanías del buffet y se orillaron hacia la puerta de la terraza.

El buffet, con sus faldones de sábana y su exhibición de manjares en tecnicolor, unos fríos y otros calientes, estaba instalado a la izquierda del inmenso living, y era lugar de frotación, como un abrevadero al que se acudía a repostar euforia. A eso de la medianoche, la gente se aglomeraba ante él ya sin rebozos. Le dije a la señora del chaleco de lentejuelas que si no le recordaba aquello al metro en hora punta y ella se rió mucho —se reía por casi todo—, pero me confesó que en el metro no montaba desde el día que asesinaron a Carrero Blanco, de esas cosas que se te quedan en la cabeza, y es que se enteró por la calle de Velázquez y le daba un miedo cerval andar por la superficie. Más de quince años ya. Ahora da miedo el metro, lo de arriba y todo, ¡qué hampa! Iba peinada con un moño muy historiado de trenzas y tenía un tic de parpadeo algo inquietante. Pero no era fea ni mucho menos. Le calculé unos cincuenta años. Me di cuenta de que no se encontraba muy feliz allí y de que estaba deseando pegar la hebra con alguien.

—Y tiene que venir más gente —comentó—. Algunos vendrán a la salida de los espectáculos o de otro compromiso. La movida de Madrid, el mogollón, ya sabes lo que son los viernes.

Gente, desde luego, no paraba de llegar. Yo cada vez que veía a la tal Aglae pasar porteando abrigos y chaquetas hacia las habitaciones del fondo, echaba una mirada escrutadora hacia el grupo de los recién llegados. ¿Vendría Mariana? Al fin y al cabo, a mucha de esta gente la conoce ella, fueron los comparsas del otro día, los adornos de espejo alrededor de la gran liebre blanca.

Pero los prodigios es difícil que se den dos veces seguidas. El que sale de caza nunca verá dormir a la liebre en el erial, claro, ¿cómo se me podía haber olvidado eso, después de darle tanta coba? Reaccioné cuando me dijo la señora del chaleco de lentejuelas que por qué miraba tanto a la puerta, que si esperaba a alguien. Le contesté con toda convicción que no y dejé de estar al acecho, es decir de esperar a Mariana. A cambio, me fijaría mejor en todo y le podría escribir deberes divertidos sobre los comparsas. Fue cuando decidí empezar un cuaderno de limpio. Cuanto más chocante sea lo que se mira, mejor. Pero bueno, ¿y aquel cuadro?, si era casi del tamaño de Las Meninas, ¡cuántos huevos fritos desperdiciados!

—Eres más rara que un perro azul —me dijo la señora de las lentejuelas—. ¿De qué te ríes ahora?

—Estaba mirando ese cuadro grande, y por ahí me he puesto a pensar en otras cosas, en lo que es pintar algo y lo que es no pintar nada. O sea, en vez de decir: «Estoy como un pulpo en un garaje; ¿qué pinto yo aquí?», te pones a mirar con atención y ya estás pintando más que nadie.

—¡Chica, qué trabalenguas! ¿Y ese cuadro te gusta? A mí te diré que nada. Es de Gregorio.

—Ya, no hace falta ser ningún ojo de águila.

Me puso la mano en el hombro y su risa se volvió confidencial.

—Todo lo que pinta es lo mismo. Pero si te fías por los títulos, te despistas, dices: será que no he entendido yo. ¿Sabes cómo se llama ése...? «Transformación geométrica con orgasmo», de verdad, me lo ha dicho él antes, y que es su mejor cuadro, que no lo vende ni por tres kilos. Por cierto, ¿de qué conoces a Gregorio?

—Me arregló un cuarto de baño. Mis hijos lo llaman El Escorial. Al cuarto de baño, quiero decir. Pero también se podría titular «Transformación geométrica sin orgasmo», ahora que lo pienso.

La señora aquélla se mondaba de risa, y yo también empezaba a estar de buen humor. Pasó un camarero con copas y cogimos dos de champán.

—Oye —dijo ella—, si no esperas a nadie, yo he venido sola... Me llamo Daniela. ¿Y tú?

—Yo Sofía.

—Estoy un poco trompa. Eres muy guapa, ¿por qué no te maquillas?

—No tengo costumbre.

—Yo, desde que me dejó Fernando, me pinto como un coche. Pero luego, como siempre acabo llorando, se me corre el rimmel. ¿Por qué brindamos? Inventa algo, que se te ve lista.

—¿Te parece bien por los comparsas?

—¡Por los comparsas, eso mismo! ¡A trago matased! —exclamó Daniela levantando su copa.

Se la bebió de una sentada. Luego se le agudizó el tic de los párpados, dijo que la vida era un asco y se empezó a poner un poco patosa.

No dejaba de circular gente con platos de comida en la mano. La habitación, de pronto, me pareció un hangar enorme, y me acordé de que le he oído decir a Lorenzo que ése es el último grito en Nueva York. Los arquitectos de vanguardia se han dedicado a reformar naves y almacenes medio derruidos en el barrio de Soho, y la moda es que sobre mucho sitio por todas partes, alguna columna en medio, desnudez ambiental y vivir como en un garaje. Como un pulpo en un garaje, vamos. Se me ocurrió que podía ser una idea bonita para un collage. El garaje de Gregorio Termes lleno de pulpos pequeños de colores, entre dos más grandes flanqueando los extremos, uno en plateado con mi cara y otro en dorado con la cara de Eduardo. Las caras las recortaría de fotos de carnet. Podía quedar precioso. «Pulpos en un garaje.» El champán se me subía poco a poco y el pulpo-Eduardo me seguía mirando a veces desde lejos, intrigado, como si me quisiera controlar. Pero no se acercaba. No se atreve.

Ya venía reservón en el coche, callado, mirándome de reojo, porque desde hace unos días le pasa lo que a Consuelo, que no entiende lo que me ronda por la cabeza. Le había extrañado que aceptara inmediatamente la idea de acompañarle a conocer el chalet de Gregorio Termes, dando muestras incluso de cierto entusiasmo. Y lo comprendo. De dónde me iban a haber pillado a mí hace unos meses en un festejo así. Habría puesto un pretexto y él no habría insistido, eso seguro. La depresión que se me acentuó a raíz de la reforma del cuarto de baño —aunque ya la venía padeciendo de mucho más atrás en modalidad de desgana generalizada—, le ha debido dar pretexto últimamente para hablar de mí como «la pobre Sofía», dejando traslucir mi edad crítica y mi incapacidad de adaptación al medio. No sé, el caso es que si me invitan con él a algún sitio es por cumplir; deben pensar que estamos medios separados. Y aunque yo, desde luego, por pura apatía, haya dado pie a esa interpretación, anoche me pareció entender que él la fomenta entre sus nuevas relaciones. A mí nadie me preguntó nada, pero sí me miraban bastante. Al fin y al cabo las pobres Fefas y las pobres Danielas son moneda corriente, y como tampoco se estilan las presentaciones, depende de cómo se lo tome cada cual; el que se sienta desplazado será más bien por cosa de su carácter. Eso ya lo noté en el cóctel, que fue también multitudinario. Claro que allí se me apareció Mariana, y quién iba a fijarse en otras minucias, me fijo ahora. Todo se va posando. Yo anoche, para usar la jerga de Consuelo, iba decidida a romper pana.

La cena, según me dijo Daniela, la habían encargado a un restaurante muy famoso, que la trae a domicilio con dos camareros incluidos, uno para atender el buffet y otro para ir pasando bebidas.

—Y luego ellos mismos lo recogen todo, se termine a la hora que se termine. Lo que le habrán cobrado, fíjate, un pastón. No bajará del kilo y medio..., ¿qué digo...? más. Y Fefa en su casa llorando, como si lo viera. En cuanto dejan a la santa esposa, se desmadran. Él vuela muy alto.

El adjetivo de informal aplicado a este tipo de cenas no se refiere, por lo tanto, ni a una improvisación ni a que se haya reparado en gastos. Yo creo que, de referirse a algo, se refiere a la incomodidad. Todo lo que nos dieron estaba buenísimo, y lo mismo la vajilla de porcelana negra y perfiles octogonales como los cubiertos con mango de cristal opaco apilados en el buffet, seguro que serían de dibujo exclusivo. Pero lo malo es que luego, cuando has logrado llenar el plato, esquivando codazos, no sabes si tomarte aquello sentado o de pie. Lo informal consiste en ese deambular por el garaje, entre otros pulpos acuciados por el mismo dilema, a la busca disimulada de un rincón medianamente confortable.

En casa de Gregorio Termes, todos los asientos que hay, en una gama de colores del lila al verde manzana, están bastante lejos unos de otros y son muy bajos, de esos que como te sientes, te hundes sin remisión. Y las mesas —que tiene muchas, aunque cabría holgadamente otra docena—, además de ser también muy bajas y estar, a su vez, lejos de los asientos, es que no sirven para apoyar nada por culpa de las revistas, colecciones de cajitas, fotos enmarcadas y pesadas esculturas abstractas que las atiborran. El camarero pasa recogiendo copas vacías y ofreciendo otras llenas, pero el problema de asentar el plato y la copa no te lo resuelve nadie. O sea, que mucha gente se mancha, claro. Es natural.

Me dieron ganas de preguntar dónde estaba el teléfono y llamar a Encarna al refu sólo para decirle: «Oye, ¿sabes que estoy en una casa de mesitas, de esas donde no se puede apoyar "libro, copa, cenicero, ni aun triste codo" como dices tú?», y para oír cómo se reía. Porque me hacía falta el calor de una risa cómplice. Pero luego pensé que igual la pillaba de humor «atra», o lo más probable todavía, siendo viernes por la noche como era, no la pillaba en casa ni «atra ni contra ni sin sobre tras», que era, por cierto, otro de nuestros trabalenguas surrealistas. De todas las cosas que puede uno llegar a hacer solo en la vida, reírse es la más difícil. Por lo menos a Robinson siempre lo pintan serio, hasta que llegó Viernes. «Bueno —me dije mientras me servía otra copa—, hoy tengo un viernes robinsón.» Pero tampoco conseguí reírme.

A eso de la una salí a la terraza, huyendo de Daniela, que ya estaba grogui. Me había referido con toda clase de pormenores las faenas que le había aguantado a su ex marido, del que, por otra parte, juraba y perjuraba que le importaba un rábano. Pero estaba insegura sin él, no se divertía en ningún sitio. Yo le pregunté que si se divertía antes y me dijo que tampoco, pero que había pasado por carros y carretas, y que vale mejor una dicha pagada con llanto. Esto lo dijo canturreando, con música de bolero, y desafinaba notablemente, porque las lágrimas le quebraban la voz. Había caído en el error de sentarme con ella en uno de aquellos sofás bajísimos y no sabía cómo levantarme. Era complicado de por sí y además la cabeza de Daniela, apoyada al final de mi hombro, dificultaba el propósito. El rimmel, como ella misma vaticinó, le empezaba a dejar regueros negros por las mejillas, parpadeaba neuróticamente y el moño lo tenía medio deshecho. Insistía en que yo era muy buena y muy guapa y en que nos teníamos que ver más.

—Oye, ¿a ti también te trata la doctora León? —me preguntó de repente.

—A mí no. ¿Por qué?

—Como el otro día hablabas tanto con ella.

—Es que fuimos compañeras de instituto.

Se puso a hablar de Mariana en términos contradictorios. La necesitaba, no podía vivir sin ella, pero era odiosa. Siempre inalterable, siempre por encima de todo, fría como un témpano, no sabía lo que era una pasión, y con Fefa igual, Fefa decía lo mismo.

Sentí como una cuchillada intempestiva en las vísceras al

acordarme de la reacción que tuvo cuando yo me enamoré de Guillermo. Creí que tenía enterradas estas heridas tan antiguas. Y todo el edificio de mi vida se tambaleó. Daniela seguía con su discurso incoherente y me acariciaba los hombros con una mano, mientras con la otra asía débilmente sobre su regazo un plato con restos de comida. Hablaba de las relaciones de odio-amor y de su viaje de novios. Decidí no beber más y darme una vuelta por la terraza.

—Quita un momento, por favor, Daniela. Y dame ese plato, que te lo llevo al buffet. Te estás poniendo perdida —dije con voz resuelta.

Y al levantarme noté que las piernas las tenía entumecidas y que la cabeza me daba vueltas. Pero también que era como salir de un pozo. Daniela lloraba con la cabeza apoyada en el respaldo del sillón.

—Perdóname, pero vuelve, Sofía. No me dejes sola —dijo con los ojos cerrados—. A mí ya no me quiere nadie.

Me crucé con Gregorio.

—¿Qué le pasa a Daniela? —me preguntó, mirando hacia el sofá—. ¿Se te ha puesto en plan tortolita? Ahora le da por las señoras.

—No, es que ha bebido mucho. Lo debe pasar mal.

—Voy a ver quién la lleva. O si no que se acueste. Siempre el mismo número. Es una plasta. ¿Buscas a tu marido?

—No especialmente.

Gregorio me miró con una mezcla de atención e intriga.

—Oye, tu has mejorado mucho desde que te conocí —dijo.

—¿En qué?

—No sé. Estás como más suelta.

—Pues el buey suelto bien se lame.

—¡Qué chula!

—Ya ves. Hasta luego, maestro.

Salí a la terraza, después de dejar el plato de Daniela sobre una bandeja y darme una vuelta por el garaje. A Eduardo no lo vi por ningún lado. Algunos pulpos habían empezado a bailar a los sones de una música estridente. Otros, los más, seguían hablando de dinero y de los negocios que tienen éxito.

Se oían bastante las palabras tema, problemática, cotización, proyección de futuro, conyuntural y obsoleto. Pero sobre todo kilos. No kilos de filetes, ni kilos de oro, ni kilos de papel, kilos de nada, una masa informe, pastosa y marrón en la que se chapoteaba compulsivamente, que pringaba hasta los ojos, kilos de mierda.

Por unos escalones que había en la terraza se bajaba a un espacio ajardinado con piscina iluminada en medio. Se había quedado una noche muy agradable y unas nubes delgadas navegaban oblicuamente entre las estrellas. Suspiré hondo. A veces nos olvidamos de lo bueno que es suspirar. Algo aflora a través del maquillaje del alma. Es una necesidad física de tregua, como bajar el telón para empezar otro acto. Y contener el suspiro puede proporcionar trastornos.

Estaba empezando el mes de mayo. Me senté junto a la piscina, me acordé de Mariana y me eché a llorar desconsoladamente.

VI. UNA PRISIÓN CON ESPEJOS

Puerto Real, 11 de mayo

Querida Sofía:

Sabía que me iba a pasar esto que me está pasando, pero no creí que tan pronto. No aguanto la soledad, no la aguanto, me da miedo. La casa de Silvia se me cae encima y cuando salgo de ella, a pesar del buen tiempo que hace y de que me doy paseos por el pueblo y las afueras, no soy capaz de encontrar aventura en nada ni de comunicarme con la primavera, con la naturaleza ni con las personas. Y eso que aquí la gente es muy simpática y está deseando pegar la hebra. Entras en un bar o en un chiringuito cualquiera, te ponen una tapa de sepia a la plancha o de pescado frito, y al poco rato notas que podrías sentirte como en casa y que además nadie te va a hacer una pregunta indiscreta, que te miran simplemente como lo que eres en ese momento, una mujer de media edad que está allí en la barra igual que ellos, no importa de dónde venga ni la vida que lleve a las espaldas. La culpa es mía, y eso es lo que me da rabia. Es como si tuviera echado el cerrojo a la puerta por donde quieren entrar las palabras y los gestos de los demás a despertarme curiosidad, a darme un poco de calor.

Decir que echo de menos Madrid y la vida que podría estar llevando ahí ahora sería una de esas medias verdades erizadas de pinchos que no se atreve uno ni a coger ni a dejar. Lo único bastante seguro es que sonaría mucho el teléfono, que

87

no pararía de mirar la agenda y que no tendría tiempo de quedarme a solas conmigo misma ni de preguntarme por qué no me aguanto. Me dedicaría a darles recetas sobre cómo aguantarse a sí mismos a los enfermos que vienen a mi consulta aquejados de esta incapacidad. He escrito muchas páginas acerca del asunto y es una lección que ya me sé, que amplío continuamente con citas de otras publicaciones y que recito sin tropiezos. La piedra de toque está en aprender a enfrentarse cara a cara con el tiempo libre, a torearlo con los pies bien quietos, en vez de dar la espantada ante él. Estos símiles taurinos los uso bastante, porque entre mis clientes abundan los aficionados a la fiesta nacional, pero echo también mano de otro tipo de metáforas, tengo un repertorio bastante variado. Si me quisiera lucir ante ti, me bastaría con espigar de él las frases más brillantes y desplegarlas, como acostumbro hacer, a modo de coraza detrás de la cual me escudo. No siempre lo hago con la convicción necesaria, y algunos de mis pacientes —casi siempre mujeres, en este caso— se dan cuenta de que es una coraza, me lo digan o no. Lo noto por cómo me miran, y ahí es donde patino.

Ayer, sin ir más lejos, hablé por teléfono con la dueña de esta casa, mi amiga Silvia, que ahora está en una finca que tiene en Carmona, porque se ha hundido parte del tejado, una tormenta ha arrancado árboles y no sé cuántos estragos más. Era a última hora de la tarde, la pillé en un momento de euforia y su voz me sonaba un poco a hueco porque la sentía motivada por los vapores del alcohol. Pero estoy tan maleada por mi postura ventajista de detectar mentiras ajenas, que hasta después de un rato no comprendí que era ella, desde su inteligencia potenciada por la bebida, quien estaba penetrando toda mi desazón y pretendía echarme un cable. Era a ella a quien mi llamada le había sonado a hueco desde el principio.

Pero, hablando de principios, ¡qué mal te lo estoy contando todo, Sofía! A ver si empiezo mejor. Me doy cuenta de que todavía no he abierto una sola ranura, en lo que va

88

de carta, para que puedas meter tu ojo de charol y hacerte una idea de cómo es el sitio donde estoy. Es como si te estuviera oyendo decir: «Oye, no; o no me escribes o hay que ajustarse a las reglas del juego epistolar, chapuzas no vale.» Pues sí, mi buen Per Abat, tus reglas de oro. Puede que una vez más esto de las reglas me ayude a frenar tanto desarreglo, tanto desmoronamiento como se está produciendo en mi edificio interior, que ya no sé si viene sólo de las tejas o de los cimientos mismos. Si se tambalea la historia es porque no me pongo a ordenarla dentro del marco de su decoración.

Empezaremos por los espejos. En esta casa hay muchos espejos, demasiados. Las otras veces que había venido no me había fijado tanto. Debe ser que estaba yo en un estado de ánimo diferente y por eso no me desasosegaban. Y lo peor es que son solemnes, casi trágicos, y que me salen al paso (o voy yo hacia ellos como atraída por un imán) justamente cuando ver mi imagen es igual que sentir una cuchillada por la espalda, cuando la lucha que me traigo entablada entre aceptarme a mí misma y huir de mí está alcanzando sus cotas más álgidas, de tensión irresistible. No falla. En momentos así, precisamente en ésos, resulta que se me aparece el espejo o que estaba parada delante de él hacía un rato y no me había dado cuenta. Hay cuatro de cuerpo entero, pero el que más me pasa la factura es uno con marco de madera negra labrada, rematado en lo alto por una alegoría de la muerte; que también se necesita imaginación barroca por parte del anónimo maestro carpintero que inventara, sabe Dios cuándo, una ornamentación así. En ése, claro, ya me había fijado otras veces, porque es demasiado aparatoso como para no fijarse, pero bueno, de eso que dices «Madre mía, si lo pillara Visconti», y ya decir tal cosa es como estarlo viendo en una película de Visconti y no incorporado al guión de tu propia película, que se rueda en ese momento aunque no haya cámaras; es una forma de echarle literatura a lo que ya es de por sí pura literatura. Lo tienen en el salón de abajo, una habitación enorme empapelada en rojo y oro, con chimenea de mármol verdoso, cortinajes de terciopelo y mucho sillón con borlas y mucho cuadro de firma representando a antepasados de Silvia y mucho olor a cerrado.

Yo lo que no entiendo es por qué tengo tanta querencia a bajar a ese salón y a pasearme por él, si cuando agarro el picaporte y empujo la puerta siempre me da miedo. Y ya no te digo nada si es después de haber caído el sol y está a oscuras, porque entonces hay que dar la luz buscando a tientas el interruptor dorado, panzudo y con estrías colocado un poco alto a la izquierda de la entrada. Te juro que cuando subo la mano palpando por la pared para encontrarlo y me topo con el desconchado que hay debajo, me falta poco para dar un grito. Tendríamos que ponernos a tirar de Freud para entender por qué entro yo tanto en ese recinto, furtivamente y casi en contra de mi voluntad, como cediendo a la fuerza de un embrujo. Pero bueno, a quién se lo voy a decir, ¿verdad?

La tentación del cuarto cerrado, que ya aparecía en algunos cuentos de hadas y en tantos otros inventados por ti, te resultará más patente cuando te diga que yo no vivo en esta parte de abajo (que vamos a llamar, si te parece, la de los espejos), sino en uno de los apartamentos comunicados con ella por una escalera de caracol que arranca del vestíbulo. Yo habito el de la izquierda, con su entrada independiente que da a un living amplio y decorado de lo más moderno, su cocinita, su baño y su alcoba con hilo musical. Es subir la escalera y franquear siglo y medio en unos minutos, como en las películas de ciencia ficción. Estos dos apartamentos de arriba, que Silvia, en uno de sus raptos de entusiasmo pasajero, proyectó para que pudieran venir a Puerto Real sus amigos y sentirse a gusto, no han estado totalmente rematados hasta hace poco. Bueno, no te lo puedes ni imaginar. Ha sido una obra de romanos. No tanto por lo que haya costado en sí, aunque supongo que también, sino porque, como todas las que inventa Silvia desde que la conozco, se ha visto fatalmente condicionada por la mudanza de sus humores.

Fue la primera reforma de envergadura en la que se metió después de morir su padre, y al poco tiempo de emprenderla le entró una depresión tan horrible que ni atendía a los operarios ni quería saber nada de nadie. La criada no acertaba a decidir, y se quedaron los ladrillos, los tablones, los sacos y los bidés amontonados de mala manera durante varios meses en la escalera, al fondo del pasillo y en un patio precioso que luego hubo que reformar también porque se le habían roto azulejos de tanto obturarlo con material de derribo y aquella cantidad de muebles y aparatos modernos que había encargado Silvia para la parte de arriba y que no paraban de llegar. Total, que parecía la casa un cuartel robado. Y ella metida en la cama del dormitorio grande de abajo, donde había muerto su padre, sin mover ceja ni oreja, agarrada a la botella, así un día y otro día. De vez en cuando, sacaba una mano de las sábanas para firmar cheques en blanco. Era su única actividad. Fue cuando yo empecé a tratarla. De esto hace tres años. Aquí ya se acaba el marco y da comienzo la historia.

Era verano y estaba yo pasando unas vaciones en Cádiz, mitad de placer y mitad de retiro. Por cierto, lo que son las cosas, que el propósito de mi retiro era empezar a redactar un ensayo bastante ambicioso sobre el erotismo, que he continuado a trancas y barrancas, que tengo muy avanzado y que traía precisamente la idea de rematar aquí estos días. (Una idea, ésa es la verdad, amañada sobre la marcha, según hacía la maleta, para darle algunos visos de lógica a este viaje descabellado.) O sea que las fichas y los libros que me llevé al Hotel Atlántico de Cádiz aquel verano son más o menos los mismos que tengo ahora encima de la mesa y que he apartado con aburrimiento para ponerme a escribirte, en vista de que en el otro asunto no doy chispas. Y es que, desengáñate, Sofía, para lidiar con el erotismo, aunque se trate de una lidia a base de fichas, tiene que sentirse uno congraciado con la vida.

Y yo entonces lo estaba; el cuerpo había salido por sus fueros y se había alzado con el estandarte de la victoria, pero pactando con el alma, no llevándola prisionera con cadenas a su campamento. Esta frase del cuerpo pactando con el alma se me ocurrió tal cual, y la escribí en una ficha que pinché en la pared, como hacías tú en época de exámenes con las citas que podían darte ánimos, o sea que te copié, igual que tantas veces. Y me reía yo sola pensando que a ti quizá te habría gustado añadir un collage del cuerpo con alas y una bandera entre nubes, llevando de la mano al alma vestida de normal, puede que hasta comiéndose un bocadillo. Pero, como a mí esas cosas no se me dan, me limité a pegarle con celo una rosa roja —mandada por un chico, claro—, que se fue secando en aquella pared a lo largo de un mes, todavía la guardo. Y también pensaba, al volver al hotel, las noches que volvía, que cuánto te extrañaría a ti que tuviera una rosa pegada en la pared y la mirara envejecer como cuando se quitan las hojas del calendario. Me acordé muchas veces de ti ese verano —el que viene ahora hará tres— y hasta empecé varias cartas que ya desde el principio sabía que no iba a mandarte. En fin, que era muy feliz. Estaba viviendo un amor de epifanía, de los que surgen como liebre en el erial, te aportan una esperanza provisional de resurrección y consiguen dar un mentís a los espejos más despiadados. Era un pintor gaditano bastante más joven que yo, lo había conocido casualmente allí, en una exposición de sus acuarelas. De esas veces que estás dando un paseo solitario y gustoso por una ciudad que no es la tuya, anochece, hay niños jugando en una plaza, no has hablado con nadie en todo el día y de pronto ves gente en un sitio y barullo, y dices: «Voy a entrar ahí.» Me llamaron la atención las acuarelas ya desde fuera, eran muy románticas, de barcos. Pero bueno, esta historia vamos a dejarla aparcada por ahora. Sólo te digo que aquel verano, que todavía recuerdo como nimbado de chispitas brillantes, además de embellecida, me encontraba muy lista y se me ocurrían continuamente ideas para organizar el ensayo éste sobre el erotismo, que ahora, en cambio, me pesa como un plomo.

Una tarde, cuando estaba apuntando cosas en la terracita, de cara al mar, me pasaron una llamada a la habitación. Era Raimundo desde Madrid. Estaba muy preocupado por una amiga suya de Puerto Real, que se había quedado huérfana de padre a primeros de año. Siempre hace lo mismo, se pone a hablar de lo que a él le interesa sin preguntarte siquiera cómo te encuentras tú, qué humor tienes o si estás ocupada. Yo por entonces lo veía muy de tarde en tarde, pero nos habíamos encontrado poco antes de mi viaje cenando en el Hispano y mencioné mis planes de veraneo en plan retiro, unos actores que estaban con él en la mesa comentaron que era mala época para Cádiz por lo del Trofeo Carranza, pero yo ya tenía reservada habitación, fue cuando salió a relucir lo del Hotel Atlántico, y Raimundo quiso enterarse de si tenía amistades allí, le encanta tenerme controlada.

Le escuchaba mirando la rosa, muy reciente entonces, y le dije que no se alargara mucho, que estaba esperando otra llamada. Pero la verdad es que empezaba a intrigarme aquella familia de la que me estaba hablando. Era como cuando te pones a leer una novela sin demasiadas ganas, pero al cabo de un rato no la puedes soltar. El padre de Silvia era un marqués viudo con veleidades intelectuales, bastante conocido en algunos círculos de Madrid, adonde viajaba con frecuencia, acompañado siempre de su única hija soltera. Tenían reservada permanentemente una suite en el Palace. Don Armando —que así se llamaba— conservó hasta edad bastante avanzada una fama de seductor indiscutible. Había sido muy amigo de la madre de Raimundo, con la que tuvo un romance en años de juventud. Un hermano de Silvia, débil de carácter el pobre Félix, murió en accidente de coche sin dejar descendencia y la viuda, una tal Mari Luz, se había vuelto a casar con un industrial muy rico, de tal manera que ahora la herencia del marqués recaía toda en Silvia. Una fortuna incalculable en fincas. Pero ella no lo iba a poder soportar. La simbiosis con el padre había sido demasiado fuerte. Silvia le llevaba todas las cuentas, le pasaba a máquina unos poemas muy largos inspirados en *Las soledades* de Góngora, asistían siempre juntos a conciertos, fiestas y teatros, cuando viajaban compartían la misma habitación y corría incluso *sotto voce* una leyenda que les atribuía relaciones incestuosas. Ahora ella estaba enferma.

—¿Qué le pasa? —le pregunté yo.

—Mari Luz, que es la que me ha llamado para contármelo, no se sabe explicar bien. Bueno, no me extraña, es poco objetiva y carga las tintas, porque a Silvia nunca la ha querido bien, la típica relación de cuñadas, ya sabes. Pero un cuadro feo, de todas maneras. Yo me lo temía. Lleva un mes metida en la cama a oscuras, y el médico dice que no tiene nada. Creo que lo que necesita es un psiquiatra.

Me pidió que fuera a verla, ya que estaba tan cerca, aprovechando la coyuntura de que existía, además, un pretexto muy verosímil para la visita.

—Tú nada, tú llegas y te presentas allí como si no supieras nada. Le dices que estás de paso en Puerto Real, que eres amiga mía y que hace tiempo que tienes ganas de conocerla porque yo te he hablado mucho de ella y te he dicho que os podéis caer mutuamente bien. Y es que además te aseguro que lo creo de verdad.

—Pero bueno, Raimundo —le interrumpí—, si lo creyeras de verdad, me habrías hablado de ella alguna vez, ¿no? Es la primera noticia que tengo de semejante personaje.

—Seguro que te he hablado de ella alguna vez y no te acuerdas.

—Que no, Raimundo. Para bien o para mal, me acuerdo perfectamente de las cosas que me cuentas.

—Bien, Mariana, ¡y qué más da! No te conviertas siempre en un fichero. Lo que te digo es que no te vas a arrepentir de conocerla, aparte de que la puedas ayudar. Silvia es maravillosa, no sabes cómo canta, cómo imita a la gente, la capacidad que tiene para entregarse a sus amigos. Todo el mundo creía que se iba a liberar de un peso al morir su padre, pero, claro, quizá la ha pillado un poco mayor. Y lo curioso es que yo la vi en febrero, poco después de los funerales, y estaba muy bien, llena de proyectos. Hasta demasiado eufórica, tanto que me preocupó. En fin. Tú misma juzgarás qué es lo que le pasa, que para eso tienes mucho ojo clínico. Tú simplemente entras y le dices....

—Pero por favor, Raimundo, no me teledirijas —protesté—. Ya veré yo lo que le digo y lo que no. Date cuenta de que todavía no he decidido ir a verla. Si está así en ese plan, lo más probable es que ni siquiera me reciba.

94

—Te recibirá seguro en cuanto sepa que eres amiga mía. Será para ella como si le entrara por la ventana un rayo de luz. Siempre ha estado un poco enamorada de mí, desde que éramos chicos.

—¡Vaya, hombre! ¿Y por qué no vas a verla tú y me dejas terminar en paz mis vacaciones?

—No empieces a ponerte antipática, Mariana. Sería contraproducente. A mí me tiene demasiado visto.

Ahí sentí la primera punzada de celos, te lo confieso, y se empezó a perfilar una curiosidad morbosa —que no ha hecho más que intensificarse— por asomarme a los secretos del alma de aquella mujer. Yo hasta entonces había creído ser la mejor amiga de Raimundo, posiblemente la única, y la irrupción de aquel personaje femenino me desconcertaba. Siempre he sido un poco impaciente como lectora de novelas, recordarás que soy de las que tienden a saltarse páginas, cosa que tú me afeabas mucho, bien es verdad que con los años he procurado rectificar este defecto.

—¿Tan visto te tiene? —le pregunté a Raimundo.

En la voz de él noté que había registrado la alteración de la mía. Me conoce demasiado.

—Bueno, es un decir. No me he acostado con ella, si es eso lo que me quieres preguntar.

—¿De dónde sacas que te quiero preguntar eso?

—Está bien, perdona, no vamos a discutir. Te lo he dicho por si te interesa, porque me ha parecido que tenías prisa por saltar capítulos. Me refería a que en estos casos da más resultado un extraño, y mejor todavía si tiene costumbre de tratar con desequilibrados. Pero además, Mariana, no me digas que Silvia no te está picando ya la curiosidad.

No sabía él hasta qué punto me la estaba picando. Pero a aquello no le contesté. Me puse en plan profesional y le prometí acercarme a Puerto Real al día siguiente. Entonces fue cuando me dio las señas de Silvia y escuché por primera vez el nombre de la calle de la Amargura.

—¿A que parece de novela? —me dijo.

—Pues sí, un poco de novela sí parece. Pero sabrás que yo

vivo ahora mi propia novela. ¡Dios mío, las nueve! Te dejo. Me está esperando en el callejón del Tinte Manolo Reina, un gaditano muy guapo. Siempre está allí a partir de las ocho, por si voy. Y hoy me apetece ir.

Se echó a reír y me sentó fatal.

—¡No me digas que tienes un novio que se llama Manolo Reina, por favor! Si parece de copla de posguerra.

—¡Qué más quisieras que echártelo a la cara!

Me dio rabia habérselo mencionado siquiera, y más entrar en aquella dialéctica emulativa que a él tanto le divertía. Le colgué en cuanto pude, pero ya me había dejado mal sabor de boca.

A Manolo, que efectivamente me estaba esperando en un café del callejón del Tinte, no le conté nada de todo aquello, porque lo sentía como un asunto personal. Y además porque, como llegué tarde, ya estaba con un grupo de amigos suyos que solían reunirse allí, y ni siquiera me preguntó por qué había tardado, él era de hacer pocas preguntas. En un determinado momento, le dije que al día siguiente no podríamos vernos, que había una paciente en Puerto Real que necesitaba de mis cuidados. En ese momento es cuando se enteró de que yo era psiquiatra. Tenía pensado hacer una excursión conmigo a Arcos de la Frontera, y la dejamos para otro día, no pareció importarle. La verdad es que cuando había más gente, no presumía de intimidad conmigo. Tenía una de sus noches extrovertidas, y nos quedamos hasta bastante tarde allí con aquellos amigos bulliciosos. Luego propusieron ir de copas por el barrio de la Viña, y yo no estaba a gusto. En cuanto se vuelven a cruzar en mi vida historias relacionadas con Raimundo, empiezo a girar otra vez en torno a su órbita. Manolo buscaba de vez en cuando mis ojos a través de mesas y mostradores, pero yo estaba distraída, y aquella noche no quise ir a su estudio, dije que me dolía la cabeza. Me preguntaba obsesivamente por qué Raimundo no me habría hablado nunca de Silvia, si era verdad que la conocía desde hacía tanto tiempo.

Así se inició mi interés por ella y también una de las relaciones de «diván» que más me han desquiciado y hecho perder pie a lo largo de toda mi carrera. Pero nunca me había dado cuenta tanto como en estos días, particularmente después de un insomnio horrible que tuve anoche y en el que se prefiguró la carta que te estoy escribiendo. La verdad es que te la debía desde hace muchos años, desde que protestabas por ser siempre tú la que tenía que contar los cuentos largos.

He hecho una pausa para comerme un sandwich y para abrir el hilo musical en busca de algo relajante. Suena Vivaldi. Estoy en mi apartamento de arriba, donde llevo metida varias horas, desde que te empecé a escribir. Tengo la ventana de par en par y la luna está en cuarto menguante. Asómate, Sofía, mira la luna. Tienes que notar ahora mismo cuánto te necesito y cuánto me importa que estés ahí esperando mi carta, la luna te dará el recado como sea. Mariana te está escribiendo, quieta, ¿no lo notas? Te va a llegar un cuento largo, sí. Y podrías estarla mirando, siempre fuiste viciosa de la luna y de las historias que se inventan o se recuerdan bajo sus efectos narcóticos. Yo esta noche te estoy contando cosas que no he contado nunca, que ni a mí misma me había contado así, tan despiadadamente. Me ha tocado el turno del diván, ya ves lo que son las cosas. Y por primera vez desde que llegué a Puerto Real, me encuentro en paz, sin notar ese nudo de angustia que no me dejaba parar más de media hora. Gracias, Sofía. He releído lo que va de la carta y he tratado de ponerme en tu piel, imaginando el interés que puede despertarte. Creo que el relato se ha enderezado y que, aunque me vea obligada a saltar capítulos, no me está saliendo mal. Pero a tu perspicacia de puntual lectora de novelas no se le habrá escapado —como a mí tampoco— el cambio gradual que ha ido sufriendo Silvia.

En la carta del tren aparecía como un personaje ajeno a la trama y despachado mediante una descripción poco matizada. Pues no, ajeno a la trama desde luego no es. Y además también tergiversé, en esa primera mención, mis relaciones con la calle de la Amargura. Bien es verdad que nunca habían sido tan amargas como en esta ocasión, pero su mar de fondo siempre lo han llevado. Cuando hace unos días, perdida en la calle con mi ramo de lilas, me dio el repente de abandonar Madrid, yo misma me engañaba al pensar en esta casa como en un oasis, me negaba a ver los móviles oscuros de mi espantada hacia Puerto Real y no hacia otro sitio cualquiera de los muchos que hubiera podido elegir, más propicios que éste al descanso y al olvido.

Ahora, mientras escucho la música de Vivaldi, me pregunto por qué he venido a parar precisamente aquí, por qué no soy capaz de marcharme, a pesar de que ni lo estoy pasando bien ni adelanto en mi trabajo. Y sobre todo, por qué caí en la tentación de telefonear ayer a Carmona, sabiendo como sabía de antemano que en esa conversación iba a salir a relucir Raimundo, que es de quien digo estar deseando huir. Pero además, por debajo de esas preguntas, late otra que surgió en cuanto colgué el teléfono. ¿Somos Silvia y yo realmente amigas? ¿La quiero o no?

De los altibajos de mi relación con ella no me voy a meter a hablarte con detalle, por lo menos esta noche. Haría falta ser Faulkner y tener meses por delante. Sólo para ponerte en antecedentes de cómo la conocí he necesitado cuatro folios, y para eso teniendo que dejar en simple esbozo la figura de Manolo Reina, uno de los hombres que mejor me han tratado y me han sabido entender, un verdadero cielo. Un paraíso perdido por mi culpa, que fui quien recogió velas tras el crescendo imparable de aquel verano. Por él, hubiéramos intentado una convivencia más larga, a pesar de la diferencia de edad. Pero tuve miedo. Ahora vive en Nueva York con la dueña de una galería de arte y todavía me escribe de vez en cuando, aunque dice que lo suyo no es la letra escrita. Que lo que necesita es ver a la gente, mirarla a los ojos.

Pero volviendo a Silvia, lo que sí quiero decirte es que ya en aquella primera visita que le hice, cuando estos muebles del apartamento andaban amontonados por la parte de abajo, se pusieron unos cimientos poco estables para lo que ella considera su amistad más importante con otra mujer. Tengo que reconocer que yo, al principio, le di pie para que lo creyera, que la engañé, queriendo o sin querer, eso quién sabe. Y cuando ayer por teléfono me lo echó en cara, yo me defendí con argumentos cuya debilidad habría percibido incluso un ser menos inteligente que Silvia. Nunca he depuesto mi suspicacia para con ella, en eso tiene razón. He estado en parte a la defensiva y en parte al acecho.

Para que lo entiendas mejor, te diré que en un trabajo como el mío se requiere un raro equilibrio entre la curiosidad y la pasividad. Hay que escuchar con interés lo que te cuentan, claro, pero todo se tuerce si el receptor de confidencias está impaciente por sonsacar más de las que le hacen. Esta avidez incapacita para interpretar correctamente los datos recibidos: se escucha mal. Yo siempre he estado ansiosa frente a Silvia, desde el primer día, y cada vez más. La perturbación que me producen sus informes sobre Raimundo —mayor aún por culpa de mi empeño en disimularla— es un estorbo para hacerme cargo de sus propias perturbaciones. Ella a Raimundo lo ha visto crecer, ha conocido a sus amistades de juventud, a su madre, a una hermana muerta en temprana edad de la que él casi nunca habla, y hasta se sabe de memoria antiguos poemas suyos donde ya apuntaba su conflicto frente a la homosexualidad. Y las imágenes de él que, a lo largo del psicoanálisis, ha ido regalándome, no sé bien cómo colocarlas. Componen un relato que socava los cimientos del mío.

En cuanto empecé a tratarla más en serio (pronto empezó a hacer viajes a Madrid sólo para verme), me di cuenta de que a Raimundo lo conocía mejor que yo, cosa que mi amor propio encajó mal. De todas maneras, hasta el año pasado no me enteré de lo más grave: de que él le hace confidencias sobre mí. No moví un músculo de la cara cuando me enteré, ya me conoces, pero estuve varias noches durmiendo mal, indecisa como ante una encrucijada. Se me había abierto un portillo inquietante y tentador, que no sabía si aprovechar o no, para enterarme de cómo me ve en realidad Raimundo. Es un dilema que aún no he resuelto y me martiriza. Casi siempre, a base de fingida indiferencia, procuraba que Silvia cambiara de conversación y no me transmitiera aquellas confidencias.

Otras veces, sin embargo, era yo quien propiciaba solapadamente la transmisión, aunque luego me maldijera a mí misma por hacerlo. Lo que nunca se me ocurría era abrirle mi corazón, confiarle mis zozobras como a una amiga de verdad. Me tenía prohibido hacerle preguntas directas. Y ella, ignorante de mi desazón, iba soltando sus comentarios más o menos extravagantes, pero que nunca se atienen a falsilla freudiana, con esa mezcla de desgarro, humor y ternura que le son característicos.

Ayer tarde, antes de llamarla por teléfono, estuve hablando con Brígida, que vive en la parte de abajo como una sombra, y a la que yo llamo para mis adentros la señora Dean. Supongo que con esta referencia a *Cumbres borrascosas* ya te habrás orientado. Siempre tiene que volver a salir Emily Brontë. Ya la comparé con la señora Dean hace tres años, cuando me abrió por primera vez la puerta de esta casa, y me dijo, con lágrimas en los ojos, que ya nadie quería pisar por aquí, que a la señorita Silvia la tenía poseída el demonio y que era Dios quien me enviaba. En este viaje de ahora, en cambio, me ha recibido con frialdad, noto que me evita, que no tiene ganas de hablar conmigo, y la verdad es que apenas la veo. Al principio lo tuve por una bendición, pero con el paso de los días se me ha ido haciendo casï insoportable su presencia silenciosa. Es una de esas criadas viejas de toda la vida, las que más cuidadosamente archivan las historias, las que mejor podrían escribir la novela de la familia, porque se han pasado años y más años mirando sin decir nada, han tomado nota de todo y han descartado lo superfluo para quedarse con lo esencial.

Ayer no la había visto en todo el día. Me desperté muy temprano y cogí un coche de línea que lleva a Cádiz. Estuve deambulando por la Caleta, por el barrio de la Viña y por distintas calles y plazas que me traían el recuerdo idealizado de Manolo. Me quedé un rato apoyada en el mirador de Santa Elena, viendo los trenes desde arriba, todo ese laberinto de vías que se cruzan, con la bahía al fondo. Tiene una hermosura desolada, de postal antigua. «Es un sitio adonde vengo desde pequeño siempre que tengo ganas de llorar», me confesó Manolo en el último paseo que dimos juntos aquel verano, poco antes de que saliera mi tren. No habíamos hablado mucho. Él había quedado en que me iría a visitar a Madrid, pero yo sabía que ya todo iba a ser distinto, que se estaba consumiendo un verano irrepetible. «Márchate —le dije ya en la estación, adonde habíamos llegado con mucho tiempo—. No me gustan las despedidas. No sabe uno qué decir.» No dijo nada. Acababa de ayudarme a poner los bultos en la red de mi compartimento de Wagon-lit, y estábamos sentados allí, en el borde del sofá, como dos tontos. Todavía recuerdo el beso que me dio antes de levantarse y salir corriendo, como alma que lleva el diablo. Un beso de fuego líquido, de los que dejan cicatriz. Poco después, cuando el tren emprendió la marcha, iba yo asomada a una de las ventanillas del pasillo, y reconocí, a la luz del ocaso, el murallón donde viene pintado con letras enormes el nombre de la ciudad. Coronándolo, está el mirador de Santa Elena. Alcé los ojos con una súbita corazonada. Había allí un hombre agitando un pañuelo.

Ayer, recordando aquella tarde, era yo la que tenía ganas de llorar asomada al mirador de Santa Elena con los ojos fijos en las vías que se cruzan. Fui a ponerle un telegrama a Manolo a la central de Correos. Sus señas de Nueva York me las sé de memoria, aunque le he escrito pocas veces. Viven en el East Side. El empleado de la ventanilla se me quedó mirando con cierta curiosidad después de leer el texto, «Se canta lo que se pierde», una estrofa de Machado que a él le gustaba mucho. «¿No lleva firma?», me preguntó. «No señor, no hace falta.» Se encogió de hombros. «Usted sabrá, más barato le sale.»

Luego me entraron tentaciones consumistas, como siempre que me ronda la depresión. En una tienda del barrio de la Catedral me compré unos vaqueros que saqué puestos de allí y todavía no me los he quitado. Creo que me habría sentado mejor la talla 44, no sé lo que diría él. Me miraba de reojo, al pasar, en la luna de los escaparates, imaginando la presión de su mano en mi cintura, el ritmo de sus andares junto a los míos, aquellas palabras repentinas e intrépidas que saltaban a mi oído cuando menos lo esperaba, que me iban aprisionando lentamente como un cerco de fuego, en espera de la noche. ¿Valía la pena haber renunciado a todo eso para escribir un ensayo sobre el erotismo?

Apenas tuve ganas de comer, y a media tarde, aburrida como pocas veces de mí misma, recalé en la estación de autobuses y emprendí viaje de vuelta a Puerto Real. Hacía una tarde rara, de nubes revueltas y violáceas, como transida de irrealidad. Durante el trayecto había empezado a abrirse camino en mi mente, a modo de nave fantasma surcando aguas tormentosas, la idea de que aquí no pinto nada y que me tengo que volver a Madrid sin más remedio.

Al llegar a la calle de la Amargura y meter la llave en la puerta, esa idea se convirtió casi en decisión. La casa se me caía encima con su silencio sepulcral. Me paré en el pasillo. «Nada, Mariana —me dije—, no puedes seguir así, te vas a volver loca. Ahora mismo subes arriba, preparas la maleta, te tomas un somnífero y, mañana por la mañana, al tren.» Mis pasos, sin embargo, no obedecieron a mis palabras. Es lo típico de las situaciones de empantanamiento, ya lo sé muy bien: se impone una inercia que te empuja a hacer exactamente lo contrario de aquello que te conviene.

Entré en el salón para nada, como siempre. Acababan de dar las ocho y ya estaba un poco en penumbra, pero no encendí la luz. Me dirigí despacio hacia el espejo con una cierta aprensión. Intuía que necesitaba consultarle mi decisión de irme más que preguntarle qué tal me sentaban los vaqueros. Emitía un resplandor apagado, como de plata sucia. Nada más pararme delante de él, se dibujó en su interior un bulto que quedaba a mis espaldas, y me volví sobrecogida.

La señora Dean estaba sentada en una butaca del fondo. Pasaba entre los dedos las cuentas de un rosario y se mantenía muy tiesa, con los ojos entrecerrados. Los abrió un poco al oírme volver sobre mis pasos, pero no me preguntó que si necesitaba algo ni nada por el estilo. Seguía rezando sin inmutarse. Me senté en una butaca cercana a la suya, y guardamos silencio unos instantes. Si no hubiera sido porque los labios y los dedos se le movían, aunque de forma casi imperceptible, podría habérsela tomado por una figura de cera.

—No sé qué va ser de nosotros, pobres pecadores —musitó al cabo, después de lanzar un gran suspiro.

Fue uno de esos momentos en que se precipita lo pasado mezclado con lo presente, con lo propio y con lo ajeno, en que resulta ridículo cualquier empeño de poner diques a la emoción, y sólo se sabe que es imprescindible refugiarse en otro ser humano, como ocurre ante un barrunto de hecatombe. Ni tragar saliva podía. Me levanté de mi butaca y me senté en la alfombra, a los pies de Brígida, que seguía bisbiseando oraciones, con los ojos perdidos en el vacío. Al otro extremo del salón, se columbraban nuestros dos bultos dentro del espejo rematado por la alegoría de la muerte. Noté que Brígida empezaba a rezar en voz alta, aunque muy quedo todavía.

—Quinto misterio doloroso. Jesús expira en la cruz. Padre nuestro que estás en los cielos...

De repente me sorprendí contestando a aquel padrenuestro, luego a las avemarías que le siguieron y por último, con rotundos «ora pro nobis», a la letanía en latín que cierra el rezo del rosario, ristra encendida de piropos a la Reina de los Cielos, prudentísima, admirable, inmaculada, invulnerable al miedo. La voz de Brígida se fue haciendo más animosa y coloreada y marcaba las pausas, en espera de mi estribillo.

Al final, puso una mano sobre las mías y me miró. Me dijo que desde la muerte de don Armando no había vuelto a rezar el rosario en compañía. Yo sentía mucho encogimiento y no sabía qué decir. El tacto de las manos de la señora Dean era áspero. Ninguna de las dos nos movíamos.

—Andan ustedes como ovejas desorientadas, señorita, perdone que se lo diga —sentenció ella de pronto—. Y un rebaño sin pastor no puede ir más que al extravío y a la catástrofe. Tanto afanarse, tanto moverse de acá para allá, tanto querer abarcar. ¿Y para qué, si no hay amor?, ¿me lo puede explicar, usted que tiene tantos estudios?

Bajé la cabeza.

—No, Brígida —reconocí—. No se lo puedo explicar.

Entonces fue cuando empezó a contarme lo preocupada que estaba por Silvia y a reprocharme que no la hubiera llamado todavía a Carmona. Me dijo que había vuelto a beber mucho y que no le sentaba nada bien quedarse allí completamente sola, haciendo frente a barcos que se hunden y a estragos que sobrepasarían incluso a hombres hechos y derechos.

—Tan ricamente como estarían ustedes aquí las dos juntas —concluyó—, saliendo, yendo al cine, contándose sus cosas, en fin, yo qué sé.

Empecé a sentir mala conciencia.

—¿Tan mal está? —le pregunté—. ¿Ha hablado usted con ella?

—Sí, hija, hace dos horas. Y no tiene atadero, anda delirando. Yo no le he dicho que ha venido usted, y no por falta de ganas... Pero, claro, como no quiere usted que ella lo sepa. Es lo primero que me advirtió nada más salirle yo el otro día a la puerta, cuando la sentí de pronto a usted entrar, casi antes de saludarme, acuérdese, que tampoco son maneras de llegar a una casa, digo yo.

Me buscó la mirada, y yo me limité a un breve asentimiento con la cabeza.

—No lo entiendo, la verdad —insistió ella—. A mí no me gusta un pelo que la señorita no sepa que está usted aquí. No lo veo normal.

—Es que yo tampoco me encuentro bien, Brígida. No me caben más problemas en la cabeza. He venido a descansar.

—¡Pero si no descansa usted nada! ¿Se cree que no la oigo paseando arriba y abajo por el maldito apartamento ése que el diablo confunda, y poniendo la radio toda la noche? Además, ¿cómo va usted a descansar, después de lo de don Raimundo? ¡Otro pobre que no sabe por dónde se anda, el Señor lo tenga en su mano! Y es que también usted dejarlo así tirado cuando más la podía necesitar... ¡Jesús María!

Así fue como me enteré de que Silvia y Raimundo habían hablado por teléfono, y de que él le había contado las cosas a su manera, tanto lo de su intento de suicidio como el hecho de que yo hubiera desaparecido de Madrid de la noche a la mañana sin dejar señas de mi paradero.

—Y yo sin más remedio que callarme —proseguía su perorata la señora Dean—, qué le vamos a hacer, se ve que es mi sino.

Hizo una pausa para santiguarse y añadió:

—Dios nuestro Señor, por los méritos de su preciosísima sangre nos perdone las palabras que se nos escapan de la boca sin deber y las que por cobardía nos tragamos. Ya ve usted qué cruz la mía de hoy, sabiendo que está usted aquí y que la buscan como a un fugado de la justicia. ¿De quién se esconde usted? ¿De mi pobre señorita? Antes las amigas nos tratábamos de otra manera más llana, sin tanto recoveco ni secreteo. Tendríamos menos amigos, no se lo discuto. Pero eran de ley.

—¿Ha preguntado Silvia si estaba yo aquí?

—No. Pero el no decírselo yo no deja de ser mentir, y encima meterme en un lío que no entiendo.

Le prometí a la señora Dean telefonear a Silvia inmediatamente, le di un beso, y me subí a mi cuarto, dejándola un poco más consolada.

Silvia estaba bastante borracha, como te dije al principio, y uno de los efectos del alcohol en ella es que le hace perder temporalmente toda clase de referencias. En cuanto oyó mi voz, sin preguntarme siquiera dónde estaba y prescindiendo de todo preámbulo, se puso a contarme una historia delirante sobre un obrero llamado Fabián, que estaba retejando la finca de Carmona y le había hecho proposiciones deshonestas. A ella le gustaba el tipo, ¿qué me parecía a mí que debía hacer? Seguro que si cedía a sus requerimientos, el chisme se corría por todo Carmona como un reguero de pólvora. Y además yo ya sabía que sus problemas con respecto al erotismo eran peliagudos. No se explicaba cómo a Fabián le podía poner cachondo una mujer tan mayor, aunque, claro, la moral se la había subido mucho, para qué iba a negármelo. Me sonaba todo un poco a cuento chino. No es la primera vez que Silvia se inventa historias montadas sobre un detalle nimio; ella misma me lo ha confesado a veces. Dice que, sin esas fantasías, la vida es muy difícil de resistir. Me puse a seguirle la corriente sin ganas, tratando de desvelar, a través de las inflexiones de su voz, lo que podía haber de verdad y de mentira en aquel relato. Pero me sentía cada vez más incómoda. Y a mí la incomodidad se me trasluce en falta de atención. Silvia lo notó.

—Oye, Mariana —me interrumpió de repente—, ¿se puede saber para qué diablos me has llamado? Porque a mí, guapa, no me la das con queso. Y no me saltes con que me pongo agresiva. Que mis razones tengo. Ya llueve sobre mojado.

—Todo te lo dices tú. Te he llamado para saber cómo te encuentras, porque hace mucho tiempo que no sé nada de ti. ¿Qué tiene de raro?

—¡Mentira! —gritó—. No te importa nada de mí, absolutamente nada. Ni de nadie. De Raimundo tampoco. Te lo quitas de en medio en cuanto te estorba. Lo tienes en jaque. Es lo que te gusta, ¿verdad?, tenerlo en jaque. Y a todo esto, ¿tú dónde estás?

—Estoy en Puerto Real, en tu casa. Pero no se lo digas, si hablas con él, te lo pido por favor. Me resulta difícil explicarte lo mal que lo estoy pasando.

Se echó a reír y noté como si me dejara desnuda.

—¿Pasarlo mal tú? Lo apuntaré en mi diario. ¿Qué es?, ¿que te fallan las defensas?

Sí, me fallaban totalmente las defensas, de lo único que tenía ganas era de llorar.

—Por lo que más quieras, Silvia, no me hables así.

—Yo a Raimundo nunca lo dejaría tirado, nunca —seguía ella cada vez más excitada—. Porque siempre lo he querido, no como tú. Daría cualquier cosa por verle, aunque sólo fueran diez minutos, unos ojos como los que me pone Fabián. Dios le da pañuelo a quien no tiene narices. A ti, que no eres capaz de querer a nadie, todos te quieren.

—Por si te consuela saberlo, Raimundo no me quiere. Me hace sufrir continuamente. Si te cuenta lo contrario, no le hagas caso. Y además, ¡basta! No quiero hablar de Raimundo ni volverlo a ver. Se acabó esa historia para siempre.

—¿Es verdad eso? —preguntó Silvia, cambiando de tono.

—Te lo juro.

—¿Y cómo puedes decirlo sin llorar?

Hubo un silencio. Las lágrimas que me desbordaban los ojos dieron paso a hipos entrecortados. Silvia se ablandó.

—Perdóname, Mariana. He bebido mucho. Sólo te voy a hacer otra pregunta, para mí importantísima. ¿Me consideras una amiga íntima tuya? Pero no me contestes por lo que te tienes explicado en la cabeza, contéstame de corazón, lo que sientas.

Le dije que me encontraba muy mal y que no me parecía un asunto para ventilarlo por teléfono, y eso ya la sacó de quicio y provocó la avalancha de «verdades del barquero» que desembocó en mi insomnio de anoche. A las doce y media la volví a telefonear en un estado de ánimo desastroso. Pero necesitaba tranquilizarme la conciencia y pedirle perdón. Le dije que viniera a Puerto Real, por favor, que quería hablar con ella despacio. Que si no, iría yo a Carmona. Tardó en reaccionar. Me di cuenta de que la había despertado.

—Gracias, Mariana —me dijo, al cabo, con una voz muy dulce—. Es la primera vez que me pides una cosa. Pasado mañana, en cuanto remate unos asuntos, me tienes ahí por la tarde.

Llega mañana. Pero ya la sola idea de enfrentarme con ella me pesa como una losa. Necesito estar descansada y dormir. Son las tres de la madrugada. Y sin embargo, hoy me voy a la cama sabiendo que algo ha quedado aclarado.

Por lo menos, Sofía, entiendo para qué he venido a Puerto Real. Para escribirte esta carta. Espero no haberte aburrido.

Que duermas bien. Se lo pido a la luna.

Un beso,

Mariana

P.D. Como no me duermo, porque no hay manera, me he levantado y me he puesto a revisar mis apuntes sobre el erotismo. Llevo un rato con ello, pero está siendo peor el remedio que la enfermedad, porque no me gusta nada de lo que tengo escrito. Y al preguntarme por qué no me gusta, por dónde falla este análisis que emprendí hace unos años con tanta arrogancia, se vuelve a abrir la herida de mis obsesiones más secretas. Una vez que le estaba hablando a Raimundo de este ensayo con bastante entusiasmo, porque creía verlo todo muy claro, me dijo sonriendo que la debilidad de mis argumentos estaba precisamente en eso, en que lo veía todo demasiado claro, cuando el erotismo es por su propia esencia contradicción y oscuridad. Según él, yo a esos pozos de oscuridad no me digno bajar porque me da miedo.

—Bueno —matizó ante mis protestas—, no digo que no hayas bajado alguna vez, pero como un submarinista cauto y sofisticado, protegido por artilugios de seguridad respiratoria, que tiene buen cuidado de revisar previamente para que no le fallen. Es lo que hacéis generalmente los profesores. Por eso vuestras aportaciones al esclarecimiento de los problemas confusos son correctas pero insuficientes. Precisamente el erotismo es como una marea que rompe los diques de lo inteligible. Y tú quieres entender sin arriesgarte a dejarte anegar por esa marea.

—No me gusta correr riesgos que me anulen el entendimiento.

—Ya lo sé. Pero apóyate en la experiencia de otros que los hayan corrido. ¿Por qué no relees, por ejemplo, a Bataille?

Desde aquella conversación, mi trabajo sobre el erotismo empezó a despedir un tufillo a rancio, a caldo de cerebro, que ya no ha perdido. Y esta noche lo reconozco más que nunca. Mis ojos se han quedado prendidos precisamente en una cita de Bataille que acentúa mi malestar.

La vida humana —dice— tiende a la prodigalidad. Una agitación febril latente en nosotros pide a la muerte que ejerza sus estragos a nuestras expensas. El amor y la muerte no son más que momentos álgidos de una fiesta que la naturaleza celebra con la multitud inagotable de los seres, pues uno y otra llevan consigo el despilfarro ilimitado al que propende la naturaleza, en contra del deseo de durar que es propio de cada ser.

Al leer esta frase y copiarla ahora para ti, se me viene a la memoria alguien que la hubiera suscrito apasionadamente, que vivía gastándose. Ya sabes quién te digo. ¿Verdad que todas sus teorías sobre el deseo amoroso iban por ese registro? Aunque la verdad es que no eran teorías siquiera, eran oleadas que irrumpían sin más. Teorías eran las que le oponía yo, en un intento terco de amurallar el mar para que no me invadiera la casa. Nunca me atreví a adaptarme a su ritmo ni fui feliz con él, ya era hora de que lo dijera, Sofía. Necesitaba imaginármelo de otra manera para poderlo resistir y soñar que lo dominaba. La exaltación que provocaba en mis sentidos la sometía a una especie de alquimia y la convertía en excitación polémica. No disfrutaba de él tal como era, sino de las estrategias que montaba yo para poner a prueba su amor, explorarlo desde mi terreno y canalizar su turbulencia. A través del Guillermo que inventé y que no existía —plegado y deslumbrado ante mí, domesticado por una inteligencia serena y superior— me amaba más que nunca a mí misma. Fue mi primer fracaso, aunque he tardado en entenderlo, el primer eslabón de una cadena de bravatas sin otro objetivo que el de ocultar mi cobardía frente al erotismo tumultuoso.

Seguramente tú supiste seguirle mejor que yo en su tendencia a la prodigalidad y al despilfarro, en la alegría sensual de vivir el instante presente de acuerdo con el puro surgir de los instintos. Tú también eras así, también te atraía el fuego. Estaba escrito que os encontrarais y os amarais «en contra del deseo de durar que es propio de cada ser». Esta noche os envidio retrospectivamente y pienso que solamente la ceguera y la soberbia me han podido hacer creer a veces que necesitabais de mi absolución. ¡Qué tontería! Ni Catherine ni Heathcliff necesitaron nunca que los perdonara el mesurado Linton. La novela no puede acabar de otra manera, igual que tampoco pudo tener *happy end* la tuya con Guillermo, porque el erotismo es una hoguera que consume lo mismo que va creando y encendiendo. Nada más que por eso.

Sospecho que tú lo has entendido hace mucho tiempo. Está empezando a amanecer. Buenos días, bonita.

M.

Reconozco que no me gusta la realidad, que nunca me ha gustado. He cumplido con ella como Dios me ha dado a entender cuando no había manera de esquivar sus leyes, pero el texto de esas leyes —que además son tantas— no me entra. Lo retengo prendido con alfileres y de una vez para otra se me olvida. Voy de sobresalto en sobresalto, deshaciendo nudos confusos que entorpecen la labor, y siempre me queda la duda de si los habré deshecho bien o mal: no tengo ni idea.

Me pasaba igual con los exámenes de Matemáticas. Nunca me suspendieron en Matemáticas, y llegué a sacar dos notables, uno en quinto y otro en séptimo. Me parece increíble, pero resulta que es verdad. Verdad oficial. Hoy lo he visto escrito y sellado en azul en mi viejo libro escolar, que ha aparecido en el fondo de un cajón grande y revuelto donde estaba hurgando en busca de un papel —no sé cuál— que me había pedido Eduardo para no sé qué. Tengo una ligera idea de que podía ser amarillo y estar algo arrugado. ¿Pero y qué, aunque acertara? Ni aprendería nada nuevo ni me habría divertido. Es un jeroglífico de pacotilla y sin aliciente ninguno, de los muchos que nos equivocan y ponen parches al jeroglífico verdadero. Jeroglífico verdadero. Lo dije varias veces a media voz, deletreando la frase, inventando pausas que la deformaban, columpiándome en su vaivén. «Jero-glífi-co-ver-da-dero-jero.» Siempre me ha gustado colgarme de las palabras, desde que era muy pequeña. Es un juego de cierto peligro, como agarrarse a una argolla que, a su vez, está colgada del vacío. Y por eso mismo apasiona.

Estaba sentada en la alfombra, delante del cajón abierto donde tal vez pudiera esconderse el papel amarillo, y me quedé mirando a la ventana mientras canturreaba la frase y la deshacía y la volvía a coger por la cola. Estaba atardeciendo. Pasaban unas nubes rosáceas que se movían sin sentir, que sin sentir mudaban el perfil, de consistencia y de color. Todas las formas que iban tomando, a cual más sugerente, eran cuchilladas de fugacidad que clamaban por ser descifradas. Desde siempre, desde el principio de los siglos; un texto variable e infinito como el de nuestros viajes interiores. Viajamos con las nubes que se disgregan y oscurecen, cambiamos con ellas sin darnos cuenta, a tenor de su frágil dibujo condenado a la agonía antes de que nadie lo haya entendido. En las nubes, y nunca en los papeles, está el jeroglífico verdadero.

Seguí buscando el papel, pero buscaba desganadamente, a contrapelo, sin fe de encontrar nada. Porque además, al abrir el cajón, se había desprendido el tirador, que tenía los tornillos flojos, me quedé con él en la mano. Y eso ya me avisó de que no sirve tirar de los asuntos que no interesan.

¡Pero son tantos, Dios mío! Proliferan por su cuenta, tenaces como la mala hierba, al margen del interés que despierten o dejen de despertar, eso es lo malo. Cada año, cada mes, cada día, un estrato más de papeles que me implican, que llevan mi nombre y a veces hasta mi firma, que de ésa sí que no me puedo desentender. ¿Tan larga ha sido mi vida, tantos papeles he podido criar? Certificados, recibos, notificaciones de bancos, requerimientos notariales, estados de cuentas, apelaciones, avales, recortes de periódico, radiografías, fes de bautismo, carnets caducados, escrituras de donación, seguros de vida, multas, contratos de inquilinato, libro de familia. Mal que me pese, son asuntos que tienen que ver conmigo; alguien me va a pedir cuenta de ellos más tarde o más temprano. Y ese día tendré que buscar el papel correspondiente, reconocerlo por su fisonomía. Me instarán a hacerlo de forma perentoria, sin andar preguntando si me repugna o no, como cuando te lla-

112

man para identificar a un muerto y no tienes más remedio que ir y levantar la sábana.

Ayer Eduardo, al pedirme este vago documento y ver la cara que yo ponía, tuvo el mal gusto de recordarme que de la repugnancia a los papeles administrativos arranca mi patología, ese encerramiento obsesivo en lo que el psiquiatra llamó hace algunos años «vivencias de irrealidad». Y aunque aludía a ello en pasado y poniendo gesto de quitarle importancia, esforzándose incluso por sonreír, su voz y su mirada tenían la misma dureza impaciente y autoritaria de cuando me dijo entonces (ya no me acuerdo cuándo fue): «Contigo, Sofía, hay que tomar una determinación. Espero que colabores.»

Antes de toparme con el libro escolar, me estaba acordando precisamente de lo mal que lo pasé la primera vez que Eduardo me acompañó al psiquiatra, de las ganas de desaparecer que tenía. Y sólo de acordarme, ya se me volvían a presentar los mismos síntomas. Por dos veces, dejando de revolver el cajón, me pregunté, sentada allí en medio de la alfombra: «¿Qué hago yo en este sitio? ¿Qué quiere decir "yo"?» Y de verdad que todo me daba vueltas. Me empecé a asustar, porque la sensación de extrañeza se aceleró vertiginosamente, y me iba engordando por dentro del cerebro como un tumor maligno que dañaba a la memoria, al entendimiento y a la voluntad. Y me sorprendí repitiendo entre dientes, como si invocara a los dioses en un trance de sumo peligro: «memoria... entendimiento... voluntad», y no sabía quién era ni desde qué hora ni por qué estaba sentada encima de aquella alfombra. Solamente identificándola con la alfombra de Aladino conseguía un respiro a mi angustia, pensando que tenía que concentrarme si quería que se echara a volar. Y en esos tramos se recomponía el hilo de la voluntad. Porque sí quería. Era lo único que quería: salir volando por la ventana a surcar el cielo de mayo, antes de que se borrara el recado de las nubes.

En el libro escolar con tapas duras de color azul, hay pegada una foto de carnet. Seguro que esa niña de trenzas rubias y cara de interrogación en algún momento supo resolver problemas de Matemáticas; si no, no la habrían aprobado. Pero ella no entendía de números. Los números eran un mero dibujo inalterable y los nombres que los designaban no daban pie a la fantasía. Volví a mirar a la ventana y se empezó a recomponer el hilo de la memoria. Una niña rubia en clase de Matemáticas, y el profesor que dice: «Está usted en las nubes, señorita Montalvo.»

A ella le gustaba inventar palabras y desmontar las que oía por primera vez, hacer combinaciones con las piezas resultantes, separar y poner juntas las que se repetían. Las palabras un poco largas eran como vestidos con corpiño, chaleco y falda, y se le podía poner el chaleco de una a la falda de otra con el mismo corpiño, o al revés, que fuera la falda lo que cambiase. Alternando la «f» y la «g», por ejemplo, salían diferentes modalidades de paz, de muerte, de santidad y de testimonio: pacificar y apaciguar, mortificar y amortiguar, santificar y santiguar, testificar y atestiguar; era un juego bastante divertido para hacerlo con diccionario. Algunos corpiños como «filo», que quería decir amistad y «logos», que quería decir palabra, abrigaban mucho y permitían variaciones muy interesantes. Ella un día los puso juntos y resultó un personaje francamente seductor: el filólogo o amigo de las palabras. Lo dibujó en un cuaderno tal como se lo imaginaba, con gafas color malva, un sombrero puntiagudo y en la mano un cazamariposas grande por donde entraban frases en espiral a las que pintó alas. Luego vino a saber que la palabra «filólogo» ya existía, que no la había inventado ella.

—Pero da igual, lo que ha hecho usted es entenderla y aplicársela —le dijo don Pedro Larroque, el profesor de Literatura—. No deje nunca el cazamariposas. Es uno de los entretenimientos más sanos: atrapar palabras y jugar con ellas.

O sea, que le daba alas. Y ella les daba alas a las palabras, porque era su amiga, y porque ser amigo de alguien es desearle que vuele. Dibujó otra versión del filólogo más detallada, y esta vez tenía trenzas rubias. A su espalda, un ángel de pelo escaso y nariz aguileña le estaba prendiendo en los hombros unas alas plateadas.

114

Al profesor de Matemáticas, en cambio, no le divertían nada estos juegos de palabras, le parecían una desatención a los problemas serios, una manipulación peligrosa del dos y dos son cuatro, una pérdida de tiempo. Cuando un buen día, sin más preámbulo, empezó a hablar de logaritmos, hubo en clase una interrupción inesperada y un tanto escandalosa. La niña del cazamariposas se había puesto de pie para preguntar si aquello, que oía por primera vez, podía significar una mezcla de palabra y ritmo. Las demás alumnas se quedaron con la boca abierta y el profesor se enfadó.

—No hace al caso, señorita Montalvo. Está usted siempre en las nubes —dijo con gesto severo—. Le traería más cuenta atender.

La niña rubia, que ya estaba empezando a pactar con la realidad y a enterarse de que las cosas que traen cuenta para unos no la traen para otros, se sentó sin decir nada más y apuntó en su cuaderno: «Logaritmo: palabra sin ritmo y sin alas. No trae cuenta.»

La miro en la foto de carnet. Un sello morado, donde se lee con la tinta corrida: «Instituto Beatriz Galindo», le alcanza el hombro y emborrona el dibujo del jersey. Es bastante guapa. Pero ¿cómo se imaginaba los logaritmos? ¿Cómo se las arregló para lidiar con ellos sin saber lo que eran? No queda el menor rastro. Yo ahora, si digo «logaritmo», «guarismo», «raíz cuadrada» o «ecuación», veo bastoncitos grises y articulados que reptan por la alfombra como una procesión de gusanos. Y no se atreve uno a tocarlos. Unidades, decenas, centenas, millares, pi, tres-catorce-dieciséis. Dan grima. Se enredan unos con otros, se arremolinan en mi costado izquierdo (porque ya, vencida, me he tumbado en la alfombra), y los miro de reojo, llena de aprensión, avanzar camino abajo, sortear mi cintura, contornear mis piernas. Desplazarme tampoco puedo: estoy cercada. Descubro que hay otra procesión de gusanos, igualmente nutrida, que baja por la derecha más aprisa. Éstos son verdes y, al llegarme a los pies, dan la vuelta y confunden su caudal con el del bando gris. Bullen mezclados, se agrupan y conspiran, como genios del mal que son. Da la impresión de que pesan poco y de que si los soplara se dispersarían como una bandada de plumas. Pero es un error óptico. Pesan más que la alfombra, y entre todos impiden que levante el vuelo. No me dejan olvidar que están ahí. Tampoco el prisionero puede olvidar los barrotes de la cárcel.

Los gusanos verdes son las horas muertas, las horas podridas de mi vida entera, horas gastadas en sortear los escollos de la realidad para lograr aprobar materias que no me acuerdo de qué trataban, en las que ni siquiera me doy por examinada, a pesar de haber lidiado tanto con ellas. Porque lo único que sé de esas asignaturas es que siempre hay que estar haciéndoles frente como si fuera la primera vez, y el miedo a suspenderlas sigue siendo el mismo. Muy parecido, además, al miedo de haber perdido los papeles donde pudiera constar que se han aprobado. Se estudiaban para la nota. No eran optativas. Aprobado en hija de familia. Aprobado en noviazgo. Aprobado en economía doméstica. Aprobado en trato conyugal y en deberes para con la parentela política. Aprobado en partos. Aprobado en suavizar asperezas, en buscar un sitio para cada cosa y en poner a mal tiempo buena cara. Aprobado en maternidad activa, aunque esta asignatura, por ser la más difícil, está sometida a continua revisión. Tales materias, sobre todo la última, pueden llegar a ser apasionantes. Depende de cómo se tomen. Pero se parecen a los problemas de logaritmos en una cosa: en que de una vez para otra ya no se sabe cómo se resolvieron, ni por qué los tenía uno que resolver. Gusanera gris y gusanera verde de conocimientos borrosos, discutibles, agobiantes.

Entró Daría sin hacer ruido, como es su costumbre, y me llevé tal susto que se redobló el suyo. Pero su aparición provocó el contacto con alguien cuyo olor se reconoce, como cuando salimos de una pesadilla y unos ojos amigos nos están mirando. Se arrodilló y me pasó un brazo por los hombros.

—¿Pero qué hace usted aquí tirada en la alfombra? ¿Se encuentra mal? —me preguntó—. ¡Cuánto siento haberla asustado! Venía a decirle que si quería un té. ¿Qué le pasa? ¡Está usted temblando!

116

Hundí la cara en su hombro. Estábamos sentadas una junto a otra porque ella me había ayudado a incorporarme.

—Yo no sé lo que me pasa. Me encuentro mal, Daría. Debe ser un bajón de tensión.

—¿Ha bebido o algo?

Miró de reojo alrededor, pero no tan disimuladamente como para que yo no me diera cuenta de lo que buscaba ni ella de que me había dado cuenta. Seguí la dirección de sus ojos. No había a la vista ninguna botella. Daría tuvo un parpadeo nervioso.

—A ver, póngase de pie. Así. Respire hondo. No es nada.

La verdad es que no era nada. Podía andar perfectamente, no me mareaba ni notaba más que un poco de anquilosamiento, como cuando te has quedado dormido en una mala postura. Respiraba normalmente. Y encima de la alfombra, por entre los papeles esparcidos, no se veía moverse a ningún bicho ni gris ni verde.

—¿Le recojo esos papeles que tiene por el suelo? ¡Madre mía, cuántos papeles!

—No, por favor, déjelo ahora, Daría.

Pero ya se había inclinado, los estaba mirando y, al hacer el ademán de recogerlos, resucitaban los certificados, los recibos, las notificaciones de banco, los avales, las radiografías, las fes de bautismo, las multas, los carnets caducados. Y perdí los nervios. Creo que incluso me tapé la cara con las manos.

—¡Déjelo, le he dicho! ¡Déjelo! No lo quiero ver. ¡¡Déjelo!!

Sentí sus dedos en mi hombro, como quien ampara a un accidentado. Y su voz tenía un tono parecido al que se emplea para consolar a los niños.

—Bueno, vale, no se ponga así, mujer. Yo era para que no se pisaran. Espere, vamos a abrir la ventana, si le parece. Huele mucho a tabaco aquí.

La abrió y yo me senté en una butaca. No entraba frío. El sol acababa de ponerse y sobre el cielo palidecido se consumían los últimos tiznones del jeroglífico.

Daría se quedó frente a mí de pie, como esperando. Guardábamos silencio. Vi que miraba con suspicacia la cómoda de

117

mi madre, que antes estaba apoyada en otra pared. ¿Pero cuándo? ¿Antes de qué? Llevo días sin escribir, sin atender al cuándo y al porqué de las cosas —¿cuántos días?—, y he perdido el hilo, eso es lo que me pasa. Viajé con los ojos de una pared a otra, como extraviada. Luego los alcé hacia Daría y vi que ponía un gesto de disgusto.

—La tiemblo cuando se pone usted a cambiar los muebles de sitio, se lo digo de verdad. Además, la cómoda de la difunta señora ahí estorba más el paso.

No le dije nada. También cuando empecé a ir al psiquiatra me había dado por acarrear muebles de un sitio a otro sin finalidad aparente. Seguro que Daría, al mirar la cómoda, se estaba acordando. Su capacidad para la asociación de ideas es sorprendente. Por de pronto, para volver a enhebrar con el motivo de su entrada en la habitación, me preguntó que si me apetecía un té. Sentí que se operaba un conato de restablecimiento.

—Se lo voy a traer con un bizcocho que acabo de hacer, porque es usted capaz de no haber comido. Yo llegué a las cuatro, y en la cocina, desde luego, restos de comida no había.

Miré por primera vez el reloj. Marcaba las siete. Yo a Daría no la había sentido entrar. Se lo dije.

—Claro, estaba usted dormida.

—¿Dormida? Es que a veces los días se hacen tan largos...

—Será a usted —dijo Daría—, a mí se me van en un vuelo.

—Pero no me conviene dormir de día, no me conviene nada. ¿Y desde cuándo estaría yo dormida?

Daría se encogió de hombros.

—¿Han comido ustedes fuera? —preguntó luego, como para ayudarme a atar cabos.

Ese plural me trajo la imagen de Eduardo con su pelo repeinado, con sus chaquetas italianas, con su perpetuo gesto de «estrés», y la rechacé como una mentira. Era un personaje que se había metido equivocadamente en la escena. ¿Salir a comer con él? No, no, qué cosa más aburrida. Menos mal que ya hace mucho que no me lo propone. ¿Y es normal que yo lo acepte con tanta frialdad? ¿Desde cuándo? ¿Cuándo empezó a traerme sin cuidado su existencia? Tengo que ir a ver a Mariana León. No a la amiga del instituto para preguntarle si recibió mi primera tanda de deberes, sino a la psiquiatra que trata a las señoras con chaleco de lentejuelas, a mujeres de ejecutivo con hijos problemáticos, a gente que se le va la cabeza por un raíl y la vida por otro. Tengo que ir a verla porque no me acuerdo de dónde he comido hoy ni sé qué papel buscaba hace un momento, porque me horrorizaría que me llamara mi marido para ir al cine, porque no entiendo mi conducta ni la controlo. Porque estoy de psiquiatra, en una palabra. Ahora no me lo tiene que descubrir Eduardo ni enterarse de que lo he descubierto yo. Le engañaré, los engañaré a todos. Yo me lo guiso y yo me lo como. Engañar es lo que más me apetece, llevar una doble vida. Yo elijo mi propio psiquiatra, porque me da la gana. Ya lo he elegido. Y nadie lo sabe. Es un secreto entre Mariana y yo, como cuando éramos pequeñas, ¡qué excitante!

—¡Ay, no se quede usted mirando así, que parece que le ha dado un pasmo! —se asustó Daría ante mi mutismo.

—Es que no me acuerdo de si he comido, ni de cuándo cambié la cómoda de sitio, ni de nada, Daría, ¡de nada! ¿Usted cree que es normal?

Daría se encogió de hombros con un gesto de resignación.

—Pues no, ¡no lo es! —recalqué yo con saña—. Lo mío es ya de preocupar, se lo digo en serio. Voy a tener que tomar una determinación.

—Venga, no empecemos. Lo que tiene que tomar, por de pronto, es un té —dijo ella, haciendo ademán de salir—. Y voy a preparárselo ahora mismo.

—Bueno, gracias. Póngale un poco de miel. Y cierre la puerta, por favor.

En cuanto salió, busqué mi agenda, que la tenía dentro del bolso. En la «L», junto a las señas de Mariana, había apuntado también su teléfono la tarde que la vi en la exposición. Marqué las siete cifras decididamente, con golpes enérgicos, y el corazón me latía muy fuerte. Pero la espera fue corta. Dos llamadas rematadas por un leve crujido.

«Le habla el contestador automático de la doctora León. Estaré fuera de Madrid durante algunos días. Para cualquier asunto relacionado con la consulta, diríjanse a la doctora Carreras, teléfono 5768527. Repito: 5768527. Si quieren dejarme algún recado de tipo personal, háganlo por favor después de oír la señal. Muchas gracias.»

Apunté automáticamente el teléfono de la doctora Carreras, y luego, cuando sonó el pitido, estaba a punto de colgar. Pero reaccioné con ira:

—¡Chica, te digo la verdad, no sé cómo puedes tener clientela con esa voz de hielo! Ya me lo dijo el otro día una paciente tuya, que hablabas como desde el Olimpo. Tu mensaje no invita a nada y además es gramaticalmente incorrecto, porque parece que es el contestador el que se ha ido de viaje. Bueno, soy Sofía. Te mandé unos deberes, ¿los recibiste?, y luego he seguido escribiendo cosas en un cuaderno. Me estaba quedando bastante bonito, pero de pronto se me ha acabado el gas, no le veo sentido. Necesito que me vuelvas a mandar escribir, porque, si no, me parece que es una alucinación mía, que no te vi de verdad esa tarde, cuando lo de la liebre en el erial. Que, por cierto, no sé cuántos días hace, pierdo mucho la brújula del tiempo. No sé si lo que te digo te parecerá personal o de consulta. Igual te selecciona el género el propio contestador. Yo más bien lo catalogaría como relato a perdigonadas. Pero, bromas aparte, estoy bastante mal y quiero consultarte algunas cosas. Llámame cuando vuelvas de donde sea. Te quiero mucho y me encantó encontrarte. En el cóctel no me hablaste con voz de hielo. Adiós.

Las últimas palabras creo que ya no quedaron registradas, porque se cortó. Pero de pronto me había quedado tranquila. Existe Mariana León. No me la invento. Está de viaje, pero existe.

Cuando entró Daría con el té, la habitación había recuperado una fisonomía perfectamente reconocible, y además me aportaba datos de cronología reciente. La cómoda la cambié de sitio el lunes, que es cuando vino a visitarme Soledad; después de marcharse ella, porque la conversación que tuvimos me removió muchas cosas. Podría convertirse en un capítulo del cuaderno. Estuvimos hablando de la separación de sus padres y ese tema tiró de otros y dio pie a mis confidencias. Me quedó una excitación rara, como de borrachera. A Soledad desde que era niña le gustaba mucho oírme. Amelia se había marchado el día anterior. Salieron a relucir historias antiguas mías, y de Mariana, y de Guillermo, cosas que nunca había contado. Se nos hizo casi de noche. Cogí luego unos apuntes de la conversación y les puse fecha. Creo que es la última vez que he escrito algo. En el cuaderno no, en papeles sueltos. ¿Dónde los pondría? Es fatal lo de los papeles sueltos. «Los debería pasar a limpio —recuerdo que pensaba, mientras cambiaba la cómoda de sitio—. Todo consiste en seguir escribiendo despacito, puntada a puntada.»

Daría me acercó una mesita a la butaca y puso en ella la bandeja con el té y el bizcocho. Me partió un trozo.

—¿Se puede saber en qué piensa?

—En unos papeles que no sé dónde habré metido. No tengo ni idea, y me hacen falta.

—¡Ay, déjese ahora de papeles! La van a comer los papeles. Tómese el té. Luego los busca.

—Bueno, pero siéntese un ratito conmigo. ¿O tiene usted prisa?

—Ya sabe usted que eso de la prisa es según y conforme se lo tome una —dijo, al tiempo que acercaba una silla y se sentaba enfrente de mí—. Yo las tareas ya las he acabado. Pero se nota que he faltado unos días, vaya que si se nota.

—Es verdad. Por cierto, ¿qué tal va usted del lumbago? Se me había olvidado preguntarle.

—Mejor. A partir de mañana le tengo que meter un limpión a fondo a la casa, porque mi Consuelo le da poco a la aspiradora y a la fregona. Y como usted no le dice nada. Ha nacido para escurrir el bulto. Si le hubieran echado en la vida tantos como a mí. Sólo le daba la cuarta parte de lo que yo pasé estando preso mi Elías. Pero es tontería hablarle a la juventud de la guerra civil nuestra, que ellos qué tienen que ver con esa historia, es lo que te dicen, que allá penas.

La voz de Daría me traía a un mundo confortable, de hilo, de pausa, de sentido común. El bizcocho mojado en el té estaba muy bueno.

—No sé cómo la aguanta usted —continuó—. Yo se lo digo siempre: «Anda, que como te hubieras topado con una señora que no fuera ésa.» Y los chicos igual, han salido a usted en la conformidad con todo. Hasta se pasan, la verdad. La propia Consuelo se harta de decirlo, que está por una vez que le pidan una cosa de malas maneras. Ni de buenas. Que no le piden nada, vamos, es lo que saco en consecuencia. Así que, conociéndola a ella, como no le pidan nada y haga sólo lo que le dé la gana, bonito debe estar el famoso refugio ése, ¡si la difunta señora levantara la cabeza...!

Yo estaba sorbiendo el té. Daría siempre suministra datos de fiar para tomar tierra.

—A la Consuelo se lo tengo dicho, no crea usted que no, yo por el refugio no aparezco como no sea por causa de fuerza mayor. Me bastó con una vez que estuve. Buena gana de sufrir. Porque lo que es también Encarna y Lorencito, ésos buenos son desde niños para obedecer ni para recoger nada. Y sus amigos igual. A don Eduardo esos amigos le gustan poco, ¿verdad?

—Tampoco a ellos le gustan los suyos.

—Ya. Se entienden mal. Acuérdese las broncas, la última temporada que pasaron aquí, particularmente antes de morir la abuela. Era decir el padre blanco y ellos negro, y como no estaba usted para parar los golpes... ¡Qué verano me dieron! No me quiero acordar.

—¿A qué verano se refiere?

—Cuando se fue usted a Londres a recoger a Amelia y a su amiga. Que, por cierto, más viajes de ésos debía usted hacer, porque vino como nueva. Claro que le duró poco... ¿Qué ha sido de aquella chica tan mona? Soledad se llamaba, ¿no?

—Sí. Ha estado aquí el otro día. Sus padres se separan.

—Vaya, nunca es tarde si la dicha es buena. A ver si cunde

el ejemplo. Yo lo veo bien. Lo que es teniendo dinero, buena gana de aguantar toda la vida una cosa que no te gusta. ¿Pero qué le pasa? ¿Se vuelve a marear?

Negué con los ojos cerrados, pero todo me daba vueltas.

—Como cierra los ojos. Si quiere, la dejo sola.

—No, no... Es que quiero acordarme de las cosas, de cuándo pasaron, de cómo pasaron, de la relación que tiene lo de antes con lo de ahora, y la vida de los demás con la mía, porque todo tiene que ver, de eso estoy segura... Es como tratar de deshacer los nudos de un ovillo enredado con otros, con miles de ovillos... Y me vuelvo loca. Daría, no sé por dónde empezar, no me concentro.

—¿Y para qué se va a concentrar? También son ganas de montarse la cabeza. Eso, ni siendo Dios. Ni Dios mismo se debe concentrar, tal como está el mundo, y él, el pobre, ya tan viejo que lo mirará y no será capaz de reconocerlo. Dirá: ¿Pero en eso se ha convertido aquella ocurrencia mía de «a mi imagen y semejanza»? Pues menuda la formé. Y una de dos, o reconoce que se equivocó, o se tendrá que echar una siesta. Parece que le gusta el bizcocho. Ha salido esponjoso, ¿verdad?

—Sí, está riquísimo.

—Pues mejor cuando se enfríe del todo.

—Pero, Daría, dígame una cosa... ¿Cuándo me empezaron a tratar a mí de los nervios? ¿Fue ese año que estuve en Inglaterra?

—¡Y dale! ¡Qué más dará! Lo pasao, pasao.

—No, por favor, usted se tiene que acordar, porque se acuerda de todo. Fue ese año, ¿verdad?

—Pues sí, el ochenta. Después del verano. A poco de mudarse los chicos al piso que les dejó la abuela. Ella murió en septiembre, Dios la tenga en su gloria. Y ellos, nada, a los pocos meses se mudaron allí. En Navidad, creo. Yo no sé si fue malo o bueno que heredaran a la abuela tan jóvenes.

—Yo tampoco lo sé, no sé nada... Y sin embargo, algo ha salido mal por mi culpa. Ahora me acuerdo de que fue al volver de Londres cuando lo vi claro.

—¿Qué es lo que vio claro?

—Pues que Encarna y Lorenzo no aceptan la realidad tal como es, que no quieren parecerse a su padre en nada. Y que yo tengo la culpa. De eso hablaba con el psiquiatra. Los comprendo, no les doy alas pero los comprendo. No lo puedo remediar.

—Pues yo a mi Consuelo ni la comprendo ni la doy alas. Y ha salido igual de respondona con el padre que los de usted. Hasta le llama carroza en su cara. Un dolor. Anda, que si yo le llego a hablar a mi padre así, menuda torta me mete. Conque déjese de culpas, con los chicos de hoy en día nunca se acierta. ¿Y Lorenzo qué pasa? ¿No se decide a ganarse la vida en serio? También don Eduardo le podía ayudar, con la de conocimientos que tiene ahora.

—Si es que no hay manera, Daría, cuanto mejor le va al padre en los negocios y a más gente influyente trata, más desprecian ellos el dinero.

—Jolines, porque lo tienen.

—De lo de la abuela, poco les debe quedar.

—Claro, a base de malrotarlo desde el principio. Tampoco fue consideración, no me diga, vender por cuatro perras los muebles tan buenos de la difunta señora, que parecía que les quemaba tenerlos. Menos mal que muchos se los llevó Santi. Pero también en América, tan lejos... A usted aquello la trastornó bastante.

—No crea, a mí también me quemaba tenerlos, no le tengo apego a lo viejo. A mí lo que me trastorna, Daría, es tener que decidir. Tomar partido. Aconsejar. Dar la razón a unos y quitársela a otros, verme implicada en la vida y destinos de los demás. Por allegados que sean. ¡Eso es lo que me trastorna! Por irse, pues que se fueran, pero yo no podía estar dentro de ellos, y dentro de mi hermano y dentro de mi marido, cada cual con su guerra, ¡uf!

—Bueno, pero no se excite. ¿Para qué coños se me habrá ocurrido a mí mentar el refu?

—¿Qué pintaba yo en todo aquello? Y todos esperando que yo me pronunciara, que dijera algo, todos discutiendo. Me daba todo igual, vender, comprar, repartir, hipotecar, no iba conmigo. Ni siquiera, fíjese lo que le voy a decir, ni siquiera la muerte de mi madre iba conmigo. Habría sonado como una monstruosidad decirlo entonces, por eso no lo dije, pero lo sentía así.

—Nunca la quiso mucho.

—No. Y me reconcomía. Y me sentía culpable.

—¡Ay, Señor, dichosas culpas! Culpa la del que creara el mundo, ya se lo he dicho antes.

—Había sido un viaje maravilloso el de Inglaterra. Y fue como aterrizar en el infierno. No he vuelto a salir de él.

—Vamos, tampoco exagere.

Me quedé mirando a la ventana. ¿Cuántos días hace que he dejado de escribir? ¿Y por qué? Escribir me sacaba del infierno. Tengo que encontrar los apuntes de la tarde que vino Soledad. Seguro que hay datos clave. Daría se había puesto de pie. Noté que, mientras recogía la bandeja de la merienda, volvía a mirarme, como si me espiara.

—Pues la Consuelo me ha dicho que estaba usted muy bien estos días de atrás, que parecía que la habían quitado años de encima, todo el rato cantando y haciendo bromas. Llegó a decir, ya sabe cómo es ella, que si no tendría usted por ahí algún amorío, y yo le contesté: «Pues hija, ¡ojalá!», me salió del alma. Y es la verdad, haría usted más que bien. ¿No buscan ellos fuera de casa?

—A mí esas cosas ya no me interesan, Daría.

—¡Claro, a base de abstinencia! Lo mío es al revés, que yo a mi marido me lo tengo que quitar de encima a manotadas. Ya ve usted estos días, baldada con el lumbago como estaba, pues nada, le da igual. Hasta decía el condenao que le gustaba el olor del spray ése que me mandó el médico. ¡Vaya, mujer, menos mal que se ríe! Yo no he visto a nadie que le cambie la cara en medio minuto tanto como a usted. No se da cuenta. Es un caso.

—Sí, Soledad también me lo dice.

Me puse de pie. Me acababa de acordar dónde había puesto los apuntes que tomé el día que vino a verme Soledad: dentro de una novela de Patricia Highsmith que estaba leyendo. Con eso, algunas cartas viejas y trozos del diario de mi viaje a Inglaterra, se puede hacer un collage que me ayude a enterarme un poco mejor de lo que significó Guillermo para mí. Le pasé a Daría un brazo por los hombros.

—Sí, son rachas. De pronto me encuentro muy bien. Y con ánimos. El alma humana se parece a las nubes. No hay quien la coja quieta en la misma postura.

—Pues hija, si ya lo sabe, déjela a su aire y no se ande inventando cepos para cazarla. ¡Qué vicio!

—Es un vicio, tiene razón. A ver si aprendo.

—Y ya le digo, nada de infiernos ni de culpas. Las mujeres para pasarlo bien en la cama estamos en la mejor edad rondando los cincuenta, que ya no anda una con miedos de nada. Mi marido será todo lo bestia que usted quiera, que burro es muy burro el Elías, pero eso por lo menos lo comprende. Y si el suyo no lo entiende, pues búsquese otro por ahí y santas pascuas.

Me eché a reír.

—Tampoco es tan fácil, compréndalo, Daría. Hombres, lo que se dicen hombres, quedan pocos.

—Ahí le doy la razón. Bueno, y me voy, si no manda otra cosa, que se ha hecho algo tarde.

Le di las gracias por su compañía y ella me recomendó que no me quedara tantas horas encerrada sola en casa, que saliera algo más.

Al poco rato, cuando, ya con la chaqueta puesta, asomó la cabeza para despedirse, acababa de encontrar *Mar de fondo*, la novela de Patricia Highsmith. Los papeles estaban dentro. «Contar lo de Guillermo como se lo hubiera contado esta tarde a Soledad —leí—. En plan novela. Como si todo lo que pasó le hubiera pasado a otra persona. Con el humor y la distancia que él me aconsejaba cultivar siempre para sobrevivir.»

—¿Eran esos papeles los que buscaba? —preguntó Daría.

—Sí. Gracias.

—¿Ve como todo acaba por aparecer...? Ah, hablando de papeles, se me olvidaba. Tiene usted una carta certificada. Muy gorda.

126

Levanté los ojos del nombre de Guillermo.

—¿Una carta? ¿Dónde? —pregunté con el corazón alborotado.

—En la bandeja de la entrada. Vino antes. Como estaba usted dormida, firmé yo el recibí. ¿Se la traigo?

—No hace falta. Ahora iré yo.

Hacía esfuerzos por hablar normal.

—Pues hasta mañana.

—Adiós, Daría.

Esperé a oír cerrarse la puerta de la calle para salir corriendo al vestíbulo a recoger la que ya sabía, antes de verla, que era la primera carta de Mariana León después de tantos años.

VIII. STRIP-TEASE SOLITARIO

Querida Sofía:

Ésta es mi tercera carta desde que salí de Madrid, y no le pongo referencias de lugar ni de fecha para distinguirla de las otras dos, que escribí pensando en mandártelas, aunque luego no lo haya hecho, en parte por pereza y después por tacañería. Las tengo dentro de una carpeta azul comprada en Cádiz, donde también guardo apuntes sueltos sobre el erotismo. Una de ellas —la del tren— metida incluso en un sobre grande con tus señas escritas, la otra ni siquiera. Son fertilizantes para mí. Releerlas me ayuda a coger el hilo del tiempo reciente y estimula no sólo mi recuperación anímica sino también la evolución de mi trabajo, que empieza a enderezarse. Así que ya desde el principio decido no mandarte tampoco la que me pongo a escribirte ahora. Tu nombre y tu recuerdo me sirven de soporte para largar amarras, pero en cambio no me veré obligada a demostrarte que pienso en ti y en tus problemas.

Y es una decisión liberadora. ¡Qué descanso confesarme a mí misma sin rodeos que este vicio epistolar —reiniciado, eso desde luego, gracias al pie que me diste tú— es, como casi todos, un vicio solitario! Además no sé si será porque el texto de mis cartas sin mandar se ha contagiado dentro de la carpeta azul del virus de mis otras cavilaciones sobre el amor y el sexo, pero el caso es que todo me parece pertenecer al mismo discurso: el que, elaborado a partir del desvío de Raimundo, me trajo a la calle de la Amargura, y el que me trae, en plan metafórico, zarandeada a lo largo de esa misma calle. Hace años que deambulo por ella de tumbo en tumbo, borracha de preguntas sin respuesta. Son preguntas que sigo formulándome por deformación profesional, pero también porque en el fondo me gusta. He llegado a no verle a la vida más sentido que el de indagar su sentido, aun a sabiendas de que ninguna pista lleva a aclarar nada, fallando en la pesquisa una vez detrás de otra. Ya ves tú qué diversión más tonta. Es como leer con fruición inalterable una novela policiaca donde nunca aparece el asesino.

Pero bueno, como decía mi padre, la cuestión es pasar el rato. Lo decía mucho. Siempre me había parecido una frase banal, pero una vez, siendo ya él bastante viejo, me aclaró que se refería al rato de vida que nos había correspondido a cada uno al nacer.

—Y lo malo es que la duración del rato no viene consignada en el boleto de la tómbola que expende niños. Depende de nosotros que se haga más largo o más corto, todo consiste en aprender a emplearlo de acuerdo con el ritmo de nuestro cuerpo, como una especie de gimnasia, hija. No hay que angustiarse pensando en lo que va a durar. Esos cálculos no nos incumben a nosotros.

Luego, cuando se murió, me acordaba mucho de eso que dijo. Porque mi padre siempre se las arregló para sacarle a la vida el mejor partido posible y odiaba los agobios inútiles.

La cuestión es pasar el rato, con tal de que aproveche, claro, de que se le consiga tomar gusto a ese pasar inevitable. Cada cual se apunta en este mundo al deporte que más le apetece, y el de ponerlos todos en tela de juicio no deja de ser un deporte como otro cualquiera. Yo lanzo mi perorata al aire por el puro placer de escuchar el eco de la propia voz rebotando contra las esquinas. ¿Y qué? No tengo por qué defenderme cuando Silvia me lo vuelva a echar en cara. Es lo que me gusta: el strip-tease solitario. Ella misma me ha dado pie para entenderlo y aceptarlo. Pero de Silvia hablaré luego.

Piénsalo. Si bien se mira, no tenemos más que eso: el placer de respirar y de ejercitar la propia voz en sus distintas modalidades de tristeza, indignación o entusiasmo: no hay otro elemento base. Y a mí me vicia llevar las riendas de mi propia voz, darle volumen hasta el grito o templarla hasta el susurro, aunque suene sin más acompañamiento que la mención a la falta de compañía. Una mención puramente retórica, como cuando se mete en las coplas flamencas el vocativo: «¡Ay, compañerita de mi alma!», para marcar con trazo más lacerante la ausencia de quien le está haciendo pasarlas moradas al cantante, ajena la amada a su queja y sin malditas las ganas de escucharla, porque si no ya me dirás qué razón de ser tendría el desahogo solitario.

Conque al fin y al cabo, Sofía, compañerita que fuiste de mi alma, por más vueltas que le demos, todo es soledad. Y dejar constancia de ello, quebrar las barreras que me impedían decirlo abiertamente, me permite avanzar con más holgura por un territorio que defino al elegirlo, a medida que lo palpo y lo exploro, lo cual supone explorarme a mí misma, que buena falta me hace. Porque ese territorio se revela y toma cuerpo en la escritura. Mejor dicho, es la escritura misma tal como va segregándose y echando corteza, plasmándose en los perfiles que la mirada descubre y trasiega en palabra; con ella engendro mi patria indiscutible, aunque sujeta a mudanza. Mi patria escabrosa y recóndita, siempre esperando por mí. Riachuelos por cuya corriente huyen los peces rojos del pretérito imperfecto, montañitas dentadas de gerundios, cuestas arriba flanqueadas por signos de admiración y puntos suspensivos, angostos desfiladeros donde se hila la oración compuesta, árboles frondosos de adjetivos o desnudos de ellos, praderas atisbadas en sueños y a las que sólo se llega por el puente inestable del condicional.

Al poner un punto detrás de la palabra «condicional», he levantado los ojos y he respirado hondo, con delicia, el olor del mar que se extiende inmenso ante mi vista. Y, como remate a lo que va escrito, me apetece poner un ejemplo de oración condicional, que viene bastante a cuento: «Si mi amiga Silvia se-hubiera portado de otra manera, yo seguiría en su casa o habría vuelto a Madrid a reanudar el ejercicio de mi profesión.»

Surge a mis espaldas una voz en off inconfundible, la más conocida de todas cuantas conozco, serena e implacable.

—¿Y lo lamentas? —pregunta.

—No —me apresuro a contestar—. Prefiero el presente al condicional.

—Eso, según las consecuencias que traiga.

—Pues me da igual, ya te digo. No lo lamento nada.

—Hace un rato decías lo contrario, que tu equilibrio se había quebrado y andabas como barco a la deriva —insiste la doctora León.

—Perdona que te interrumpa, fíjate en esas nubes. Hoy va a haber una puesta de sol maravillosa. ¿De verdad he dicho yo eso del barco?

—Sí, que Silvia había conseguido alcanzarte en la línea de flotación. Procura no mentirte a ti misma.

—Es lo que trato de hacer. Pero recuerda que no hay una sola verdad, sino muchas. Que cada instante está plagado de átomos que lo refractan en mil sensaciones posibles. Y por favor, cállate, ¿quieres?, no me recuerdes más lo que dije hace un rato, déjame disfrutar simplemente de lo que estoy viendo ahora.

Sonrío absorta a la línea incierta del horizonte que el sol va a teñir de fuego cuando se hunda en el mar dentro de un poco. «Acaríciate con el aire, está lleno de ángeles.» Es una frase tuya, Sofía, de la que tal vez no te acuerdes. Pertenece, como la de la liebre en el erial, a tus primeros intentos de conquistar territorio poético. Veníamos de una excursión a Ávila organizada por el instituto, asomadas a la ventanilla del tren. Y yo, no recuerdo por qué, estaba de mal humor. El viento nos alborotaba el pelo. «¡Tengo unas ganas de ser mayor!», dije. Tú me señalaste sin hablar un grupo de nubes doradas que se dibujaban sobre los peñascos. Que me acariciase con el aire, que estaba lleno de ángeles. Cuántos años han pasado hasta poderte obedecer. Ahora que esa frase ha irrumpido de repente, huyendo de tu patria a la mía, derribando las barreras del tiempo, saboreo el prodigio sin pedirle más explicaciones, y los ángeles del aire me abanican de verdad, me rozan los labios con sus alas, me despeinan. Me resisto a enterarme de la hora que es y pido otro gin-tonic. Está subiendo la marea. Algunas olas llegan a mojar los primeros escalones del chiringuito. Yo creo que el camarero, un chico moreno muy simpático, me ha reconocido. Vine varias veces aquí con Manolo Reina, al principio de nuestro idilio.

Esta noche pondré la cinta que, después de dejar de vernos, me mandó a Madrid. Escribirme apenas me ha escrito. Las cartas no eran lo suyo, no le gustaban, como al amante de la copla,

> ...que no sé leer, que no sé leer,
> no me mandes papeles
> que no sé leer...

Me pongo a canturrear entre dientes la copla, tratando de copiar el tono con que Manolo la cantaba.

> Por el correo
> por el correo
> mándame a tu persona
> que la deseo...

No se podía aguantar la voz aquélla de hace dos veranos. Se me está acelerando la respiración y no quiero que nadie se dé cuenta.

Entorno los ojos y, entre destellos de iris, creo ver a lo lejos un barco de dibujo apenas perceptible. Tal vez a la deriva. Pienso que, sin los disparos de Silvia a la línea de flotación del mío, no habría llegado al abrigo de este puerto. Pero, al mismo tiempo, es verdad también que hubo disparos y que la lucha sigue entablada. Una lucha conmigo misma que me atiza desde dentro la doctora León.

No consiente que olvide del todo a Silvia ni que deje de revivir de vez en cuando con desasosiego su presencia derramándose en el valle de los espejos amargos, puro azogue ella misma, invadiendo el espacio, contagiándolo todo. Y lo malo es que no me podía quejar. Era yo quien la había telefoneado para pedirle que viniera a Puerto Real. Le había dicho: «Necesito hablar contigo.» No hacía falta que me lo recordara nadie.

Irrumpió al anochecer, y desde que oí su llamada estridente al pie de la escalera, todo mi ser acusó la molestia de su llegada. En primer lugar, porque interrumpía mi trabajo en un momento de verdadera lucidez, cuando estaba logrando por fin que mis tormentas personales no se colaran en el entramado del texto, y en segundo lugar, porque no llegaba sola sino con un profesor americano al que había cogido en autostop al salir de Sevilla e invitado a quedarse a dormir. Seguramente habrían ido haciendo alto en sucesivos bares del camino, porque conozco los gustos de Silvia; y venían bastante cargados, sobre todo ella. Traía un vestido amarillo y hablaba sin dejar meter baza a nadie.

Enseguida, a poco de las presentaciones, comprendí que la compañía de un extraño no sólo no cohibía su propósito inmediato de sacar a relucir asuntos privados, sino que, por el contrario, lo estimulaba. Estábamos en el salón de abajo, yo me iba sintiendo cada vez menos dueña de mí misma y el profesor americano, incomprensiblemente, parecía divertirse. Era rubio, alto y bastante guapo. Fumaba en pipa.

—No deje usted que mi señorita beba tanto —me susurró Brígida la segunda vez que entró con bebidas—. Ya sabe lo mal que se pone luego.

Aquellas palabras aumentaron mi propio malestar. Al fin y al cabo, no dejo de ser su psiquiatra, claro, lo de siempre. Pero, mientras tanto, el hilo de mi discurso mental, tan trabajosamente reanudado, se quebraba por varios puntos y las cuentas del collar estallaban y rodaban por el suelo como inútiles lágrimas. Y tú, doctora, me impedías gritar y me mandabas contestar con mesura a las intrincadas sinrazones de mi paciente, desviándome de pensar que la verdadera paciente era yo, aunque no sea más que por la paciencia que hacía falta para pedirle un mínimo de lógica o de templanza a aquella voz en punto álgido. Al cabo de una hora, el nombre de Raimundo, mezclado con unos filosofemas cada vez más deshilachados, formaba parte de un relato en franca desintegración, falseado y con visos de serial radiofónico.

De pronto, necesité sacar la cabeza de semejante maraña y buscar por mi cuenta alguna razón que me hiciera confesarme implicada en aquella historia de amor, sentirme desesperada, celosa, preocupada por la suerte de Raimundo, añorante de su presencia o algo por el estilo; y tengo que confesar que no la encontré. Sólo podía pensar en una frase que había dejado a medias en la máquina de escribir y que se refería al erotismo solitario. Se me cruzó por la cabeza la idea de seguir encerrada con Raimundo en su casa de Covarrubias, pendiente del sesgo de sus humores, y súbitamente los días transcurridos desde la tarde de mi mareo en el bar de Malasaña se me antojaron una trayectoria gozosa de liberación. Me he librado de un auténtico castigo —me dije—. ¡He conseguido escapar!

Fue como una bombilla encendida en mi mente. Porque, además, el gozo de comprenderlo arrastró la decisión de una nueva escapatoria. Después de todo, las rejas de la calle de la Amargura son más fáciles de romper. De momento tenía que burlar a aquellos dos carceleros y elaborar mi plan en frío. Estaba demasiado nerviosa. Y por si fuera poco, a medida que yo me replegaba en el silencio, el profesor americano, que no dejaba de beber, había empezado a hacerme preguntas directas, tal vez con la esperanza de que su intervención lograse aplacar el talante agresivo e incoherente de su anfitriona. Yo me limitaba a sonreír y él dijo que le recordaba a Mona Lisa.

—Nunca se sabe en qué piensa —dijo Silvia—. Es uno de sus trucos.

—Tal vez en ese amigo al que ambas aman —intervino él—. Solamente en España acontecen tan extremadas pasiones.

Era un hispanista de Seattle, bastante interesado por los giros coloquiales del castellano, como luego se vio, y a mis temores se añadía el de que se le ocurriera pedirnos alguna interpretación sobre la entrada de España en la OTAN o el amor de don Quijote por Dulcinea.

No me interesaba nada el hispanista, ni Silvia, ni comprobar si era verdad o mentira que Raimundo la telefoneaba a diario para contarle lo mucho que está sufriendo. De lo único que tenía ganas era de subirme a mi apartamento sin resultar demasiado grosera. Porque tú, doctora, no me permites ser grosera ni dejar a un paciente en la estacada, por mucho que lo esté deseando. Y esa simbiosis contigo es mi condena.

Traté de reconducir la conversación hacia temas más asépticos. Y salió a relucir, como débil sol entre nubes, el tema de la soledad irremediable del ser humano. Es demasiado cansado pasarse la vida plantándole cara a la soledad. ¿No resultaría más sensato poder pactar con ella? Peroré sin mucho ahínco acerca de aquello, consciente de que estaba llevando a cabo una faena de aliño. Pero, a pesar de todo, el de Seattle opinó que mis argumentos le parecían enormemente sugestivos.

—Es una idiotez todo lo que habla —le contradijo Silvia—. Lo hace para cambiar de conversación. Para seguir con sus secretos, metida en su concha.

—Puede ser —repuse fríamente—. ¿Y qué? ¿Acaso crees que todo se puede compartir?

Ella se puso de pie y se me enfrentó, mirándome a los ojos como si se fuera a abalanzar sobre mí. Las piernas me temblaban y tenía los dedos helados. Era el miedo. El miedo de siempre a perder el control, o a contagiarme del descontrol ajeno. Silvia estalló en una carcajada. Cuando se pone así su voz suena a doblaje de película antigua.

—¡No! ¿Compartir algo contigo? No, desde luego que no, encanto. Gracias, pero no ha nacido quién. ¿Y sabes por qué? Pues porque nunca te atreves a tocar lo que quema. ¿Cuándo te has metido tú en la boca del lobo, di, cuándo? ¡Nunca! ¡¡Lo tuyo es el strip-tease solitario!!

Estaba fuera de sí, y lo habría notado cualquiera. Pero yo, además, me sentía responsable. En un momento de menos hartazgo, hubiera reaccionado correctamente, encareciendo de forma automática y con acento un tanto doliente mi currículum de excursionista al interior de las más diversas y tenebrosas bocas de lobo. Eso le habría servido a ella de bálsamo para reavivar su fe, y a mí me hubiera entregado de nuevo las riendas de la situación. En una palabra, doctora, que habrían prevalecido tu buen acuerdo y tus cánones. Prohibido confesar ante un paciente, ni aun en trances de desánimo agudo, la falta de vocación o de móviles altruistas. Pues no. No prevalecieron. Aunque, como ejerces sobre mí una coacción tan rígida, tardé unos instantes en desobedecerte. Pero al fin exclamé, ante la incomprensión de Silvia:

—¡Me gusta, sí, qué quieres que haga!

—¿A qué te refieres? —preguntó desconcertada.

—Al strip-tease solitario. Le he tomado gusto, mucho gusto, sí. Y me alegro. ¿Por qué me miras con tanto asombro? ¿Porque lo reconozco?

Silvia me miraba, en efecto, fijamente, entre ceñuda y desvalida, como esforzándose por comprender.

—No —dijo con voz quebrada—. Es que no lo puedo creer, Mariana. Eso es mentira.

—¿Que lo reconozca?

—No. Que te guste hablar sola, pensar sólo en ti, y eso te baste. Que no luches contra la soledad.

El profesor americano nos miraba como a un paisaje exótico, con sus ojos claros que saltaban de una a otra.

—Ella no ha dicho eso —intervino, como si moderara un coloquio—. Sino más bien que, por luchar demasiadamente contra la soledad, ha llegado a la adivinación de que un camino en lucha no es pertinente, *and I think she is right*. Montaigne decía...

Silvia se indignó y empezó a insultarnos y a llamarnos pedantes, como si de repente nos considerara aliados en un bloque común contra ella. Se puso a sacar libros viejos de una estantería y a tirarlos por el suelo y contra las paredes. Luego se dejó caer en una butaca y se tapó la cara con las manos.

—¡Libros, libros, qué peste!

136

Me acerqué y me senté en un brazo de la butaca, maldiciendo mi oficio. Le puse una mano sobre el hombro.

—Vamos, Silvia, no bebas más. ¿Qué tienen que ver los libros ahora?

—Pues tienen que ver mucho, tienen que ver todo, ya está. Y déjame —decía con un tono de rabieta infantil—. A mí no me vengas con citas de libros, eso a Raimundo, que por ahí es por donde le sorbes el seso tú a los hombres, por las citas de libros.

—Yo no he oído a ella citar ningún libro —volvió a intervenir el americano.

—¿Y a ti quién te ha dado vela en este entierro? —chilló Silvia.

—Creo que si permanezco en la estancia debo manifestar mis opiniones —repuso él con parsimonia y una punta de ironía.

Silvia le dijo de malos modos que se fuera a la cama, pero él se puso a rellenar su pipa sin hacerle caso. Yo estaba agotada y sin ganas de hacer esfuerzos por nadie. Había llegado a no poder soportar una prueba tan necia y a la conclusión de que discutir con Silvia era emprender una batalla perdida de antemano. Pero intuía también turbiamente que ella había disparado contra la línea de flotación de mi barco, mejor dicho del flamante navío de la doctora León. Me levanté.

—Mejor dejarlo, Silvia. Buenas noches. Estamos cansadas.

—No emplees el plural. Lo estarás tú. ¡Tú, tú! ¡Siempre tú!

—De acuerdo. Lo estoy yo. Harta, para ser más precisos. Porque no hay manera de hablar contigo, porque aburres a las ovejas. Una cosa es perder el hilo, y otra es no tenerlo y empeñarse en coser sin hilo.

—¿Lo dices en serio? ¿Qué hilo? —preguntó con voz súbitamente desfallecida—. Perdona, vamos a hablar bien. Ya te atiendo.

El profesor americano dijo que «perder el hilo» y «coser sin hilo» eran expresiones muy interesantes. Sacó un cuadernito para apuntarlas y se sirvió otra copa, aprovechando que Silvia lo hacía. La verdad es que sin copas se aguantaba difícilmente la situación.

—Me aburro, Silvia, lo siento. Esto es un zafarrancho.

—¡*Zafarancho*!, ¡*Zafarancho*! —rió entusiasmado el profesor, sin dar paz al bolígrafo—. ¡Ésa sí que es buena palabra! La había olvidado. La usa Valle Inclán, *I guess*...

—¡Cállate, Norman, no seas pelma! —se enfadó Silvia—. Anda, Mariana, por favor, ponme un ejemplo. Te lo pido en buen plan, perdóname...

—¿Un ejemplo de qué?

—No sé..., de eso del hilo.

Me armé de paciencia, mientras me ponía a recoger libros del suelo.

—Por ejemplo, has dicho antes que lo mío es el strep-tease solitario. Eres tú quien lo ha dicho, ¿no?

—No me acuerdo. ¿Y qué?

—Pues que luego cuando yo te doy la razón, saltas con que estoy mintiendo.

—¿Entonces, estamos de acuerdo? —preguntó con voz insegura y mirada turbia—. ¿Es eso lo que quieres decir?

Yo asentí con desgana y en ese momento fue cuando noté que Norman me miraba de forma insistente. De la calle venían rumores de conversación y risas apagadas. Un niño tiró un petardo y asomó el rostro, encaramándose a la reja. Luego desapareció de un brinco. Lo envidié, como el preso que ve volar a un pájaro desde su celda. Se oyeron risas y un trotecillo de pasos alejándose. A Silvia se le había puesto una voz doliente. Se hundió en el fondo de su butaca.

—¿Tú y yo de acuerdo, así por las buenas? Lo dices para que me calle. Me das la razón como a los locos. Ella entiende mucho de locos, es su oficio, ¿sabes, Norman?

Al dirigirse al profesor americano, se dio cuenta de que no me quitaba los ojos de encima. Como yo no sabía en qué plan estaba con él ni cuáles eran sus propósitos, tuve miedo de que me montara un tiberio sobre mis posibles intenciones de conquista. Y me dirigí a la puerta, dispuesta a cortar por lo sano.

—Vamos a dejarlo, por favor, qué más da todo. Seguro además que a tu amigo estas cuestiones no le interesan nada.

138

—Me interesan mucho, por el contrario —aseguró él, imperturbable.

—No es mi amigo —intervino Silvia secamente—, le he dicho que si se quiere quedar a dormir, eso es todo. Tengo tanto sitio que puedo recoger a quien me dé la gana. ¡Amigo!, qué más quisiera yo. Venía diciendo que tenía un sueño horrible. Se debe haber espabilado.

Se acercó a mí en plan confidencial, y me abrazó junto a la puerta, tratando de retenerme. Estaba ya muy borracha. Pero era absurdo esperar que lo reconociera. Dijo algo entre dientes acerca de que, si me gustaba Norman, podíamos llegar a un acuerdo. Fingí ignorar la cuestión.

—En cambio a mí, me está entrando sueño, ya ves —dije en tono conciliador—. Mañana será otro día. Me subo. Buenas noches.

—Pero mañana no querrás verme. Has dicho que lo que te gusta es estar sola. ¿O lo he dicho yo? Por favor, no te vayas, Mariana.

Nos miramos, y su rostro se nubló con una expresión torva. El mío —lo pienso ahora— no debía emitir más que rechazo.

—¡Ni falta que nos haces! —exclamó—. ¡Vete de una vez! ¡No quiero verte!

Y se adentró en la habitación, tambaleándose. Fue a caer en los brazos de Norman, que en aquel momento estaba sentado en el sofá y se incorporó para recibirla.

—Ella no te quiere —decía Silvia con voz pastosa—. No quiere a nadie. Pero yo sí. Eres muy guapo, *darling*. Bésame.

De pronto me quedé mirando la habitación llena de cortinajes y de cuadros antiguos y sentí mucha tristeza. Me pareció que los tres seres que la ocupábamos éramos unos fantasmas anacrónicos equivocados de teatro. Acepté mi strep-tease solitario y comprendí que no tengo más refugio que el de la escritura. Silvia sabe mejor que nadie que siempre estamos solos, y mis intentos fallidos por hacerme entender eran la mejor prueba. Intentos que, por otra parte, habían ido perdiendo progresivamente su aleteo, como las mariposas gordas de noche que, mientras hablábamos, se metían por la reja a revolotear en torno a la lámpara y algunas caían al suelo como fulminadas por un ataque mortal. Aquella visión fugaz pero intensa es la que me he traído en la retina como símbolo de la segunda cárcel que en pocos días he rechazado.

Me escurrí a la habitación de arriba, hice mi maleta y esperé la madrugada, acechando los ruidos de la casa, hasta que cesaron. En algún momento reconocí la voz de Brígida y me pareció escuchar sus pasos por la escalera hasta la puerta de mi apartamento. Pero tenía la luz apagada y, si era ella —que no lo sé—, no se atrevió a entrar.

Pocas veces he esperado con mayor angustia un amanecer. Dejé una breve nota encima de la mesa con un poema de Pessoa; que a ti, Sofía, te gustaba mucho.

> Hoy por la mañana salí muy temprano
> por haber despertado aún más temprano
> y no tener nada que me apeteciese hacer.
> No sabía qué camino tomar,
> pero el viento soplaba fuerte
> y me empujaba de espaldas;
> así que seguí ese camino.

Me alivió dar ese quiebro: confirmaba mi decisión, anticipaba el gozo de la escapatoria y además significaba un homenaje a tu pasión por la literatura portuguesa. Era como esquivar el aparente destinatario y sustituirlo por otro menos hostil.

Dejé las llaves encima de la nota junto a un ramo de jazmín. Era consciente de que a Silvia le iba a irritar, más todavía que el mensaje, el hecho de que le devolviera las llaves. Pero había decidido romper relaciones y necesitaba aquella rúbrica.

Abrí la puerta con todo sigilo y me deslicé de puntillas escalera abajo, hasta alcanzar el gran portal, que siempre chirría un poco. Y cuando salí, con mi maleta en la mano, no me atrevía a mirar para atrás. El miedo de que me persiguieran aceleró durante un tramo mi respiración, que poco a poco se fue serenando. Era aún casi de noche, y oyendo resonar mis pasos en la calle desierta, camino de la estación, me acordé de un cuadro de Remedios Varo que se titula «Rompiendo el círculo vicioso» y representa a una mujer que lleva dentro del pecho un bosque rodeado de alambradas. Nada me consuela tanto en este momento, Sofía, como pensar que puedas conocer ese cuadro.

De todo esto hace dos días, creo. O tal vez tres. Luego, si merece la pena, echaré las cuentas del tiempo y hablaré del hotel de playa, plagado de turistas alemanes y daneses, donde he venido a parar para seguir dándole coba a mi strip-tease solitario.

Y sin embargo, ahora que acaba de ponerse el sol, dejando sobre el mar como un rastro sangriento, y se inicia ese periplo espinoso por el callejón de la noche, en cuyos recodos siempre pueden estar acechándonos alimañas inesperadas, miro con envidia la silueta de dos jóvenes que vienen paseando descalzos y cogidos de la mano por el borde de la playa. El tiempo es para ellos un jardín encantado e infinito. De vez en cuando se detienen, se agachan a coger algo en la arena, corren cuando los alcanza la marea, se ríen y se abrazan. Luego continúan enlazados por la cintura. Andan muy despacio, a un ritmo acompasado e ingrávido. Inconfundible. Seguro que esta noche no van a separarse.

Acaba de encenderse la luz del faro que está en un promontorio a mano derecha. Termino mi gin-tonic y le pido la cuenta al camarero. Me mira. Sonríe. Esta vez ya estoy segura de que me ha reconocido.

—¿Qué ha sido del señorito Manolo? No ha vuelto por aquí.

Me esfuerzo por pensar que acaba de levantarse para ir a la barra a saludar a un amigo y que va a volver enseguida. Ya viene. Espero su roce en mi hombro. «¿Qué pasa, niña, nos vamos?» ¡Qué voz tenía! ¡Y qué manera de posar levemente sus dedos sobre el mundo entero de aquel instante, y de mirar de refilón, como si no estuviera mirando!

—Hace bastante que no sé nada de él. Ahora vive en América.

141

El camarero se echa a reír, mientras me devuelve el cambio.

—¿Y qué se le ha perdido tan lejos? Poco durará ése en América, ya lo verá usted, que lo conozco. Gaditano puro. Si le escribe, mándele recuerdos del Rafa.

—No crea que le escribo mucho.

—Pues eso está mal, que luego igual se lo pisa otra. Chaval más majo. Hacen ustedes muy buena pareja.

Me ha gustado que lo diga en presente. Sonrío, le doy las gracias y me levanto para irme. Y de repente se me clava en el costado la saeta envenenada de una ansiedad antigua que, en contra de todos mis esfuerzos por desactivarla, va a presidir —lo sé— mi insomnio de esta noche. Procuraré paliarla recurriendo al magnetófono. He traído la cinta que me grabó Manolo poco después de despedirnos y me mandó a Madrid. Recuerdo que tenía yo mucho trabajo por aquellos días y tardé en ponerla. Entonces no me hizo tanta impresión como ahora. Como los buenos vinos, gana con el tiempo. De todas maneras, casi nunca, por mucho que cierre los ojos, logro sentir esa voz como reciente y dirigida a mí en el mismo momento en que la escucho. Porque faltan el aliento, el gesto y la mirada.

Y aquí sí que vendrían a cuento mis apuntes sobre el erotismo, que ya empujan para ponerse en primer plano, ansiosos de romper diques y engrosar el caudal de esta carta, si es que puede llamarse así a un discurso que, al haber nacido destinado a desembocar en la carpeta azul, más bien se convierte en afluente del otro.

En el fondo, no se ama ni se habla ni se escribe para convencer a nadie de nada, sino para convencerse uno a sí mismo de que sigue en forma y aún puede permitirse acrobacias que pongan a prueba el cuerpo, la mente, y sobre todo la relación acompasada entre uno y otra. Milagroso equilibrio, como el de respirar, que parece tan fácil, ya ves tú.

Hace un par de semanas, cuando Raimundo estaba en la UVI con respiración asistida, pensé mucho en la poca importancia que le damos al ejercicio inadvertido, tenaz y preciso que se traen a diario los pulmones para alimentarnos de aire. Todo —el ritmo del cuerpo, la mirada, las ideas, los gestos y palabras— depende de esa oxigenación. Pero incluso en aquel momento, cuando lo estaba pensando angustiada, lo pensaba desde el privilegio de poder respirar yo. Y siempre es así. El hecho de que en este momento Raimundo, Silvia, Manolo o tú sigáis respirando se me plantea como una certeza abstracta, de la que no puedo gozar ni dar fe. Porque no me concierne. Si dijera lo contrario, mentiría.

Ya estoy en mi habitación del hotel, que tiene una terracita. He cenado simplemente un sandwich y un vaso de leche, y se ven muchas estrellas. Me sigo acordando furiosamente de Manolo Reina, que para ti, aun cuando decidiera mandarte esta carta tan descarnada, no sería más que un nombre. Porque a nuestra edad, Sofía, pocas cosas ni placenteras ni angustiosas se pueden realmente compartir. Y el amor, claro, menos que ninguna. Por eso le da tanto pasto a la literatura.

Te decía antes que mi patria es la escritura. Algún día te invitaré a visitarla. Como cuando de niñas nos leíamos nuestros respectivos diarios. Pero el gozo de inventarla y las fatigas para cultivarla son míos, sólo míos. Como sólo tuyas son también la decisión y la audacia precisas para crear un paisaje imaginario, el que hace crecer súbitamente un manzano en tu cuarto de baño para poder descansar a su sombra de los problemas de fontanería que te plantea la vecina del séptimo. Una sombra fugaz y anchurosa que sólo te refresca a ti cuando logras convocarla, aunque a mí me haga gracia lo surrealista de la escena. Pero no formo parte de ella.

Nos visitaremos, sí, algún día. Tú vendrás a mi país y yo al tuyo, y cada cual mirará el de la otra con ojos de extranjero, aunque consciente de que lo que reflejen será recogido ávidamente por los otros ojos al acecho. ¿Qué te ha parecido? Pues mira, tal o cual. El comentario puede ser largo y luego nos despediremos. Eso será todo. No quiero decir que vaya a ser desagradable visitarnos, ni mucho menos. Ya hemos hecho

143

una prueba, y por lo menos la tuya (tu primera tanda de deberes, que releo mucho) ha supuesto un abono revitalizante para mi huerto seco y descuidado, porque de entonces acá no paro de podar y de rastrillar cada vez más a fondo, arrancando hierbajos.

Y te di las gracias, aunque no consigo recordar en qué términos. Es un hito que falta en mi carpeta azul y ahora lo echo de menos. Me refiero a mi primera carta, la única que eché al buzón. Supongo que a estas alturas ya la habrás recibido, y me complace pensar que haya podido dar pie a sucesivos envíos.

Pero si quieres que te sea sincera, en este momento mi interés por tus nuevos «deberes» no nace del altruismo. Simplemente, me muero de ganas de saber cómo respondes a lo que yo te decía para recuperarlo, porque se me ha borrado, aunque sé que descorché una botella de champán y que me sentía feliz. Mucho más que si te tuviera al lado, porque te estaba pensando a mi manera. Es decir, lo que necesito es que me devuelvas, reflejada en tus comentarios, la muestra de tierra que te envié. Lo espero como el resultado de una biopsia. Porque es muy posible que, oculta en algún repliegue del terreno, hayas descubierto —a ti no se te va una— la mala hierba de la mentira.

Lo comprobaré a mi vuelta a Madrid, que no sé cuándo tendrá lugar, a la vista de cómo se van sucediendo los humores dentro del alambique de mi alma, y teniendo además en cuenta el deterioro de mis relaciones con la doctora León.

144

IX. A VUELTAS CON EL TIEMPO

Querida Mariana:

Encima de la frase de don Pedro Larroque, que revives al hacerla suya —«siga usted, señorita Montalvo, siga siempre»—, concretamente encima del «siempre», se me ha caído una lágrima, y enseguida otra, y ya he apartado la carta que tanto había esperado y tan con creces ha colmado mi esperanza, para no dejarla hecha una sopa. Pero también me reía un poco, y al reírme te echaba todavía más en falta que al llorar, porque no me digas que no tiene gracia que salga este nombre a relucir en cuanto pongo «querida Mariana», como si no hubiera pasado el tiempo y se tratara de un personaje actual al que vamos a ver en clase dentro de un rato explicándonos las *Coplas* de Jorge Manrique, cuya lectura le hacía temblar la voz, por mucho que quisiera disimularlo.

> Pues si vemos lo presente
> cómo en un punto se es ido
> y acabado,
> si juzgamos sabiamente,
> daremos lo no vivido
> por pasado.

Te copio esta estrofa así en medio y con buena letra, como la tenía escrita en la primera página de mi cuaderno de Literatura de tercero, ¿te acuerdas?, con una flor dibujada a la izquierda y unas hojas secas a la derecha, que gracias a esa página decorada y a lo que te llamó la atención nos hicimos amigas de otra manera. Y yo te dije —creo que fue ese mismo día— que la voz de don Pedro, cuando leía a Jorge Manrique, no se sabía si era de enamorado o de abuelito. Y te reíste mucho. Pero ahora sé que sólo quien ha conocido un gran amor y lo ha perdido puede tener dotes para convocar a aquel friso de damas perfumadas y vestidas de seda, a aquellos caballeros y juglares de la corte del rey don Juan, traerlos al hoy desde el antaño y hacerlos desfilar por el aula inhóspita, convirtiendo la tarima en el campo de un torneo espectacular pero condenado a muerte, fugaz como las verduras de las eras.

> ¿Qué se hicieron las damas,
> sus tocados, sus vestidos,
> sus olores?
> ¿Qué se hicieron las llamas
> de los fuegos encendidos
> de amadores?
> ¿Qué se hizo aquel trovar,
> las músicas acordadas
> que tañían?
> ¿Qué se hizo aquel danzar
> y aquellas ropas chapadas
> que traían?

Yo por primera vez, y a través de aquella voz desvalida y serena, sentí que se me clavaba el enigma del tiempo, como una saeta alevosa, capaz de imprimir las más inesperadas mutaciones. Y me excitaba de un modo inquietante asomarme a aquel abismo, darle coba anticipada a la nostalgia. «¿Cómo seremos a los veinte años, Mariana? ¿Nos acordaremos de esta tarde de sol?» Y tú, siempre sensata y cartesiana: «¡Qué más da! Eso son abstracciones. Para los veinte años queda mucho. Estamos en tercero.» Ya ves, medíamos el tiempo por cursos, cuando ahora de casi todo hace más de tres bachilleratos.

Pero don Pedro Larroque ya debía saber bastante de los

146

estragos del tiempo, por eso se le empañarían los ojos detrás de las gafas cuando recitaba, mirando a la ventana: «No se engañe nadie, no/pensando que ha durar lo que espera/más que duró lo que vio.» Tenía una voz que a mí me estremecía algo por dentro. A veces se acariciaba pensativo el pelo escaso, veteado de canas. Y nos preguntábamos si era guapo o feo, si era viejo o joven. Hasta que un día supimos, porque lo dijo él en clase, que tenía la misma edad que Jorge Manrique cuando le traspasó una flecha al asaltar el fuerte de Garci-Muñoz; treinta y nueve años. «Tan mayor y soltero», te dije yo con pena. Ahora, si vive, rondará los ochenta. Posiblemente ni se acordaría de nosotras, caso de que nos encontráramos en algún sitio. Y sin embargo, me sigue hablando a través de tu boca, como Jorge Manrique nos hablaba a través de la suya. Y ya ves, siempre a vueltas con lo mismo, con el tiempo.

Porque lo más prodigioso, Mariana, es que yo, que he vivido tantos años sin que se me pasara por las mientes don Pedro Larroque, no te lo creerás, pero poco antes de recibir tu carta me estaba acordando de él, o sea que ha vuelto a salir a escena normalmente, como si nada, para completar mi evocación con la tuya. Y también a mí me daba alientos para escribir, con una frase que ni siquiera sé si la dijo en su día o la he inventado yo, porque de tanto darle pasto a los recuerdos en plan solitario —no sé si a ti te pasará lo mismo— a veces los adorno sin demasiada convicción y un poco a fondo perdido, como esas señoras que se cambian continuamente de peinado cuando empiezan a darse cuenta de que han dejado de gustarle a sus maridos. «No deje usted nunca el cazamariposas, señorita Montalvo», es lo que me decía hace un rato a mí don Pedro o su fantasma. Pero ni me emocionó ni me sirvió de mucho una frase que, en todo caso, iba dedicada a una niña lejanísima y exangüe que no tiene nada que ver conmigo, condenada a cazar por los siglos de los siglos mariposas de cera cuajadas de diptongos. Bonito, si quieres, surrealista. Pero es una escena embalsamada por la que no corre el aire ni correrá nunca, mientras no se reavive la fe en esa niña y en mi parentesco con ella por métodos que no sean los de la respiración asistida.

En cambio, si tú escribes con tu caligrafía inconfundible, después de tantos años sin recibir una carta tuya: «Siga usted, señorita Montalvo, siga siempre», ya es distinto. La palabra «siempre» recupera poderes de talismán, levanta la tapa del ataúd donde yacía la Bella Durmiente, y a la señorita Montalvo y a mí, que ahora me llamo señora de Luque, nos vuelve al unísono el color a las mejillas,

Fíjate, aun en el caso de que nuestro viejo profesor se hubiera muerto, que bien pudiera ser, sus palabras, sólo por traérmelas a la memoria ahora tú, se abren camino entre la maleza que ocultaba el castillo de la Bella Durmiente a la vista de los profanos, y me llegan tan directamente a espabilar el corazón y los sentidos como las de nuestra conversación del otro día, la cual también, por cierto, estaba languideciendo y volviéndose discutible y borrosa sin tu concurso. Es decir, que la liebre en el erial empezaba a vivir de respiración asistida, igual que nuestros años de instituto, Guillermo y el reloj que había al final de tu pasillo de la calle de Serrano. Precisamente llevaba varios días preguntándome: «¿Pero vi a Mariana de verdad? ¿Y ella a mí? ¿Y qué vería al mirarme, si nos vimos? ¿Será verdad que me mandó escribir?» En cambio ahora, sé seguro que no lo he inventado, porque me mandas un plano de la habitación desde la que acusas recibo de mis deberes y me pides que siga, porque me cuentas lo que te dije en el cóctel, y porque te acuerdas hasta del color del traje que llevaba puesto en mi casa aquella tarde de junio en que yo empezaba a sufrir por causa de Guillermo, antes de que te fueras a vivir a Barcelona y dejara de verte ya del todo, un vestido rojo, sí, de escote cuadrado, me lo trajo mi madrina de París. Como de cuento de hadas, ¿verdad? Luego te contaré ese cuento del traje rojo si viene al caso, aunque de repente son tantas las historias que se me agolpan pidiendo turno para salir a flote que no sé por dónde voy a empezar. De momento me limito a disfrutar de tu carta y sumergirme en sus «¿te acuerdas?», como si me dejara besar por el sol después de un largo invierno.

No nos damos cuenta, Mariana, de lo maravilloso que es

poderle preguntar a alguien: «¿Te acuerdas?», y notar que sí, que se acuerda. Los recuerdos cultivados a solas forman una madeja embarullada por dentro, enganchada entre pinchos, llegas a no diferenciar lo que te pasó de otros jirones descabalados procedentes de escenas callejeras o del cine; pero lo peor es que, de tanto moverte en esa maraña, el ayer te vampiriza, te enrarece el aire y te tapa la luz del día en que estás viviendo. Es difícil salirse del tumor del pasado dejando indemne el tejido del presente, tan delicado y frágil como un pétalo.

Algo parecido pasa con las cartas atrasadas, sobre todo cuando se releen pidiéndole al texto que te provoque el mismo sobresalto y la misma emoción de la primera vez. Intento inútil, claro. La sorpresa es una liebre, como muy bien sabes, y el que sale de caza nunca la verá dormir en el erial. Mi hija Encarna dice que las cartas viejas debían llevar consignado a pie de página el plazo de caducidad, como las medicinas. Y al año, como mucho, tirarlas, en vez de dejar que atiborren el armario.

He mirado las fechas de la tuya. Está acabada hace una semana, aunque probablemente echada más tarde. No ha tenido tiempo de perder su virtud curativa. El de «siga usted siempre, señorita Montalvo» es un siempre recién cortado, vitamina fresca, ya me está haciendo efecto hace un rato, por eso se me han saltado las lágrimas. Era justo lo que necesitaba oír. ¡Qué alivio más fulminante!

He seguido un rato con los codos sobre la mesa y la barbilla apoyada en las manos, saboreando las lágrimas que me caían por la cara, como cuando en el cine se ve una película de amor, dándome cuenta de lo bien que me sienta llorar así, sin duelo ni desconsuelo. La sensación la reconozco, o sea que no debe ser la primera vez que lloro en este plan tan dulce, que conjura maleficios y deshace nudos negros, pero el tiempo que me separa de esa otra vez, la que fuera, no lo sé calcular. Porque yo, Mariana, y esto te lo quiero decir enseguida para que veas que al menos en ese terreno la vida no ha podido conmigo, nunca he sabido calcular el tiempo ni me interesa. Sólo aspiro a que me acoja, a entrar sin miedo en su recinto sagrado, en vez de estarlo acosando desde fuera, defendiéndome de él, tomándole las medidas. En eso consiste la bienaventuranza, en decir, como decía Guillermo, «ahora es siempre», y creérselo y ser capaz de transmitírselo a los demás. Y mientras me acuerdo de esto y de la mirada de Guillermo fija en las estrellas cuando lo dijo la noche que lo conocí, la palabra «siempre» ahí a mi lado, escrita de tu puño y letra, me manda guiños de luz de faro entre niebla, ligeramente emborronada por mis dos lágrimas recientes, lo cual indica que también tú sigues escribiendo con pluma estilográfica, otra coincidencia.

Y, bueno, ya está bien de preámbulo y vericueto. La ansiedad se ha fundido con las lágrimas y hemos llegado a un claro del bosque. Hagamos un alto, si te parece.

Creo, con poco margen de duda, que le ha tocado el turno a la historia de Guillermo, aunque salga en revoltijo con todas las que puede llevar adheridas, que serán muchas, ya te lo advierto, porque yo a las adherencias no les voy a meter el bisturí. No sé en qué disposición estás tú. Yo por mí me atrevo. En este momento, en este «ahora» acampado entre dos polos de «siempre», me siento instalada en un territorio estratégico para montar el catalejo y otear muy allá, sin olvidar el punto de mira que he tomado ni, por supuesto, que vale rectificarlo. Y aunque el lugar te parezca metafórico, existe; y el suelo que estoy pisando es de fiar. Créeme, por favor. Además hoy no tenemos alrededor comparsas que nos interrumpan. ¿Quieres entrar conmigo, Mariana, en el recinto del cuento?

Te aviso, eso sí, que voy a cambiar de estilo, ya que me has dado carta blanca para que elija libremente. El epistolar lo dejo en reserva, porque nunca se sabe si hará falta volver a echar mano de él para algún adorno, pero de momento no me sirve. Sobre todo por una razón de tipo práctico: no voy a poder mandarte la carta.

Como necesito imaginar, aunque sea aproximadamente, tus puntos cardinales, mientras aparejo los bártulos para la pesca de esta historia esquiva que a las dos nos concierne por igual, he telefoneado a la doctora Josefina Carreras para preguntarle cómo sigue tu amigo y saber dónde estás tú. Habla con voz de doblaje de película. Dice que no puede aclararme nada y que no está autorizada para dar tus señas a nadie. De repente ha sido como si me quitaran un puente, pero me he resistido a colgar.

—Pero a usted la llamará, supongo, para saber qué tal anda la clientela.

—Pues sí, algunas veces.

—Ya. ¿Y qué tal está ella? ¿Se encuentra bien?

—¿Por qué iba a encontrarse mal?

—Ay, mire, hija, pues porque pasa mucho. ¿Usted no se encuentra mal alguna vez? ¿O es que los psiquiatras tienen ustedes bula?

Se le ha escapado una breve risita de compromiso, tal vez porque empezaba a insinuarse en su computadora mental el dilema que ha motivado su primera pregunta directa: quiere saber si soy una amiga tuya o una paciente. Pues vaya perra que os ha entrado con eso. Pero de pronto me he puesto de muy buen humor y, como siempre que me siento ligera, me dan ganas de jugar, de hacer un poco de teatro. En este momento me va un tono extravagante. La doctora Carreras tiene que imaginarme fumando en boquilla.

—¿Amiga suya? —pregunto con voz lánguida—. ¿Usted qué cree, cielo? ¿Eh? Le doy un minuto. Por favor, ponga a funcionar la neurona.

Hay un silencio.

—Yo no tengo por qué creer nada —dice, al cabo.

—¿Ah, no? ¿No cree usted en nada? ¿Ni en Freud?

Su acento, de repente, es algo airado.

—Perdone, ¿la trata la doctora León? Es lo único que he querido preguntarle.

—Pues verá, por ahora sólo por carta. Tratamiento a distancia, ¿sabe?

—¿A distancia? ¡Qué raro! No entiendo.

Procuro dar a mi respuesta un tono entre confidencial y misterioso.

—No me extraña. Es un caso delicado. Hubo un malentendido entre nosotras, sospechas con relación a un presunto robo, espero de su discreción profesional que sepa guardar el secreto, es una causa que ha quedado archivada durante largo tiempo, y se está viendo estos días. Cualquier testimonio, por insignificante que parezca, puede resultar decisivo.

—Sigo sin entender.

—Da igual. Por cierto, ¿sabe usted si un amigo de la doctora León, que intentó suicidarse, está fuera de peligro? ¿O tal vez se ha ido de viaje con ella? Se llama Raimundo, mitad paciente y mitad amigo, según mis noticias, se lo digo para su ficha. ¿Lo conoce usted?

—Bueno, lo conozco de que últimamente está llamando bastante —dice con un acento algo alterado.

Pero enseguida se le nota que se ha arrepentido de decirlo. Yo aprovecho la ocasión para seguir el juego.

—¡Ah, vamos! —digo, exagerando mi imitación de un detective—. Eso indica que no se han ido de viaje juntos, que a él se le puede localizar. Correcto.

—Yo no sé nada. Yo no he dicho eso.

—Está bien. Me empieza usted a aburrir, pero no tema; no la implicaré en nada. Muchas gracias por su colaboración y salga un poco más al cine.

No sé si a estas horas la doctora Carreras se habrá aclarado acerca de la perturbación mental que me aqueja. Yo, por mi parte, lo que he sacado en consecuencia es que escribirte a tus señas de aquí sin saber cuándo vas a volver no merece la pena.

Esta carta, pues, ha dejado de serlo y pasará a engrosar mi cuaderno de deberes. Que todo en él —como verás algún día— va en plan de añicos de espejo. No hay mal que por bien no venga. La historia de Guillermo no puede quedar reflejada en versión única y de cuerpo entero, como una novela rosa perfectamente inteligible e inocua. Se merece otro tratamiento, que iré inventando, porque más que contarla lo que quiero es investigarla, proyectar la perplejidad que me producen sus fisuras, sus quiebros y sus *trompe l'œil*. Usaré la técnica del collage y un cierto vaivén en la cronología. Aparte de la versión aportada por tu carta —que adolece de fragmentaria y partidista—, cuento con otros elementos que me pueden servir para refrescar la memoria: varias cartas de amor y de ruptura con el plazo de vigencia más que caducado, retazos de un diario que empecé a raíz de la muerte de mamá y algo mucho más reciente y literariamente más aprovechable: unos apuntes, que paso a poner en limpio, tomados hace pocos días, después de mi conversación con Soledad. (Es la amiga íntima de Amelia, mi hija menor, y hay menciones dispersas a ella en páginas anteriores de este cuaderno, así que no voy a volver sobre lo escrito. Tú misma atarás cabos.)

Se inicia la pesquisa. Ahora apártate a escuchar, ¿te importa?, porque estoy hablando de ti con otra persona. Veremos lo que sale.

* * *

—¿Desde que Mariana me habló por primera vez de Guillermo hasta que lo conocí yo? Pues no sé, como medio año pasaría... Me resulta tan raro ponerme a calcularlo, si quieres que te diga la verdad...

—Por supuesto que quiero que me digas la verdad. ¿Raro por qué? —pregunta Soledad.

Y percibo en el silencio que sigue un clima que podría identificarse con el que se crea cuando el sospechoso se ve acosado por el detective. Últimamente leo muchas novelas policiacas.

—Tal vez, ahora que me lo preguntas —digo repentinamente pensativa—, porque ocurrieron demasiadas cosas, sin que yo me diera cuenta, en un plazo de tiempo aparentemente muerto. A Mariana era evidente que había dejado de divertirle estar conmigo, mejor dicho, se me fue haciendo evidente poco a poco; el punto álgido fue aquella Navidad. Y lo viví como una mutilación insoportable, como un vacío.

153

—¿Pero cuánto duró? —insiste Soledad—. A veces me recuerdas a mi madre.

—Vamos a ver... Segunda mitad de septiembre, octubre, noviembre, Navidades, enero y febrero. Pues sí, eso, cinco meses y pico, lo que te decía.

La habitación empieza a estar en penumbra. Llevamos mucho rato hablando. Ella me ha mirado contar por los dedos y ahora espera un poco, con aire ensimismado, como si me agradeciera esta pausa. Yo también la agradezco. Parece mentira que sean los tramos más significativos de la historia de una persona los más cuidadosamente archivados en pliegues recónditos de su memoria. De repente me apetece aislarme, como a lo largo de aquellos meses en los que me parecía que no estaba pasando nada, y revivirlos en silencio, hacerme un ovillo dentro de ellos. Porque me doy cuenta de que fueron eso precisamente: el ovillarse de un gusano que se prepara, sin saberlo, para convertirse en crisálida. Y los rescato al entenderlos.

—Bueno, sigue, perdona —dice Soledad—. ¿Te importa que dé la luz?

Muevo negativamente la cabeza y el fulgor rojo de la lamparita de mesa imprime al cuarto de Amelia un retroceso momentáneo a los años en que ella y Soledad empezaron a ser amigas y a hacerse confidencias de las que a esa edad no se le hacen a una madre. Entré una tarde y me la encontré aquí, en el mismo sitio donde está sentada ahora. Nunca la había visto. Una niña de nueve años con un vestido de color celeste que me miraba cara a cara. Había oído sus risas desde el pasillo, cuando llegué de la calle. Se callaron, pero todavía les bailaba la diversión en los ojos. Noté que Amelia escondía unos papeles, pero fingí no haberme dado cuenta. «Es Soledad, una amiga mía del liceo francés —dijo—. Se queda a merendar, si no te importa.» Me acerqué a darle un beso. Traía varios paquetes. Luego Amelia me dijo que su amiga me había encontrado muy guapa. «¿Por qué me iba a importar? He comprado croissants. Ahora os aviso.» Traía también un paquete de Tampax para Encarna, que acababa de tener su primera regla. Me acuerdo de que, mientras preparaba la merienda para ellas en la cocina, escuchando los comentarios de Daría, la visión fugaz de aquellos papeles hurtándose a mi presunta vigilancia era como un nudo que me oprimía el diafragma, un aviso de que también Amelia empezaba a escaparse de la niñez y a tener secretos para mí.

Soledad pasea ahora lentamente su mirada por la habitación. Luego se sirve un poco más de té. Tal vez está evocando, como yo, aquella primera merienda en casa. Un estrato de tiempo añadido a todos lo que, como brasas removidas, han venido inflamando nuestra conversación de esta tarde, tan pronto rescoldo balsámico como hoguera despiadada. A la luz de la lámpara roja, tiene un gesto de fatiga. Hace un rato estuvo llorando. «Llama a Soledad. Está muy triste por lo de sus padres —me dijo Amelia anteayer al despedirse—. Creo que le puede venir bien hablar contigo.» ¿Fue anteayer? Soledad deja la taza de té en la mesa y me mira.

—Es una deformación profesional esto de las fechas; yo es que si no me sitúo en el tiempo no entiendo nada —se disculpa, al ver que no sigo contando la historia de Guillermo—. Claro que no me extraña, entre la tesis y Richard...

Está haciendo en París una tesis doctoral sobre las relaciones de España con Francia en los años anteriores a nuestra guerra civil. Gracias a esta investigación ha conocido recientemente en el Archive des Affaires Étrangers a un profesor mayor que le tiene sorbido el seso, tan interesante, tan misterioso, tan antiguo estilo. No se ha acostado con él, por supuesto, ni sabe siquiera dónde vive, sólo que se llama Richard y que su padre era republicano y lo fusilaron. Él nació dos meses después en un pueblecito del sur de Francia. «Ya ves —dice con sonrisa complacida—, podría ser mi padre.» Intercala sus preguntas sobre mis recuerdos de posguerra y lo que pude oír contar del gobierno de la República con otras mucho más acuciantes (y ya no dirigidas propiamente a mí) acerca de la causa que ha venido a interrumpir su *amitié amoureuse* y su estudio: el repentino divorcio de sus padres. De pronto es un asunto que se ha convertido también para ella en materia de investigación. Y se desespera porque no le están dando facilidades. A su padre apenas lo ha visto, su madre no suelta prenda y ella necesita aclarar los tramos donde se esconde la clave de ese proceso inesperado; se rebela a aceptar lo que no entiende.

—Siempre has sido igual —le digo sonriendo—. No le eches la culpa a la tesis ni a Richard. Desde que eras pequeña necesitabas entenderlo todo enseguida. «¿Y eso cuándo pasó?» Poner la vida por orden. Y no siempre se puede.

—Es verdad. ¡Cómo te acuerdas! Era una preguntona insoportable. Me tenían que mandar callar en el cine los de la fila de atrás.

—Y ahora lo mismo. El otro día, en la película de Mastroianni, Amelia te estaba diciendo que se la dejaras ver en paz.

(Me fueron a buscar al Ateneo. Yo estaba describiendo, en el cuaderno comprado en Muñagorri, la fiesta de Gregorio Termes. Ahora he empezado otro. ¿Qué ha pasado en medio? El tiempo es un lío. Me pongo a meditar fugazmente en la confortable ambigüedad de la expresión «el otro día».)

—Bueno —dice Soledad—, es que ahí en esa película han metido cosas que no pegan ni con cola con el cuento de Chéjov. Lo del camarero del principio no me digas que no está traído por los pelos.

Me callo porque no tengo ganas de ponerme a analizar ahora la película con ella. Sobre todo por la marea que arrastra. A mí me hizo pensar mucho en la relación del amor con la mentira, en lo traicionero de las palabras, en la necesidad de que alguien te oiga y en la dificultad para encararnos con el propio pasado sin embellecerlo. O sea, la realidad frente a la ilusión, lo de siempre. Y yo creo que fue por meterme en reflexiones de ese tipo por lo que se me hizo absurdo seguir escribiendo en plan «yoyeo» (como llama Encarna al narcisismo) un cuaderno que, en el mejor de los casos, va a leer no sé cuándo una amiga que ya tampoco es mi amiga del bachillerato sino cruda y llanamente una psiquiatra de moda. Y me entró la depresión. Ya otras veces que he emprendido un diario con más o menos arrojo, se me ha pinchado el globo por motivos similares. De jovencita, bueno. Pero llega un momento en que ¿a quién vas a deslumbrar? En fin, no quiero hurgar en eso ahora. Soledad no acepta ninguna divagación que no esté bien razonada, y bastantes ramificaciones lleva ya de por sí nuestra charla.

Me sirvo un poco más de té y me limito a decir que a mí Mastroianni es un actor que me gusta mucho. Ella sonríe. Por lo visto su Richard se da un aire a Mastroianni. Pero más al de otras películas en que se le veía más joven, sin michelines ni bolsas en los ojos.

—Pues hija —le digo yo—, entre eso y el misterio debe estar de dulce.

Dice que sí, que a ver si me he creído que voy a tener yo la exclusiva. Y nos reímos. Y yo pienso que en esto las chicas de ahora y las de mi tiempo sí que somos iguales, tal vez en lo único. Sigue significando una garantía avalar la descripción de un pretendiente con la mención a un héroe del celuloide. Antes yo tuve una compensación tardía a este respecto. La primera vez que Mariana me habló de Guillermo, me dijo que tenía cara de lobo, pero no me lo comparó con James Dean, porque las películas de este actor no existían y él sería un mocoso con cara enfurruñada incapaz de llamar la atención de nadie. Pero hace un rato, hablando de Guillermo con Soledad, ya he podido decir que se parecía a James Dean, y ha sido un alivio que ella misma lo haya corroborado cuando le he enseñado una foto suya en que está de medio perfil, con un jersey de cuello alto. Ahora ha vuelto a cogerla y la mira.

—Yo no tengo ninguna foto de Richard —dice—. Viene una en la solapa de un libro que ha escrito sobre Marat. Pero no ha salido bien. Y además el libro lo he dejado en París. Ya te puedes imaginar. Me he venido con lo puesto, como aquel que dice. Y en cuanto vea a mamá un poco mejor, me vuelvo. ¡Pero es que no sé, ha tomado una actitud pasiva tan desesperante!

Soledad tiene ojeras y, cuando se acalora, sus manos largas y expresivas se agitan subrayando el discurso, tratando de reencauzarlo. Se retiran el pelo de la cara, buscan un pitillo, acarician las mías. Me pide perdón por sus continuas interrupciones y yo le digo que todo en esta vida es una pura interrupción, que no se afane tanto en separar las cosas unas de otras, porque todas bullen al mismo tiempo, por mucho empeño que pongamos en evitarlo, lo banal mezclado con lo grave, lo presente con lo pasado, lo necesario con lo azaroso, y que de entender algo es sólo así como se entiende, aceptando esa misma confusión como pista valedera. Por eso es tan difícil escribir una novela.

—¿Estás escribiendo una novela? —me pregunta con auténtica curiosidad—. Amelia dice que cree que sí.

—Bueno, lo he intentado algunas veces. Tengo por ahí muchas carpetas con comienzos. Pero luego viene el lío.

—¡Es que hay que fechar! ¿Lo ves? —dice Soledad, impaciente—. Los líos vienen por no fechar.

—Ya, y por más cosas. Una novela tiene muchos personajes. Y es cuestión de armonizar la versión de cada uno con la de los demás. Que no suelen casar, claro. Porque no todo el mundo vive los acontecimientos de la misma manera. Ni todos los personajes dicen la verdad, o por lo menos no dicen lo mismo en circunstancias diferentes. La memoria es tornadiza. Y luego que se cambia, cambiamos todos sin saber cómo. Si no se cuenta con la mentira y con las transformaciones incomprensibles, las fechas sirven de poco.

De pronto me da por pensar en que el comienzo de esta novela debía coincidir con el análisis de aquellos cinco meses y pico en que la hoy doctora León se convirtió para mí en una desconocida. Y ya que Soledad pide fechas, se podría elegir una tarde de la segunda mitad de diciembre, en que yo había discutido con mi madre y, sin pensarlo más, decidí ir a ver a Mariana, aun a riesgo de no encontrarla. Estaba nevando. Debía ser el día veinte o por ahí. Me la encontré haciendo la maleta, porque se iba a pasar las Navidades a Barcelona a casa de sus abuelos. Enseguida noté que mi visita le había resultado inoportuna. Y algo más grave: que ya no éramos amigas. Una fecha clave en ese periodo: la última vez en mi vida que he llorado delante de ella.

(Por cierto, Mariana, necesito hacer un paréntesis y volver momentáneamente al estilo epistolar, el único que me sirve para el reproche. Mi conversación con Soledad, que ahora estoy rescatando con sus correspondientes adornos literarios, tuvo lugar antes de recibir tu carta. Ahora acabo de releerla en busca de confrontación, y la verdad, hija, te digo que no hay derecho. Ni la más mínima mención a esos cinco meses y pico. Para ti no han existido. Parece como si la ruptura de nuestras relaciones datara exclusivamente del día en que una compañera te contó que me había visto con Guillermo en el bosquecillo. ¿Pero y antes? ¿Quién empezó a distanciarse de quién? Tiene razón Soledad, hay que fechar, no cuentes las cosas como te da la gana porque no vale. La pregunta de «¿Quién ennegreció el oro?» que, según dices, te atormentó durante aquella primavera, te la hice yo a ti en tu casa, aviva el seso, mientras caía la nieve en la calle, precisamente esa tarde en que me presenté a verte de sopetón al filo de las Navidades. ¿Es que ya no te acuerdas de cómo me recibiste ni del tono con que me tachaste de infantil cuando me eché a llorar? Bueno, en vista de que no puedes contestarme, me salgo del paréntesis para no ahogarme en él como dentro de un túnel. Te describiré la escena desde fuera, tal como se me vino a las mientes, a modo de flash, antes de leer tu carta, según estaba hablando con Soledad. Por un gesto de impaciencia que hizo ella con las cejas, ya ves, parecido a otro tuyo de esa tarde que digo. La típica asociación de ideas.)

—¡No tiene por qué haber cambios incomprensibles! —dice Soledad irritada, frunciendo las cejas—. Eres como mamá, parece como si quisierais escudaros en que todo es un lío y en que las cosas no tienen remedio ni explicación, para escapar de la realidad, para no plantarle cara. Bueno, por lo menos ella, tú no sé. Tiene miedo a la realidad, se lo ha tenido siempre. Miedo a crecer.

Cierro los ojos para recordar.

—¡Ojalá superes pronto esa etapa de Peter Pan! —dice Mariana irritada, frunciendo las cejas—. Te va durando demasiado, es preocupante. ¡Hay tanta gente que pasa hambre, que está en la cárcel y que llora por motivos realmente importantes! ¿Te has parado a pensarlo?

La veía borrosa a través de las lágrimas, y, tal vez por eso, sus gestos mientras metía cosas en la maleta me parecían inarmónicos y desconectados de su objetivo. Llevaba unos pantalones negros de pana. Era la primera vez que me hablaba así, al menos cara a cara. Por teléfono ya la había notado a veces cortante e impaciente. O no estaba o tenía mucho que hacer. Precisamente había ido a verla porque llevaba mucho tiempo sin saber nada de ella más que a través de breves y desganados informes telefónicos, a pedirle explicaciones de lo que le pasaba conmigo. Porque algo le pasaba, que no me dijera que no. Y las lágrimas habían empezado a saltárseme bajo los copos de nieve de sus monosílabos, más fríos que los que bajaban del cielo y bailaban a la luz de las farolas, que nada, que por favor, que qué niñería, y a todo esto sin acercarse a mí. Yo no podía aceptar que me fuera tan difícil hacerle preguntas, no era capaz de indentificar aquel temor a ser indiscreta con la pérdida de la confianza y del amor. No pensaba —y se lo dije, aunque haciendo un esfuerzo— que tener novio fuera motivo para distanciarse así de una amiga, todo lo contrario. Yo, si alguna vez me enamoraba, estaba segura de que iba a querer mucho más a todo el mundo, a ser más buena, más generosa, más alegre, a despedir el triple de energía. ¿O es que tenía algún disgusto con Guillermo y no me lo quería decir? Pronuncié aquel nombre con reparo, como el de un fantasma inquietante. Mariana, sin contestar a mi pregunta, dijo que mi noción del amor entre un hombre y una mujer era completamente de Walt Disney y que tenía un empacho de literatura. Todo aquello no eran más que personalismos y complacencias burguesas. Por favor, ya éramos mayores, ¿no? Y estaban ocurriendo cosas muy graves en el mundo. En nuestro propio país, sin ir más lejos. Pero no me miraba al decirlo. Yo me sequé las lágrimas y me apoyé en la pared.

160

—¿Quién ennegreció el oro? —recité como para mí misma—. ¿Por qué el oro fino perdió su brillo?

Y supe por primera vez que este tipo de preguntas no tienen jamás respuesta. Y también que por primera vez me estaba enfrentando conmigo misma, sin más auxilio que la aceptación de mi desamparo. Y que tenía que ponerme a escribir: ése era el único refugio posible.

—¿Por qué cierras los ojos? —pregunta Soledad—. ¿Te encuentras mal? Claro, es que soy una egoísta, te estoy mareando con mis problemas.

Ha venido a arrodillarse junto a mí y apoya la cabeza en mi regazo. Hay un silencio. Empiezo a acariciarle el pelo muy despacio, como si fuera una niña. Una niña —lo compruebo con mudo deslumbramiento— tan sabia como para ayudarme a recobrar tramos borrados de un cuento que había empezado a contarle con desgana, para distraerla de sus fantasmas y sus miedos.

—Perdona, Sofía —dice—. Es que tengo que desahogarme con alguien. Llevo unos días que no puedo más. ¡Estoy tan cansada de hacer de madre de mi propia madre!

Sigo acariciándole el pelo y le digo que no se lo tome tan a pecho, pero no se me ocurre argumentar mi consejo con explicoteos, *take it easy* —le digo simplemente—, y sé que la flecha ha dado en la diana, porque en tiempos, cuando ella y Amelia empezaban a hacer progresos en el inglés, esa frase nos encantaba pronunciarla a tres voces y era como un conjuro, ya sólo con repetirla («teiquitisi-teiquitisi-teiquitisi») despacito pero rotundamente nos hacía tanta gracia que por muy mal humor que tuviéramos se nos iban los demonios, nos desendemoniábamos, según expresión de Amelia. «¿Te acuerdas?», pregunto, y Soledad se acuerda, claro, cómo no se va a acordar; si las bromas verbales de la primera edad es el último texto que se borra del cerebro, incluso cuando ya todos los textos se confunden y enmarañan. Y se ríe. Que es lo que yo quería, verla desendemoniarse.

—Pero no era «desendemoniar» lo que decía Amelia —puntualiza—, era «desbrujar», una palabra todavía más rara, y la sigue usando, me la ha dicho al despedirse, que me desbruje.

Ha hablado bajito, sin alzar la cara de mi regazo, como pidiéndome que le siga rascando la cabeza y hablándole de cualquier cosa, se acomoda mejor y me señala la sienes, y yo le digo que qué pelo tiene tan bonito, que no se le ocurra cortárselo ni hacerse la permanente y niega con un dedo y emite un leve ronroneo de placer, y me doy cuenta de lo importante que es el contacto físico entre dos personas que se quieren. Pero no pienso en el contacto sexual, qué pesadez, cualquiera diría que es el único que existe. El tiempo se convierte en eternidad cuando surgen estos viáticos de camino, te parece que vas a donde sea pero en compañía y por buen camino, el roce de otro te calma y disipa las nieblas que rodeaban tu existencia. Me gusta tanto que haya venido Soledad y que se deje acariciar como un gatito.

—A veces uno solo pierde la brújula —digo.

—Se desbrujula uno, en vez de desbrujarse —dice ella con voz de risa—. ¡Qué distinto!, ¿no?, y con lo parecidas que suenan las palabras.

Y yo le digo que sí, que todo en el fondo es cuestión de palabras, de combinarlas, de jugar con ellas, es lo que tiene la literatura, que dicen que se acaba por culpa de los vídeos, pero eso no cuela, es un disparate, la gente sigue loca por inventar escritos que convenzan de algo o emocionen, aunque sea mentira, vamos, que te lo creas, depende de cómo te digan las palabras y cómo las escuches tú. El amor mismo, a ver, ¿no es sobre todo cuestión de palabras?, por lo menos el de las novelas que es el que hace llorar, algo tendrá el agua cuando la bendicen, y ella asiente, levantándose el pelo al mismo tiempo para dejar al descubierto la nuca. A mí ya me lo recomendó hace muchísimos años un profesor de Literatura que tuve en el instituto, que no dejara nunca el cazamariposas para atrapar palabras, me lo dijo por un collage que había hecho yo que se titulaba «El filólogo», don Pedro Larroque se llamaba, y gracias al consejo sigo en pie, porque a mí la literatura me ha salvado de muchos pozos negros.

—¿Te acuerdas del juego aquél de diccionario? —dice Soledad—. ¿Quién lo inventó?

Y sí, de pronto me acuerdo, lo inventé yo para entretener a los niños. Consistía en buscar por turno en el diccionario una palabra poco conocida y apuntar debajo la definición verdadera junto con otras dos o tres inventadas y de lo más dispar, «fruta tropical», «actitud de resentimiento» y «habitante de región montuosa», por ejemplo, y los otros jugadores tenían que adivinar cuál era el significado auténtico. A veces salían definiciones tan propias y tan despistantes que le pegaban a la palabra más que la suya de verdad, como suele pasar con algunos nombres de pila, que parece que se los han puesto a la gente equivocados.

—A ti se te daba genial el juego del diccionario —le digo a Soledad, mientras empiezo a hacerle un poco de masaje en la nuca—. Siempre perdíamos los demás cuanto te tocaba a ti inventar definiciones.

—¡Ay sí, sí, en las cervicales!, ¡qué gusto! —contesta ella.

Se desabrocha la blusa un poco, se acomoda mejor y yo misma noto la energía benéfica que baja a desaguar en las yemas de mis dedos.

Sigo hablando por un lado y pensando por otro, como si viajara al mismo tiempo por dos vías paralelas, acrobacia que, por cierto, da mucho pie a la fantasía. Me imagino que soy un curanderó cuyas recetas mágicas le sanan a él tanto como al enfermo, es una ensoñación que tengo algunas veces, con ligeras variantes en mi edad y vestimenta, en el paisaje y en la identidad de los seres que me vienen a ver diciendo que están enfermos, pero lo que se repite siempre es la sensación de que las recetas del curandero son de aplicación verbal directa y sólo tienen virtud según él las va formulando, generalmente le salen las letras de la boca como en los comics, pero el letrero se deshace como humo, o sea que la fugacidad es su esencia, luego se borra el efecto y no se pueden repetir, una cosa muy especial, hay que estar bien atentos para coger la receta en el aire, porque además eso precisamente es lo que cura al curandero y le posibilita para seguir ejerciendo su trabajo, si no, se convierte en un pobre mendigo.

—Da gusto, hoy tienes energía positiva en los dedos —dice Soledad.

—Y tú en el cuello, es droga compartida.

Y pensando en la virtud de las drogas compartidas, se me viene al recuerdo una canción muy larga y monótona que aprendí de mi abuela y que yo les cantaba luego a mis hijos para que se durmieran. Empezaba diciendo:

> Antonio divino y santo
> suplicóle a Dios inmenso
> que por su gracia divina
> alumbre su entendimiento
> para que su lengua
> refiera el milagro
> que en el huerto obrasteis
> de edad de ocho años...

Muy raro este «obrasteis», porque de pronto se rompe el estilo en tercera persona y parece que se está estableciendo un diálogo con el mismísimo Creador o con San Antonio ya de viejo, no queda nada claro; pero mi abuela decía seguro que era «obrasteis», que la canción siempre se había cantado así, y que quién era yo para darle lecciones a ella, qué niña tan refitolera —era una palabra que usaba ella para llamarme marisabidilla o algo así—. Y el milagro consistía en que un domingo su padre le había encargado al niño Antonio que, durante su ausencia en misa, vigilara para que los pájaros de variadas especies que solían buscar alimento por aquella zona no entraran en el huerto ni picotearan el sembrado porque todo lo echaban a perder; y el niño se quedó, efectivamente, al cuidado del huerto, pero consciente de la vanidad de sus esfuerzos para espantar a todas aquellas nutridas y diversas bandadas de pájaros que se le venían encima, optó por empezar a hablarles con gran dulzura y persuasión, tanta que los cientos de aves picoteadoras, cuyas especies designaba el texto, habían

164

bajado a posarse en torno suyo para escucharle y le habían obedecido, o sea que el padre, al volver de la iglesia, se había quedado en trance ante la escena de su hijo de edad de ocho años contándoles cuentos a los pájaros para hacerles entrar en razón, pero era una canción larguísima, y por eso tan buena para servir de nana, porque al final acababa viniendo el mismísimo señor obispo, que, avisado del milagro, había dicho que si no lo contemplaba con sus propios ojos, no le podía dar crédito. Y para cuando llegaba el obispo ya tanto el niño insomne como la madre que mecía su cuna eran partícipes del mismo sosiego que destilaba aquel romance interminable y naïf, y lo que yo notaba, sobre todo, era que había desaparecido aquella prisa por que el niño se durmiera. Y tambien la sensación de fastidio con que atacaba la melopea («y ahora, por si era poco la desazón de todo el día, ¡toma postre, a cantar el antonio-divino-y-santo!»); me había aplicado con toda concentración a entonar bien las estrofas sin saltarme ninguna, y ya no necesitaba comprobar los resultados del remedio lanzando miradas de reojo a la cuna, porque los experimentaba en mí, en mis nervios aplacados, y el niño se dormía por eso, porque me había tranquilizado yo. Ahora hay algunas estrofas que se me han borrado de la cabeza y eso me intranquiliza, no sólo porque me evidencia el paso del tiempo desde que canté por última vez de corrido el antonio divino y santo, siendo Amelia un bebé, sino porque me acuerdo de que a esas alturas de mi último parto necesitaba más que nunca los relajantes efectos de esa droga nocturna. Por entonces ya había quedado más que claro que Eduardo y yo no teníamos nada que compartir, ni en el reino de los sueños ni en el de las realidades.

Es un recuerdo que me ha puesto automáticamente tensa. Me quedo callada, y el silencio se vuelve incómodo. Se ha quebrado el fluido mágico que me estaba uniendo con Soledad y ella lo nota. Se incorpora, me da las gracias, se alisa el pelo.

—Haces el masaje cada día mejor. Y al final, encima canturreando. Ni una profesional.

—Ya ves. Pues no será porque me ejercite mucho.

—Un poco más y me quedo dormida.

Hay un silencio. Soledad se ha terminado de abrochar la blusa y me mira, como desorientada.

—Oye, ¿de qué estábamos hablando antes?

—¿Antes de qué? Supongo que del tiempo, no hemos hablado de otra cosa en toda la tarde, si te fijas bien. Tratábamos, creo, de acotar cinco meses y pico de mi vida.

—Ya. Pero te pasa algo, te has puesto triste.

—Que no, qué tontería. Salió todo por lo de las fechas. Y creo que decíamos... No sé. El tiempo, desde luego, es un albergue tramposo y poco de fiar. Cuando se dice «se me hizo la tarde eterna», por ejemplo, ¿tú qué entiendes?

—Que se te hizo pesada.

—Ya ves, pues yo no, para mí lo eterno es lo que no pesa, cuando el tiempo, de tan feliz que eres, pasa sin sentir. Pero por eso mismo, como cada cual vive el tiempo a su manera, tiene que haber unas reglas, claro, si no sería un lío. Así que tampoco viene mal ajustar las cuentas con el tiempo. Fechar, tienes razón. Cinco meses son cinco meses. Por cierto, ¿qué hora es? ¿No habías quedado con tu madre?

—Sí —dice, echando una mirada desganada al reloj—. Pero me queda un ratito.

Se ha quedado pensativa. Acordarse de su madre no le sienta bien. Se lo noto en el tono exaltado con que reencauza la conversación hacia su tema obsesivo.

—Claro, fechar. Si es lo que yo me harto de decirle a ella. Por lo menos que diferencie lo que estaba antes de lo que estaba después, ¿no? Cualquier proceso judicial, psicológico, histórico, lo que sea, habrá que ordenarlo, es elemental, mi querido Watson. Pues ella nada, con ella es imposible, vive en un perpetuo caos.

Ahora sus ojos se clavan en los míos como si estuviera implorando consejo de una persona sensata. Renuncio a hablarle de mi propio caos y pongo cara de persona sensata. Pero esta historia de matrimonio fallido me agobia ya un poco, y me pongo de nuevo a pensar, que me descansa, en aquellos cinco meses y pico anteriores a mi descubrimiento del amor. Seguramente, si empiezo a hurgar en ellos, salen muchas cosas. De lo que más me acuerdo es de que escribía muchísimo. Poemas, comienzos de novela, diario. Algunos cuadernos se me han perdido o los he quemado. Otros los guardo todavía. En ese periodo se consolidaron mis amores con la literatura. Aunque nunca desembocaron en compromiso. Y si duran es porque siempre fueron fluctuantes, contradictorios y arriesgados, como los que más tarde mantuve con Guillermo. Por eso me sigo acordando de él. Hay amores de novela y amores para casarse.

—Con mamá es imposible aclarar nada —dice Soledad—. Ella se bloquea. Porque lo que yo digo, en algún momento notaría que las cosas empezaban a ir peor con mi padre, ¿no? Nada se produce así porque sí, de la noche a la mañana. ¿No te parece? ¿En qué piensas, Sofía?

—Bueno —digo—, no creas. Hay transformaciones que se operan de puntillas. Y otras que surgen de pronto. Como una erupción. O un milagro. No sé. Depende.

—¿Te refieres al amor?

—Sí, pero también al aborrecimiento. Y en general a todos los humores que nos recorren a lo largo del día, que tan pronto te quieres morir como te emborracha la vida. Tu madre lo estará pasando mal, sí, pero no la agobies. Estará buscando ella sola la explicación. A veces la madeja no la puede desenredar más que el que la ha enredado.

Soledad suspira. Cambia de asiento.

—Tiene pocas amigas. ¿Por qué no la llamas tú alguna vez?

—Mujer, le extrañaría, si casi no la conozco. Sólo la vi aquel día en el aeropuerto, cuando Amelia y tú os ibais a Brighton. Me pareció que formaba un bloque indisoluble con tu padre. Ya hará diez años, ¿no?, a ti que te gustan tanto las fechas.

Soledad asiente. Su rostro se ha ensombrecido, mientras juguetea con el montón de fotos viejas que saqué antes para enseñárselas. Tiene un gesto obsesivo, reconcentrado, ausente.

Un poco como el chico del jersey de cuello alto. Aunque él podía tener miles de caras. Habría valido para el cine.

—Me gustaría saber si ha habido algún Guillermo en su vida. ¿Por qué tú me lo puedes contar y ella no?

—Muy fácil. Porque no soy tu madre. Yo no te cargo con la responsabilidad de mis historias. Ni las tuyas son un fardo para mí. Por mucho que nos queramos.

Se queda pensativa.

—Es verdad. Amelia también lo dice.

Ha sido como un trallazo dentro de mí. De pronto me siento desalojada del refugio, expuesta nuevamente al ventisquero de la realidad.

—¿Qué dice Amelia? ¡Si vieras lo rara que ha estado conmigo este viaje!

—Le preocupan sus hermanos.

—Ya. Y a mí también. Pero de mí, ¿qué dice? Vamos, si no es un secreto...

—No mujer. Pues eso, que entre ella y tú hay siempre una zona de medias verdades y que, por mucho que te empeñes en tratarla como a una amiga, eres su madre, y eso no tiene remedio. Además... Bueno, nada.

—No, por favor, di lo que sea. Además, ¿qué?

—Pues no sé..., cree que en algunas cosas tú metes la cabeza debajo del ala. Lo dice en buen plan, no como crítica. Te quiere un montón y se preocupa por ti más de lo que te imaginas. Pero en fin, ella lo vuestro lo tiene supermasticado, no le coge de nuevas. Claro que también yo, como llevo mucho tiempo viviendo fuera...

—¿No le coge de nuevas, qué? —la interrumpo.

Y noto que estoy lanzándome a una piscina de agua helada.

Soledad me mira cohibida, como si se arrepintiera de lo que ha dicho. Luego desvía la vista.

—Que Eduardo no te quiere y eso.

Bajo los ojos inquieta. Escarbar ahí no me gusta, y Encarna, la más directa de mis hijos, lo sabe de sobra. ¿Es que le quiero yo? ¿Es que le he querido alguna vez? Tengo que ir al refu a hablar con Encarna, de eso y de otras muchas cosas. Y con Lorenzo también, aunque me desquicie. Su padre no puede seguir creyendo que ha terminado la carrera y que tiene un trabajo. Ni yo puedo seguir metiendo la cabeza debajo del ala. La culpa de que Eduardo y yo apenas nos hablemos no sólo la tiene él. No sé por qué digo que me ha decepcionado, si no me interesó nunca conocerlo a fondo. Di por hecho que lo conocía y me desentendí; sólo te enamora lo que te intriga, yo con Eduardo me casé sin estar enamorada y de ahí viene todo. Podía tener los mismos defectos que tiene, a nadie se le deja de querer por sus defectos, sino porque descubres que no te interesa interpretarlos ni comprenderlos. Es que ni siquiera consigue sacarme de quicio. No me puedo quejar de nada, él no tiene la culpa.

Pero basta, no quiero volver a meterme en este atolladero de las culpas, porque me sienta fatal. Encarna siempre me lo está diciendo, que nadie tiene la culpa de nada, que eso son vestigios de la educación judeocristiana; y Lorenzo lo mismo, él más tajante todavía —«corta el rollo, mamá, las cosas pasan y punto, no le des más vueltas»—, con eso queda zanjado todo. ¿Será verdad que ellos viven tan al margen como parece de todo sentimiento de culpa y de pecado?, siempre acaban igual nuestras conversaciones: «Tú tranquila, pasa de fantasmas, desenchufa la pila», y de momento me siento a gusto, como flotando, pero luego comprendo que con ellos no se resuelve nunca nada, que todo queda pendiente. Decir las cosas puedes no decirlas y hasta parece que así has dejado de pensarlas, pero no, las piensas igual o más, te andan por dentro arañando, cavando surcos, y quién sabe si no dañarán al bazo o al páncreas esos surcos, yo por esas zonas localizo la erosión. Eduardo me aburre, me aburre de muerte. No estoy segura de saberlo todo de él, pero lo que sé me importa un comino. ¿Y por qué no se lo digo? Claro que se dará cuenta, pero decírselo sería un desahogo muy beneficioso, la llamada catarsis, y la única manera posible de acabar. A gritos, con remate de portazo. Pero no, por favor, eso no.

Miro a Soledad buscando un asidero, igual que ella hace

un rato me miraba a mí. Me tiene que notar la angustia en la cara. No puedo ni respirar, ya está ahí la hoja de acero que se me clava en las costillas. Y me agobia más todavía pensar que la estoy cargando a ella con mi agobio. Bajo los ojos.

—Perdona —digo con un hilo de voz.

Sé que se me han empezado a caer lágrimas encima de la mano. Me da mucha rabia. Soledad me tiende un kleenex.

—Vamos, bonita, no digas bobadas. Llora todo lo que quieras, anda.

Tiene ahora una voz muy dulce. ¿Será la misma que emplea para consolar a su madre? ¿O ella la pondrá más nerviosa que yo?

—¿Tu madre se casó enamorada de tu padre? —le pregunto.

—Ella dice que sí, que locamente.

—Pues ya ves, da igual. Todo termina igual —digo en voz tan baja que no creo que me haya oído.

Por lo menos, si me ha oído, guarda silencio. El derrotero que está tomando la conversación no debe divertirle ni un pelo. Ha dicho antes que a Amelia no le coge de nuevas lo nuestro. Y sin embargo, yo no recuerdo haberles dicho nunca a mis hijos que no me casé enamorada de su padre. A él sí se lo dije. Claro que haciendo trampas, las famosas medias verdades, porque de Guillermo le hablé sólo de pasada, como de un amorío sin importancia. Y Eduardo era práctico, seguro de sí mismo. Practicaba la política de los hechos consumados. No paró hasta arrancarme el apetecido «sí», pero antes ya me había dejado embarazada. «Ya me querrás —dijo—, siempre conviene que el hombre quiera más que la mujer. Yo te voy a querer por los dos.» Y aquello me gustó oírlo. Yo estaba deseando irme de casa cuanto antes. Y tener hijos. Guillermo tampoco tuvo la culpa. Hay hombres que son para casarse y otros para recordarlos siempre como amores de novela. Yo Guillermo ya sabía desde el principio que pertenecía a este segundo grupo.

Se lo dije muchos años después, cuando me lo volví a encontrar en Londres. Que, por cierto, lo que son las cosas, era él entonces quien me proponía divorciarme de Eduardo para casarnos él y yo, o largarnos sin más, eso ya se vería. Pero yo no quería que la novela terminara como Anna Karenina. «No, Guillermo, no quiero terminar como Anna Karenina», le dije con una repentina lucidez la noche de nuestra despedida. Estábamos en el cuarto empapelado de azul de su pensión londinense, y yo miraba de reojo nuestros cuerpos enlazados reflejándose en un armario de luna que, por cierto, cerraba mal. Un cuarto algo destartalado, pero acogedor, como su dueña, una tal Mrs. Morrison, que lo quería como de familia. Guillermo vivía allí desde que se separó de su mujer, o más bien me pareció adivinar que le había abandonado ella. Me habló poco de esa historia, sólo que fue breve y que no habían tenido hijos.

—Yo lo único que no entiendo, y Amelia tampoco, es por qué Eduardo y tú no os separáis —dice Soledad.

Me encojo de hombros.

—No sé, por cobardía. Es que me espantan las situaciones violentas. Todo lo que sea agresividad. Nunca he sido capaz de dar un portazo. Debe ser por los muchos que daba mi madre.

—No tendrías por qué dar un portazo. Simplemente hablar con él. Eduardo es una persona razonable, no parece ningún salvaje.

—No. Pero la idea de hablar con él me espanta.

—No entiendo por qué.

—Bueno, hija, tú no lo entenderás, pero es así. Es que no sabes desde lo atrás que habría que coger el hilo. Y además, ¿cuál de los hilos...? ¡Uf! Si salen cabos sueltos por todos lados, es de mareo.

—No te pongas nerviosa, anda, mujer. Yo me refería a que hablaras con él sólo de lo vuestro, serenamente, de lo que os pasa ahora, no me refiero a los trapos sucios.

—Hablar con él me resulta cada vez más difícil, te lo digo, pero no sólo de eso, de lo que sea. No se prestaría.

—Pues chica, no sé, déjale una carta como en las novelas.

—Ya, se dice fácil. ¿Y dónde me voy?

—Al refu. Echas a los del refu y te metes tú allí. Sin más. Es lo que dice Amelia.

Poco a poco me voy tranquilizando. Ya no noto la cuchillada en las costillas al respirar.

—Dime la verdad, ¿cuándo te ha hablado Amelia de eso? De Eduardo y de mí, quiero decir.

—Bueno, por favor, ¿dónde va la fecha? Desde que estuvimos juntas en Brighton. O puede que antes. Pero sobre todo entonces.

—¿En Brighton?

—Sí. Como pasábamos el día juntas, durmiendo en el mismo cuarto y todo, pues ya sabes, no hay secretos. Y los padres salen a relucir, es natural. Bueno, los míos salían menos. Yo a los míos no les veía conflicto.

—¿Ella a nosotros sí?

—Sí, claro, problemones. Y sufría mucho por ti, tenía como mala conciencia de estarlo pasando ella tan bien. A veces lloraba leyendo tus cartas. Por eso te animó a que nos fueras a buscar.

¿Mis cartas? Es increíble cómo se le borran a uno las cosas. Debo haber escrito en la vida tantas cartas de las que no me acuerdo... Siento un remordimiento retrospectivo y ciego, que son los peores, parecen babosas. Van dejando encima de los recuerdos ya doblados y metidos en cajones entre manzanas y tomillo ese rastro sucio y pringoso del mal que se hizo sin querer.

—¡Pobrecita Amelia! ¿De verdad lloraba? Yo no me acuerdo de haberle escrito contándole penas.

—Propiamente penas no. Pero sí le escribías mucho, unas cartas muy bonitas. A veces me leía párrafos. No me acuerdo muy bien de qué le hablabas. De nada concreto, en plan poético pero depre. A vueltas con el tiempo creo recordar.

—Ya, bueno, lo de siempre. Eso no es una pista. ¿Y fue ella la que me animó a iros a buscar...? Es verdad, no me acordaba... Me lo diría con la boca chica, supongo.

De pronto tengo ganas de quedarme sola, me estorba todo lo que interfiera mi evocación de la llegada a Londres. Les había escrito que no me fueran a esperar, que no se preocuparan por mí. Cogí un taxi en el aeropuerto. «A la estación Victoria», iba recontando los bultos, y me gustaba estar viajando sola después de tanto tiempo, era como si me nacieran alas. Libre y sola, con sed de aventura. «Reencuentro con Guillermo en la estación Victoria», la verdad es que ése debía ser el capítulo primero, empezar por ahí la novela. Yo cargada de bultos, preguntando por los horarios de tren para Brighton, y aquel tropezón con un hombre alto y desconocido, en cuyos brazos casi caí. Como en las películas. *Sorry*. Pero no era un desconocido. Era el lobo rubio, con algunas canas.

—Bueno —dice Soledad—, como al final es siempre cuando mejor se pasa, y ya estábamos ambientadas, y teníamos cada uno un medio noviete, pues la verdad es que cuando por fin decidiste venir a buscarnos, mucho no nos apetecía. Creía Amelia que íbamos a tener que estar pendientes de ti, haciéndote de cicerone para que te extasiaras ante el Palace Pier, y la playa de guijarros grises que sale en todas las películas. Pero sí, sí... Nos quedamos las dos viendo visiones cuando llamaste desde Londres diciendo que te habías encontrado casualmente con unos amigos y que ibas a pasar una semana en su casa, que al fin y al cabo Londres era más interesante que Brighton. Fue como si nos hubiera tocado la lotería, para qué te voy a decir otra cosa. Sobre todo porque, según me contó Amelia, a ti se te oía una voz tan alegre.

Sí, muy alegre. Estaba él conmigo en la cabina. Y antes me había cogido en brazos, allí en pleno andén con mis maletas por el suelo. Fue como un sueño. Enseguida me llevó a su pensión, como si fuera la continuación lógica de aquel encuentro, la única posible. Y yo también lo encontraba natural, no opuse la menor resistencia, ni pregunté nada. Iba transida. ¡Qué días, sobre todo los primeros! Después las cosas cambiaron un poco, aunque seguía abierta la sed. Pero el espejismo se enturbiaba. Me había fascinado la imagen de un Guillermo que continuaba manteniéndose fiel a sus rebeldes sueños de juventud, negándose a adaptarse a una sociedad que le era hostil y a pactar con el dinero. Pero luego me fue pareciendo poco a poco que hacía demasiada ostentación de esa actitud frente a mí, que mi entusiasta predisposición a escuchar sus palabras le aportaba una

173

gasolina inflamable para reavivar un relato que se había quedado sin interlocutores. (De eso trataba precisamente la película de Mastroianni.) Empecé a sospechar que me tomaba como tabla de salvación cuando, invalidando la credibilidad de un discurso cuajado hasta entonces de cánticos a la libertad, me pidió que me separara de mi marido para quedarme a vivir con él. Pero eso fue más tarde. Porque volví más veces a verlo. Bueno, la verdad es que no me acuerdo muy bien de cómo pasó el tiempo.

—Luego, además cuando por fin llegaste aquel sábado, ¿te acuerdas?, cargada de regalos, Amelia me decía: «¿Te das cuenta de cómo puede cambiar en cuanto está sola? ¿No la ves guapísima? Es que revive sin papá, le saca partido a todo. ¿A que sí? ¿A que parece otra?» Y tenía razón, yo también lo noté. Parecías otra. Bueno —añade después de un silencio—, es que en realidad tú cambias mucho.

—Todo el mundo cambia —digo distraída.

—Pero lo tuyo es de un momento a otro.

Tal vez si no me sintiera tan alterada, le confesaría a Soledad la razón por la cual era otra —y no sólo lo parecía— la mujer que vieron bajar de aquel tren que la traía a Brighton desde Londres. Pero es que este capítulo, si se metiera ahora, entraría en conflicto con los criterios cronológicos de Soledad. A ella le gusta más cosa por cosa. Aparte de que habría que ponerse a contarlo placenteramente y con mucho tiempo por delante. Y mejor escribirlo. Creo que resultaría bien en tercera persona.

Soledad sigue mirándome desconcertada. Debe notar que no soy la misma que le hacía masaje en la espalda hace unos instantes.

—Sí, es verdad, cambio mucho —digo con una sonrisa que trata de encubrir mi súbita desgana—. Pero oye, ¿no te das cuenta de que esto parece el cuento de la buena pipa?

—La culpa la tengo yo —dice Soledad—. ¿Por dónde íbamos?

—¿De qué?

—Del cuento de tu amiga.

—Ah, ya... Pues mira, ni me acuerdo.

El cansancio se contagia, lo he experimentado muchas veces. No hace falta percibir síntomas físicos del tipo de un bostezo, por ejemplo, para saber cuándo se le está acabando la cuerda al mismo tiempo al que habla y al que oye. En eso se reconocen los tramos muertos de una novela, en que empiezan a pesar por los mismos sitios por donde al autor se le empezaron a hacer pesados. Se sabe seguro, aunque no quepa comprobación, ni se haya inventado ningún aparato para sincronizar un hastío con otro.

Soledad está ahora manoseando las fotos que quedaron revueltas encima de la mesa, como si pretendiera atizar, sin mucha convicción, las brasas de ese cuento rezagado. Ha cogido una donde aparece Mariana apoyada en el tronco de un árbol. Se la hice yo en Aranjuez. Lleva una blusa con escote en pico.

—Era guapísima tu amiga —dice Soledad.

—Sí, todavía lo es. Ya te he dicho que la he visto hace poco en un cóctel. No sé si se habrá hecho alguna operación estética. Y además, parece tan segura de sí misma. Da incluso un poco de miedo.

—Pero no te desvíes. Nos quedamos en cuando te dijo que tenía novio. Y pasan cinco meses y pico hasta que tú lo conoces. Y en esos meses, ¿qué? Algo ocurriría.

—Nada especial que yo recuerde. Dejé casi de verla. Y cuando la veía estaba distraída, distante. Las pocas veces que me volvió a hablar de Guillermo fue para darme informes muy de pasada; que era un noviazgo conflictivo saqué en consecuencia. «A ver cuándo me lo presentas», le decía yo. Pero cambiaba de conversación. Hasta que se lo dejé de decir. Algo se había roto entre nosotras, no sé qué.

—Es que lo de escoger carreras distintas separa mucho —dice Soledad—. Yo lo he estado hablando estos días con Amelia. A nosotras fue lo que nos pasó.

—Sí, pudo influir eso. Además Mariana se había metido en política, que no te lo había dicho. Bueno, casi toda la gente de aquel tiempo, hasta Eduardo..., Eduardo era de la FUDE, ya ves, qué cosas, hija; en fin, tú ni sabrás lo que era la FUDE. Pero da igual, tampoco lo sabía yo.

—¿A ti no te interesaba la política?

—Pues no mucho. Para mí era como una música de fondo. Ahora me entero más de las cosas que estaban pasando por ese tiempo en el mundo que entonces. Casi me apetece ponerme a hacer una tesis doctoral como la tuya, de tan lejos como lo veo todo...

—¿Y Guillermo también era de la FUDE?

—No, él pasaba de política. Iba por libre. Pero eso no lo supe hasta más tarde. Como Mariana no me contaba nada de él, a mí me pegaba que fuera un activista.

—¿Y cómo te explicas que no te quisiera hablar de él?

—Entonces no me lo explicaba.

—¿Y ahora?

Me empiezo a cansar horriblemente del interrogatorio, se me debe notar en la cara.

—Bueno, cuando te explicas las cosas a posteriori, exprimes toda clase de razones, pero luego sólo te bebes el zumo de las que te parecen menos amargas.

—Te estás desviando a propósito para no contarme lo de Guillermo.

—Puede ser. Es que estoy algo cansada.

—Pero dime nada más una cosa. Te enamoraste de él en cuanto Mariana te lo presentó, ¿a que sí?

Me quedo mirando a la ventana, como si quisiera buscar los puntos cardinales. No, en esa dirección no. Era al noroeste, y había luna llena. 27 de febrero, de esa fecha no me olvido. Yo sabía que esa noche me tenía que pasar algo, necesitaba emborracharme, olvidarme de Mariana, abrirme a la vida.

—No me lo presentó ella —digo—. Lo conocí en una casa, cerca de Pozuelo, donde los dos caímos por casualidad. Ni él ni yo éramos muy amigos de la gente que había allí. Celebraban un cumpleaños. Todos muy «progres», de los que habían quitado a la Virgen de Lourdes para poner al Che Guevara. El Che Guevara sí sabrás quién era.

Soledad sonríe.

—El Che Guevara, sí, mujer, hasta ahí ya llego. En cambio tú no sabías quién era James Dean.

176

—Ahí está; y me pilló desprevenida su aparición. Porque de verdad fue como una aparición. En fin, resumiendo, que cuando supe más tarde que aquel James Dean *avant la lettre* era el Guillermo de Mariana ya era tarde para mí, aunque te suene a copla de Rocío Jurado. Supongo que ya sabes lo que pasa cuando un hombre te despierta por primera vez los sentidos. Es inútil luchar contra esa marea.

—Sí —dice Soledad—, completamente inútil.

—Pues entonces, ya has entendido lo principal. El cuento se queda para otro día, ¿te parece?, porque es muy tarde.

—De acuerdo, Sherezade.

Pero mira el reloj, se pone de pie y dice que efectivamente se le ha hecho tardísimo.

La acompaño a la puerta y nos besamos. Las dos estamos tristes.

—Gracias por el masaje —dice.

—Y a ti. Ha sido lo mejor de la tarde.

—Eso no, mujer. Todo ha sido bueno.

Cuando se va, me quedo muy nerviosa. Me prometo a mí misma seguir escribiendo, lo cual significa, como siempre, empezar a escribir por otro lado. Pero lo único que hago es ponerme a cambiar muebles de sitio y a encender un pitillo detrás de otro.

X. CLAVE DE SOMBRA

He dormido, Sofía, en muchas habitaciones de hotel a lo largo de mi vida, y de ellas recuerdo, sobre todo, la extrañeza de los despertares, esos segundos de agonía que acompañan al «¿dónde estoy?», mientras los ojos, aún aletargados, buscan ciegamente alguna referencia que dé claves de aquel espacio raro y enhebre con la peripecia que nos trajo a dormir a él.

Aquí, colgado enfrente de mi cama, hay un grabado grande, lo primero con que se topan mis ojos al abrirse. Representa un barco antiguo con las velas desplegadas en el momento de atravesar el pasillo que dejan entre sí dos icebergs. Un poco anacrónico, ¿no?, porque estamos en el Sur. Supongo que algún día se me cruzará la imagen de este velero y la asociaré con la impotencia de anotar algo sobre unos sueños recién evaporados, aunque el hotel lo confunda con otro de otro país y no recuerde si era invierno o verano ni, por supuesto, de qué sueño se trataba, ya que todavía no he logrado rescatar el argumento de ninguno. Y eso que estos días estoy soñando muchísimo. Conozco los síntomas. ¿Se despierta usted con la cabeza cargada, como si tuviera un peso entre los ojos? Sí, doctora, eso es lo que noto. ¿Y luego se pasa un rato como ausente de todo lo que mira? Sí, sí, a veces la mañana entera. Ya; pues nada, siga procurando recordar algún sueño, aunque sólo sea a trozos, es importante. Y lo apunta, para que no se le olvide. Necesita descargarse de los sueños.

Debajo del cuadro, hay una especie de pupitre alargado

178

con espejo y cajones, incómodo como escritorio porque apenas queda sitio para meter las piernas. Está casi enteramente ocupado, además, por unas pirámides de cartulina, donde se informa al cliente de los prefijos telefónicos de España y el extranjero, horarios de excursiones, precios de cafetería, sauna, planchado y otros servicios extra. En los cálculos de la Dirección de este tipo de hoteles nunca entra la idea de que al huésped le pueda apetecer quedarse a ratos habitando el cuarto como si fuera una casita. Carecen de rincones.

He pedido una mesa supletoria y la tengo instalada junto a la puerta vidriera que coge toda la pared del fondo. Era el único sitio posible. Tuve que empujar un poco para acá el pupitre de los cucuruchos de cartulina porque si no, como es bastante grande, no cabía con holgura suficiente para pasar yo y dejar libre la manivela de la persiana.

Levantar la persiana y correr la puerta vidriera, que da a una terracita con muebles de mimbre, es lo primero que hago al despertarme, casi de forma maquinal, como un borracho busca la botella. Y el glorioso allanamiento de morada consumado por la luz rezumante de mar desvirtúa el efecto tramposo de los icebergs y los relega a cuarteles de fantasía, junto con los detritus de mis imágenes nocturnas, sin que esa delimitación consiga, a pesar de todo, atenuar mi aturdimiento. Al contrario, más bien lo aumenta. Es primavera, sí, y esto un pueblo costero del sur de España, el velero entre hielos no tiene nada que ver, nada, olvídalo, un capricho del dueño del hotel donde duermes. Bueno, ya. Pero ¿y por qué duermo aquí?, ¿qué he venido a buscar o de qué huyo? En el sueño de hoy pasaba algo que tal vez diera claves, pero ya no me acuerdo, claves enmascaradas. ¿Cómo era...? alguien decía «no le deis de comer», sí, eso era, alguien que estaba en mi mismo cuarto, aunque no nos veíamos, y la persona o fantasma en cuestión no podía saber que yo la estaba oyendo. Además se trataba de un lenguaje cifrado, eso era lo más importante dentro del sueño mismo. Espera un momento. Datos para la pesquisa. ¿Qué estuviste leyendo anoche, antes de dormirte?

Miro hacia la mesa supletoria, tan atestada de papeles y libros como si ya lleváramos ella y yo un año aquí, sospecha inquietante que se esfuma enseguida con la de haber amanecido entre hielos. No me acaba de gustar la colocación, así de esquina, no resulta un rincón acogedor y además siempre te tropiezas. Una policiaca, estuve leyendo una novela policiaca de Ruth Rendell, *Hablar con desconocidos*, un chico londinense dominado por su adicción a los lenguajes en clave. ¡Ah!, y también trozos del diario de Katherine Mansfield. Trae un retrato de la escritora en 1920, con ojos entre soñadores y angustiados y un flequillo muy negro como de japonesa. Murió sin descendencia, quién sabe adónde habrá ido a parar el original de esa foto desde la que me mira como a un médico cómplice, «claro, tú que me vas a decir, ¿verdad?». Ya le quedaba poca vida, murió a los treinta y tres años, la tuberculosis entonces difícilmente tenía cura, y ella lo sabía, lo dice en su diario.

Todavía cuando yo empecé la carrera de Medicina, el bacilo de Koch no era ningún fantasma del pasado. Lo que no sabía yo, y no sé si tú lo sabes, es que ese apellido era el del sabio alemán que lo descubrió, no nos damos cuenta de la cantidad de personas que aparecen solapadas en nuestra conversación y en todo lo que pensamos, como un entramado resistente en cuya tela se borda nuestro propio vivir. Me parece estar viendo el retrato oval de Robert Koch, un Sagitario nacido a mediados del XIX, atildado y pulcro con corbata de lazo, barbita blanca y lentes redondos, tal como venía en una de mis enciclopedias. Hace un siglo que anunció en Berlín, tras laboriosos experimentos, que creía haber aislado y descubierto la bacteria responsable de la tuberculosis. Murió en 1910 en Baden-Baden, diez años antes de que Katherine Mansfield posara para este retrato que ahora tengo delante y que, sin querer, se me superpone al del viejo y bondadoso sabio alemán, porque es que todo se superpone. Pues lo que te decía, cuando yo empecé la carrera el bacilo de Koch todavía conservaba antiguos resplandores y se llevaba a la gente por delante, poderoso monarca en decadencia al que hoy otras hordas despojaron del cetro, sin que haya aparecido todavía el superman de gafitas que se enfrente con ellas, siempre tiene que haber alguna plaga. Las víctimas del bacilo de Koch eran jóvenes indefensos, rebeldes y pálidos, náufragos de alto riesgo, hermanos de la luna, con la mirada mansfield perdida en lo invisible. Se morían soñando otras laderas y un amor más perenne, debatiéndose en vano entre esa añoranza de infinito y las ligaduras de un cuerpo entendido como cárcel. Todo el diario de Katherine es eso, un arduo viaje donde la confesión de impotencia se alterna con los esfuerzos por combatirla y por dejar fe de ella, a medida que se adelgazaba el caudal del tiempo que la separaba de la muerte. Ya ves, Sofía, quién nos iba a decir cuando leíamos *Garden party*, novelita cursi, mirándolo bien, que su autora sufría como un perro y que lo consignaba en un diario sombrío y desgarrado, droga dura, no te haces una idea. O mejor dicho no me la hacía yo, tú puede que lo conozcas.

Son libros que me compro cuando voy de paseo al pueblo, en una tienda rara que he descubierto y donde venden un poco de todo. Me da la impresión de estar poniendo casa, ya ves qué tontería, y siempre me traigo al hotel una bolsa llena de antojos más o menos inútiles. Mal síntoma, o por lo menos inquietante. Así leo también un poco ahora, a golpe de antojo, picoteando sin orden ni concierto, y todo se queda en inyección subcutánea. Pero no creas que me pasa sólo con los libros, me pasa con todo, Sofía, porque estoy intranquila, sin arraigo. Cambio de sitio a cada momento y de postura y de enfoque, ensayo diferentes estilos de escribir y en ninguno me hallo a gusto, siempre buscando en la literatura, en mis sueños, en conversaciones de olvidados pacientes y hasta en los rostros de la gente que circula por este hotel una referencia, indagando a ver cómo se las arreglan ellos, esos otros, cómo organizan su tiempo. Porque la cuestión, ya lo decía mi padre, es pasar el rato, pasarlo sin daño, que los cristales rotos de ese tiempo devastador no se te claven.

Sólo por amor propio no te llamo, Sofía, y no te grito «¡Ven!», por lo mismo que no te mandaré tampoco esta carta, por no cargar a nadie con mis pesadas disquisiciones. Y sin embargo, en cuanto me pongo a auscultarme, no falla, sale tu nombre. Mejor dicho el mío, porque al tratar de recordar el tono de tu voz, esa voz dice «Mariana», es lo que dice siempre, acentuando la í con dulzura, lo digo yo, te copio, ya ves, como si se pudiera. No encuentro mi voz ni mi sitio, ¿sabes?, eso es en resumen lo que me pasa, y necesito robárselo a otro, a quien sea, lanzarme a la suplantación del prójimo vivo o muerto, ficticio o real, al saqueo de sus respectivos territorios. Yo creo que tú no, que tú no estás así, por mucho que te acose lo doméstico, tú sabes crear sitio hasta en un cóctel, rodearte de esas murallas invisibles que te refugian, eso es lo que más te envidio, tu capacidad para aislarte, lo que más le envidiaba a Guillermo también.

Y se me ocurre pensar de pronto: el que salga la Mansfield en mis sueños, si es que ha salido, ¿no podrá ser también una tendencia de mi subconsciente a identificarme contigo? Lo digo por el comienzo de tus «deberes», que tengo precisamente en la mesa supletoria y los he leído tantas veces que todo lo que he escrito desde entonces lleva ese sello tuyo de las descripciones minuciosas. Y es curioso, no necesitaste que yo ni nadie te dijera «apunta tus sueños». La noche antes de encontrarnos en la exposición de Gregorio —que ya me parece que hace siglos— habíamos estado juntas en los pantanos de Gimmerton, o sea que fue Emily Brontë la que nos avisó de que a las pocas horas íbamos a volver a juntarnos de verdad, aunque tú no le das siquiera esa interpretación. Parece que estabas tan de verdad conmigo en aquella ladera primaveral como cuando volviste la cabeza del cuadro de los huevos fritos y nos quedamos frente a frente, mirándonos entre el gentío, no cambias de estilo, eso es lo que me llama la atención. Te limitas a contar una cosa detrás de otra, sin buscarle más tres pies al gato, como si todo perteneciera al mismo reino, la vida corriente y los prodigios, la señora Acosta y las hermanas Brontë, lo irreal y lo tangible, siempre fuiste así, y a mí me daba rabia. «Pero tú estás mal de la cabeza, Sofía, hablas de Yolanda, la hija del Corsario Negro como si acabaras de verla y de hablar con ella.» Y tú, con aquellos ojos transparentes y llenos de extrañeza: «Pues claro, es que la he visto, es que la conozco, ¿tú no?» Y yo te envidiaba precisamente por eso, aunque creo que nunca lo has sabido, porque no veías barreras entre la vida y la literatura, por tu estar en las nubes. Te envidiaba profundamente y te quería copiar. Pero nunca me salió bien y, claro, me daba rabia, es como si tú pudieras volar y yo no, y encima no te dieras cuenta de que estabas volando y de que los demás no veían los mismos paisajes que tú. Yo a veces fingía verlos y te engañaba a fuerza de observarte y robarte la luz y las palabras. Era eso lo que hacía: con retales de la labor que dejabas caer inadvertidamente me cosía vestidos que a ti te parecían originales, pero yo sabía bien que no. Hasta que me empecé a encontrar incómoda y se me agrió tu eterno beneplácito, el entusiasmo ante aquellos estilos Montalvo que yo te devolvía caricaturizados. Y por eso a partir de cierta edad, hora es ya de confesártelo, me propuse renegar de aquella simbiosis contigo, que a duras penas me empeñaba en ocultarme a mí misma. Y reaccioné en el sentido contrario, exagerando nuestras diferencias. Pasa mucho.

Pero bueno, qué barato resulta contado así, qué elemental, mi querido Watson, siempre acaba saliendo la doctora. Y en cambio el hilo del sueño se ha ido sin remedio, y se me desdibuja la cara que decía «no le deis de comer», estaba tan oscuro, pero yo creo que era la de Katherine Mansfield, pálida, con esos ojos negros y fijos de moribunda, le doy la vuelta al libro, no la quiero ver más. ¡Cómo me duele la cabeza! Voy a pedir el desayuno.

El desayuno lo suelo tomar en la terraza, porque el buffet de abajo ofrece demasiada tentación de proteínas, y el pantalón vaquero que me compré en Cádiz ya me cierra con dificultad («un café con leche, tostadas y un zumo de naranja para la 203»), y antes de que me lo suban miro la hora, pongo el hilo musical y me meto en la ducha. Y es cuando el día se me ofrece como un cheque en blanco, de una blancura inerte, sin sobresaltos ni provocaciones.

Y vuelvo a saber una vez más que la vida está en esos vertederos de escoria y confusión que tantas veces he explorado sin mancharme las manos, hurgando en ellos desde arriba con un bastón para analizar la etiología de sus distintos detritus e intentar clasificarlos. Tarea no tan fácil, porque bullen amalgamados con la materia orgánica y de la mezcla sube un fuerte olor no siempre estimulante sino más bien nauseabundo; y he seguido con desigual convicción en un empeño de revolver con la mano derecha esa basura ajena, mientras me tapaba las narices con la otra, pensando más de una vez que estoy engañando a quienes pretendo ayudar y sometiéndolos a un experimento doloroso e inútil, robándoles su tiempo y su dinero, porque la vida no se puede catalogar más que falseándola; la vida que salpica y dispara desde distintos flancos a la vez y se nos abraza al cuello como un pulpo, ésa hay que sortearla como sea, jugándose cada cual su pellejo, unas veces sale mejor y otras peor, no sirven las reglas. Y comprenderlo aumenta la desazón.

Apunte usted sus sueños.

—Claro, se dice pronto —como me contestó una día una viuda ya no demasiado joven, atormentada por la urgencia de sus frecuentes deseos sexuales y la necesidad de prohibírselos—, o son sueños y se toman como son, o se apuntan, y entonces ya no son sueños. Además yo bastante tengo con ejercer por el día de viuda, en vez de cantar a voz en cuello cuando me apetece, y por la noche no poder tirarme a la calle a buscar un tío, porque no me han educado para eso, y luego el miedo a cogerte lo que no tienes, y qué dirán los hijos, que quieras o no se acaban siempre por enterar. Pero en mis sueños, pues es eso lo que sale, qué otra cosa va a salir. Que me caso vestida de blanco y que hago recados y visitas y comidas y maletas y que voy al cine siempre con el mismo señor, con eso nunca sueño, porque es una pesadez, y otros veintitantos años aguantando mecha no los querría ni loca, pero un poco de juerga sí. Son cosas que no se pueden decir y por eso acaba una mal de los nervios, pero yo a Luis lo echo de menos sólo por las noches, lo de la cama sí, lo de la cama me encanta.

Se llamaba Almudena, de condición social inferior a la de

184

su marido. Lo tengo en una cinta que resumí a máquina en Puerto Real, trabajo atrasado, y ayer estuve leyendo la ficha, cuánto trabajo atrasado se amontona, y total para qué. Almudena Sánchez viuda de Portillo. Vino muchas veces y su discurso era liberador, adulterado y exuberante, me dejaba como de palo y, desde luego, sin argumentos.

—Se lo cuento —me dijo un día— para que usted lo escriba, porque así no lo desperdicio y un poco para desahogarme, por eso hablo con usted, que no se escandaliza de nada, como es natural, y me resulta cómodo. Pero no para que me cure, eso ni por las entretelas del cerebro se me pasa, porque la vida, doctora, no tiene cura.

No, no la tiene. Anoche precisamente lo pensaba yo, porque estuve oyendo la cinta que me grabó Manolo Reina con su voz, una voz que me sigue poniendo los pelos de punta, y me acordé de Almudena, que, por cierto, es una paciente antigua que ya no ha vuelto, de cuando decía que lo más difícil para ciertas mujeres es resignarse a no adornar una pasión, simplemente sufrirla o disfrutarla, pero comérsela en crudo sin más aderezos.

—Debe ser —me dijo— porque como nos dan de pequeñas tantas recetas de guisos y leemos tantas revistas que tratan del adorno, pues anda, adorno y guiso también para justificar aquello de «hasta que la muerte nos separe», que además es mentira, porque luego la muerte nos separa y como si nada, ya ve usted lo que me está pasando a mí.

Era graciosísima aquella Almudena, parecía una actriz de cine italiano, y lista como un rayo, de las que te ven pensar. Y anoche, cuando estaba oyendo la voz de Manolo en la terraza y mirando las estrellas, se me cruzó su imagen sin saber por qué: me pareció volverla a ver mirándome con aquella especie de cachondeo:

—¿Y a usted qué le pasa? ¿Es de corcho? Porque los de su oficio nunca sueltan prenda. Sería mejor que también usted me contara algo.

Fue cuando de repente me puse a hablar con ella. Al principio, me estaba dirigiendo a Manolo. Le había dado al stop del radio-casette para interrumpir su discurso en un momento álgido: empezaba imitando el ronroneo de un gato —que lo hace muy bien, sobre todo al oído—, y luego se oía el mar, «son efectos especiales, Mariana», y ya cambiando el tono seguía repitiendo mi nombre muchas veces, despacito, como si respirara, y tras una pausa, sobre el fondo de olas rompiendo, de nuevo su voz: «Te necesito ahora mismo, ¿te enteras?, a-ho-ra a-ho-ra a-ho-ra, me acuerdo de ti furiosamente, oyes el mar, ¿verdad?» Y metí una cinta virgen para contestar a eso casi a tres años de distancia, porque la voz es lo que tiene, que te puede emborrachar aunque esté embotellada, hacerte perder la brújula, y fue lo que me pasó, que me sentí como extraviada en un laberinto que anulaba el tiempo y desenfocaba la perspectiva, debió influir el rumor de las olas allá abajo en la playa, tan igual a sí mismo, tan eterno. Me temblaban los dedos al poner la cinta nueva, de pura prisa por aprovechar aquella coincidencia de ritmos, por adecuar mi vértigo al suyo. «Oigo el mar, sí, lo oigo, qué voz tienes, por favor, dime más, pero escúchame también, a-ho-ra a-ho-ra a-ho-ra, yo también te necesito precisamente ahora, ¿te gusta que te lo diga...?» Y de pronto, sin transición, se me quebró el susurro y pensé: pero bueno, si él ya tiene otra novia, otra vida, si nos separan miles de millas, ¿de qué le estoy hablando y a quién?, es engaño de los sentidos, por no coincidir, ni la hora coincide, porque en Nueva York será media tarde y ni siquiera puede estar mirando estas mismas estrellas que yo miro, y se me empezaron a caer las lágrimas por la cara, se habrá ido al cine con su chica, una yuppie de treinta años, ¿cómo será?, nunca me ha mandado fotos, dominante seguro la tal Sheila, no le debe dejar ni respirar, las cinco de la tarde en Manhattan, viven en el East Side, puede que esté tumbado en su apartamento esperando a que ella vuelva de la galería de arte, o tal vez tengan perro y lo haya sacado de paseo, o esté eligiendo latas de conserva en un supermercado, qué más da, en todo caso, ¿a qué soñarlo como receptor de este mensaje intempestivo?, le sonaría a chino.

Y ahí es donde se me cruzó el recuerdo de Almudena, que

tantas veces se había quejado de que los psiquiatras no contamos nada, y cambié de interlocutor sin más ni más. Todo eso del perro y del supermercado y de la novia neoyorquina absorbente ya se lo estaba contando a Almudena, presa de un ataque de celos extravagante, pero tan intenso que no dejaba de llorar y tuve que echar mano de un kleenex. «Para que veas, guapa, que los psiquiatras no somos de corcho», concluí, extrañada yo misma de la obsesión que me ha entrado estos días con Manolo Reina, mucho más que cuando lo tenía disponible y se refería con toda convicción a un futuro en el que compartiríamos sueños, lecturas y viajes, que entonces hasta me empachaba un poco, sí, cuando yo le recitaba aquello de «se canta lo que se pierde». Pero, en el fondo, sus proyectos de futuro me inyectaban futuro, y por eso me podía permitir el lujo de rechazarlos, porque me convertían en alguien que tiene unos cimientos sólidos y la vida por delante. La vida aquel verano, cuando entré por primera vez en la calle de la Amargura, era un camino largo lleno de encrucijadas donde aún iban a aparecer muchas posadas para hacer noche, y también cabía pasar la noche al raso, que así duerme la liebre en el erial, podía escaparme, si lo elegía, y transformarme en liebre solitaria y arisca, mandar yo en mi destino. Lo que no aguanto es la idea de sentirme mandada retirar, ahí está el quid de la cuestión, el amor para mí es un pretexto, me da pie para jugar a todo o nada, para desafiar el riesgo de perder sin dejar de llevar las riendas, retirarme yo de la mesa cuando lo decido, no cuando me retiran. Los hombres, Almudena, siempre han sido un pretexto para mí. ¿Me ves llorando ahora?, pues hace dos semanas lloraba igual por otro, y me parecía que aquello era el fin del mundo, pero sobre todo por eso, porque se me hundió el mundo al sentirme mandada retirar, que qué razón tuvo él al decirme que estaba de psiquiatra.

Y por ahí ya salió a relucir la historia de Raimundo con menciones a Silvia, y hasta la de Guillermo, aunque de Guillermo, si pretendo ser sincera, hace siglos que no me acordaba, ya cuando fui a estudiar a Barcelona la evocación de su imagen no me producía el menor trastorno, y le confesé a Almudena que si me había sentido impulsada recientemente a novelar ese amor antiguo la causa había sido tu reaparición, Sofía, que me ha removido tantas aguas turbias y me ha puesto en el disparadero del strep-tease solitario. De tal manera que acabé hablándole no sólo de ti y de las cartas que te escribo y no te mando, sino dirigiéndome también a ti cuando venía a cuento, y a Raimundo y a Silvia, y a Manolo, con lo cual cada vez se llenaba de más presencias fantasmales la terraza y mi monólogo tomaba un sesgo delirante, quizá una buena idea para pedir una beca de teatro al Centro de Nuevas Tendencias Escénicas; aunque puede que ya esté inventado esto del interlocutor múltiple.

Pero se me fue desinflando el impulso creativo y al final mi parlamento volvió a los carriles teóricos, como una conferencia impecablemente preparada, donde los nombres propios eran meras citas a pie de página. Echaba mano de ellos para ir orientando el rumbo de mi discurso hacia un final no feliz. Como un niño avieso que se goza en sacarle las tripas a todos sus juguetes, así iba yo haciendo la autopsia del éxtasis amoroso, cada vez más doctora-león ante la distante Almudena, haciendo gala de mi lucidez pero consciente de que obedecía a un resorte defensivo, de que todas mis teorías sobre el amor pretenden ser vacuna contra el veneno incubado en ese agujero negro que excava impenitente la soledad.

¿Y qué le decía, a fin de cuentas? ¿Qué había sacado en consecuencia de mis experiencias eróticas? Pues, en resumen, eso: que no nos podemos meter en la piel de nadie por mucho que nos parezca haberlo logrado mediante un espejismo momentáneo de fusión, eso es lo que creía ver claro acurrucada en la terraza con mi pijama de seda y hablándole bajito al magnetófono, aunque en un tono opaco, bien distinto del que me provocó el espejismo de fusión con Manolo. Que el amor es aventura sin designio, según reza el credo de los agnósticos, una creencia fría, nítida y azulada como la luz de luna sobre las olas agonizantes, que no hay fusión que valga, desengáñate, Almudena, que cada ser es radicalmente distinto de otro cualquiera, aunque a veces estallemos al mismo tiempo, como

188

las olas que se persiguen y coinciden un instante en su cumbre de espuma, sí, exactamente igual que las olas, repetía tristemente acunada por su rumor apagado y uniforme allá abajo en la playa, gozar, deshacerse y dejar paso a las que vienen detrás, y así una vez y otra. Somos seres discontinuos, qué le vamos a hacer. Pero se aguanta mal. Por eso nos agarramos como a un clavo ardiendo al encuentro amoroso, por nostalgia de la continuidad perdida, ya lo dice Bataille, porque nos resistimos a morir encerrados en nuestra individualidad caduca. La plétora sexual es un sucedáneo que trata de remediar el aislamiento del ser, pero sólo lo proyecta fuera de sí. Y aunque, en el mejor de los casos, pueda coincidir con la proyección fuera de sí desencadenada en otro, siempre se tratará de dos individuos que, si comparten algo, es un estado de crisis. La crisis más intensa que se pueda imaginar, pero al mismo tiempo la más insignificante. Lo mismo que las olas, perseguirse, gozar y luego deshacerse por separado.

Y hubo un momento en que resultaba tan descarado que estaba resumiendo lecturas recientes y aprovechando comienzos de un trabajo que no sale, que me paré en seco, creo que fue entonces cuando le di a la tecla de stop, porque me acordé de que a Almudena Sánchez difícilmente se le metía gato por liebre y me imaginé su gesto burlón, mientras entornaba los ojos un poco miopes cercados de arruguitas: «Pero bueno, doctora, se está volviendo a ir usted por los cerros de Úbeda y no me cuenta lo principal, qué tal le iban las cosas con ese chico de la voz bonita. ¿No le gustaría que de repente la llamara desde recepción y le dijera que si puede subir?, con esta luna entrando en el cuarto, vamos, no me diga, por poco que durara el espejismo de fusión, que además no tenía por qué durar tan poco, depende del chico.» No sé si esto o algo parecido lo llegué a decir yo misma en voz alta, tal vez copiando la voz de Almudena, ya me enteraré cuando ponga la cinta, si es que me apetece algún día, la he debido dejar en la mesita supletoria, ahora sólo pensar en volver a oírla me da náusea, ¡son tantos testimonios descabalados, metidos en pequeños ataúdes de cristal!

Estaba completamente desvelada y me quedó una desazón que fue en aumento y me llevó luego, ya en la cama, a coger la novela policiaca y el diario de la Mansfield. Porque necesito más que nunca escribir, Sofía, pero del ensayo me he aburrido, ninguno de los comienzos me sirve, y ando buscando otros modelos literarios para dar salida a todo lo que tengo pendiente, me gustaría consultar contigo estas dificultades, que nos pusiéramos a hurgar juntas en el montón de historias propias y ajenas que guardo sin entender, aunque lo que sí empiezo a entender es que del choque de unas cosas con otras surge esa especie de fosforescencia que me inquieta pero también me guía, la misma que aparece en mis sueños.

Me quedé un rato callada, con la cabeza apoyada en la pared de la terraza, conteniendo un poquito la respiración —«basta, no pienses nada, quieta»—, como si quisiera purgarme de tanta palabrería y dejarme invadir simplemente por el olor del mar y la brisa fresca de la noche, que ya ni de eso sabemos gozar —«cuántas vueltas le das a todo, Mariana, mujer, vas a perder la cabeza, anda, no te importe llorar»—, y a la claridad azulada de la luna, que dulcificaba mis lágrimas, se añadían las rachas intermitentes de luz de un faro que se ve a la derecha de la playa, en lo alto de un promontorio.

A la izquierda de ese faro está el chiringuito al que me llevó varias veces Manolo aquel verano. Le gustaba mucho el sitio. «¿Vamos al bar de Rafa?» Precisamente fue él quien me dijo una tarde que cerca de allí había un hotel muy bueno, por si algún día me daba por escaparme de los locos y meterme a pensar en ellos, y me lo señaló cuando salíamos a buscar su coche para volver a Cádiz, un Fiat Uno azul con tres abolladuras. Fue la primera vez que vi este sitio, destellando a la luz de un ocaso lento y encendido que nos paramos a saborear con el aire en la cara hasta que se apagaron los últimos resplandores. «Para mañana se barrunta Levante», dijo él. Había sido un día entero al aire libre, con parada y baño en distintas playas de la zona, suero en vena, de esas raras veces en que todo te sabe a estreno y te vivifica minuto a minuto. Y aquel sol rojo, al hundirse en el mar, parecía estar ahuyentando el miedo para

190

siempre, impregnando de libertad todos los momentos que fueran a seguir a aquél. «Pues es un paraíso de hotel, ya te digo, por las noches traen orquestas estupendas, por cierto, ¿te gusta bailar?», le dije que sí, y quedamos en venir a bailar alguna noche, pero luego nunca se terció. Eran los comienzos de nuestra breve historia. Nos quedamos allí juntos a media cuesta, cogidos de la mano, hasta que la última uñita colorada de la bola de fuego se llevó aquel día, cuyas promesas de continuidad tantas veces he querido rescatar sin conseguirlo. Anoche, ahora que lo pienso, es eso lo que intentaba hacer cuando le hablaba al magnetófono: volver a vivir aquellos comienzos, hacer eterna la esencia de lo fugaz. Lo que también pretendía Katherine Mansfield, pobre chica. Está visto: no hay como ducharse para entender las cosas.

Y ya completamente espabilada debajo de la ducha, las palabras provisionales del diario de la Mansfield, desnudas de retórica como los quejidos de un enfermo, me vuelven a traer su añoranza de infinito, su rebeldía inexpresable e inútil. Todo lo diferido se va pudriendo, ella lo sabe, se desespera de saberlo, de no tener tiempo para dejar en el mundo algo parecido a una huella; y esta noche en el sueño lo que ha hecho ha sido pasarme la antorcha de esa inquietud candente. «No le deis de comer», claro, ahora me acuerdo, se desdobla en otra que le manda escribir y desatender las coartadas de la inercia. «Una de las K. M. está triste —escribe—. Pues dejadla. No le deis de comer.» Ésa era la clave: No dar pasto al desánimo.

Clave de sombra, Sofía, ahí la tienes, escondida bajo ese tropel discontinuo de imágenes que la doctora León aconseja controlar. Imágenes que cabalgan por pasadizos abovedados en cuanto cerramos los ojos y quitamos el dique que la voluntad o el reloj suponen para su vocación de desbordamiento. Porque han nacido para desbordarse y luego perecer. Y también son caducas las arengas que dirigimos —y por el orden en que se las dirigimos— a los fantasmas de nuestro teatrito particular. Personajes variables y ambiguos, que en el caleidoscopio de ese desbordamiento van cambiando de rostro, de nombre y condición, disfrazándose! con ropajes que sus antecesores han dejado caer.

191

Siempre, hasta en sueños, funciona en mí la metáfora del teatro. Abandonarse al sueño o a la ensoñación es como entrar en el teatro y al salir recordar la función sólo a medias, a sabiendas de que se va a borrar si no tenemos ocasión de comentarla con alguien. Hasta que, claro, se borra.

Toda esa riqueza camina en espiral y haciendo remolinos a sumideros invisibles, conjurada por la luz que pone en fuga a los murciélagos, disuelta con el agua de la ducha que me resbala por la piel.

El día es un cheque en blanco, pienso de nuevo cuando, ya duchada y vestida, le abro la puerta a la camarera que viene con el desayuno y el periódico local.

—¿En la terraza, como siempre?

Y yo le digo que sí, que como siempre, y la palabra «siempre» me hace cosquillas porque me pregunto cuánto tiempo llevo aquí. Y veo que la camarera, al avanzar, echa una mirada incrédula hacia la mesa supletoria cada vez más atiborrada de papeles.

—Tenía usted razón que le hacía falta, y yo decía que por qué no se arreglaba con la de mimbre, no le cabe ni un alfiler.

Y vuelvo a acordarme de la Mansfield y noto en la desgana con que merodeo por esa zona, como quien hace cola en una oficina de desempleo y no sabe siquiera de qué color es el impreso que tiene que rellenar, que pocas veces he tenido menos claro el tipo de trabajo que he venido a hacer aquí, cuando, por otra parte, la urgencia por meterme a trabajar a fondo me inyecta una olvidada sensación de fe ante este propósito de escollos y perfiles cambiantes. Y pienso que todo sigue pendiente, y que lo que tendría que hacer es...

Y me aparto para que pase la camarera, porque no sé lo que tendría que hacer, de momento espabilarme un poco. Y la sigo a la terraza, y vislumbro al pasar varios papeles que dejé escritos anoche a modo de recordatorio con consejos y advertencias para aprovechar mejor el tiempo de hoy, como si adivinara que iba a necesitar contrarrestar el opio de esta retahíla provocada por las fragmentarias imágenes nocturnas.

Imágenes mestizas, que son sin embargo —y eso es lo único

192

que he sacado en limpio— la misma vida que en vano lucho por apresar en mis escritos diurnos, organizados y sensatos. En ellas late el pulso del tiempo que se me va, en ellas se adivina su verdadero rostro. Lo que quizá tendría que hacer es atreverme con un texto poético donde diera rienda suelta a todas estas contradicciones, con una novela quizá, y dejarme de tanto psicoanálisis. Y siento la tentación como una punzada muy intensa. Tal vez empezando por describir la puesta de sol de aquella tarde cuando Manolo Reina me señaló este hotel por vez primera. Seguramente es lo que harías tú, Sofía.

La camarera ya ha dejado el desayuno en la terraza y me está mirando perpleja, porque le corto el paso para salir.

—¿Quería usted algo más?

—No, gracias.

—Pues nada, hasta luego y que aproveche. Me han preguntado en la sauna que si va usted a bajar antes de las once.

—No sé. Ahora llamaré.

Desde la terraza se ve el recinto lujoso de la piscina y se vislumbra el interior de otras habitaciones que, como la mía, se asoman a ella. En casi todas las terracitas hay toalla y bañadores. Otro día te hablaré de mis vecinos de la 204. Ellos solos dan para otra carta. Hace un día glorioso, y un empleado con mono naranja está limpiando fondos en la piscina aún solitaria.

¿Qué voy a hacer después de desayunar? Seguro que, a pesar de los consejos de la Mansfield, la voluntad, como descabezada de su tronco, quedará a merced de errabundos instintos que me sacarán del cuarto y acabarán llevándome a vagabundear por ahí, sin que tampoco mis pasos me deparen un especial disfrute, obsesionada como estoy por la relación que guardan entre sí los papeles de la mesita supletoria, por las preguntas que plantean. Y se me cruza, como un relámpago, la certeza de que en cuanto volviera a Madrid y entrara en mi despacho del mirador desaparecería esta sensación de incertidumbre. Pero rechazo la idea. Desde la cuerda floja por la que avanzo, aquello me parece un bunker. Tengo que afrontar el vértigo de la indecisión, que es de donde podría salir algo que valga la pena, una revisión de mi rumbo.

Desde la piscina se baja a la playa por unas escaleras bastante empinadas. La playa es de arena muy dura y cuando la marea está baja como hoy, se puede llegar al pueblo andando por ella. Unos cinco kilómetros. Pero yo suelo ir por el otro camino interior.

Cruzo las piernas y extiendo con toda parsimonia la mantequilla sobre la tostada. Desayunar en un hotel de lujo cuando seamos mayores... ¡Cómo me gustaría que estuvieras aquí, Sofía!

XI. DE UNA HABITACIÓN A OTRA

Pensar es ir saltando de una habitación en otra sin ilación aparente, estancias del presente y del pasado, algunas aún accesibles, otras cerradas para siempre o derruidas, nuestras o no, tan pronto morada estable como refugio eventual del que solamente quedó un olor o una sombra movediza proyectada en el techo, en qué ciudad sería, yo tardaba en dormirme y oía ruidos por el pasillo, hotel, casa de gente conocida, de qué mano entré allí. Habitaciones que se dislocan, bifurcan e intercambian volúmenes y adornos cuando surgen en sueños al servicio de un argumento con pegotes del cine o las novelas, y las transita uno disfrazado, sin atreverse a reconocerlas del todo, luchando por entender qué oscura fuerza nos ha vuelto a traer a esos umbrales y por recordar adónde llevaba el largo corredor que se adivina al fondo.

Los recuerdos están repartidos por habitaciones que el pensamiento visita cuando se le antoja, a un ritmo imprevisible, ajeno a nuestras riendas. Pensar es ir saltando de una en otra, y a esta aventura, si os veis embarcados en ella, no le pidáis razones cronológicas. Cada habitación lleva cuatro o cinco dentro, como las cajitas chinas, con la diferencia de que de una vez para otra alguien a tus espaldas las revuelve y transfigura. Sólo sabes que la de fuera es esa cuyas paredes estás viendo y tocando cuando la cabeza se dispara y empieza a divagar.

«Está bien eso de las habitaciones, muy poético, ¿qué más?

195

¡Siga, no lo deje!», digo entre dientes. Unas veces en tono grave y apagado si el mensaje que mis labios recogen me llega desde un aula, tal vez ya reformada o desaparecida, del Instituto Beatriz Galindo; otras con voz más cálida y cercana («Sigue, Sofía, por donde sea y hablando de lo que sea»), cuando procede de cierto despacho con diván en el que nunca he entrado, aunque albergue un reloj y una lámpara que me son familiares.

Cuánto me gusta que Mariana en su carta haya entendido que lo más importante era describirme la habitación donde trabaja, y que luego necesitara echar la cortina para seguir hablando conmigo de otra manera, porque la visión del diván le torcía el discurso. Claro, qué bien entiendo eso. He tomado muchas notas en un cuaderno pequeño acerca de lo que significa mudar de sitio los muebles o cambiar de cuarto. También he escrito en ese cuadernito auxiliar un poema, «La casa del mirador», inspirado en nuestra interpretación infantil del dibujo cambiante de las nubes. La casa que Mariana niña veía reflejada en ellas va mudando poco a poco de perfil dentro del poema hasta convertirse en esta que de adulta me describe, una casa incorporada ya para siempre a la mía, a pesar de no haber entrado en ella, igual que mi discurso se engarza con el suyo, aunque cada cual lleve su camino, y ni ella ni yo sepamos siquiera si van a encontrarse, ni cuándo.

«Eran los nuestros sueños divergentes/como también ahora nuestras vidas...» Sigue, Sofía, aunque sea en endecasílabos. Sigue por donde sea y hablando de lo que sea. Mariana me lo manda y su carta, tantas veces releída, da pasto continuo a la divagación.

Desde que la recibí duermo en la cama turca del cuarto de Amelia, porque me quedo escribiendo y mirando papeles viejos hasta muy tarde. Enhebrando y tratando de entender historias arrinconadas que convocan el insomnio, mariposas de noche que sólo se dejan perseguir sin testigos y de puntillas. «No suelte usted nunca el cazamariposas, señorita Montalvo.» No, ahora lo agarro bien. Pero lo tenía perdido, guardado, sin saberlo, entre los repliegues de este cuarto, que también ha ido sufriendo transformaciones a lo largo de los años, el último que decoré con ilusión para mi última niña.

Ni siquiera ha sido una decisión quedarme aquí, mientras ella viaja por las nubes. Vino rodado, como todo lo que vale la pena, como cualquier cambio revolucionario de puro simple, inconcebible antes de surgir. Pues nada, he abandonado la alcoba conyugal, así como suena. Y para Eduardo creo que ha supuesto un alivio. De todas maneras, la primera noche acusó sorpresa y se sintió en la obligación de preguntarme qué estaba haciendo.

Era tarde y oí sus pasos que se paraban delante de la puerta iluminada del cuarto de Amelia, como dudando si entrar o no. Por fin lo hizo y se quedó de pie algo violento, mirando la lámpara encendida y los papeles dispersos encima de la mesa. Tenía mal aspecto y ese gesto de perpetua tensión interior que se refleja en la mirada huidiza.

—¿Tan tarde levantada?

—Ya ves.

—¿Y qué haces?

—Escribir. Cosas mías.

No acusó la menor curiosidad. Todo en su persona exhala ahora como una mezcla de prisa contenida e indiferencia.

—Ya. Pues eso no es malo.

—No, que yo sepa, lo hago por prescripción facultativa.

Pareció alterarse ligeramente y me preguntó que si había vuelto al psiquiatra. Yo bajé los ojos hacia la mesa y mi caligrafía me hacía guiños amistosos desde el cuaderno y los papeles sueltos, como la luz de un faro. Sonreí. Me sentía totalmente dueña de la situación.

—No, hombre, no te preocupes. Es que tengo un *alter ego* que me manda escribir. Esquizofrenia, si quieres, pero controlada. Delegas en otro para que te cuente lo que te pasa, y ese otro, que también eres tú, lo mira todo desde fuera. Luego, cuando quieres recordar, se ha separado de ti y acaba existiendo. Fue lo que les pasó a Álvaro de Campos y Alberto Caeiro.

Me miraba cada vez más inquieto.

—¿A quiénes?

—Dos de los heterónimos de Pessoa. Y había otro también... ¿Cómo se llamaba el otro?

—No sé, ¡qué humor tan raro tienes!

Apoyé la barbilla en las manos y me quedé mirando al vacío. La lectura de Pessoa la tengo reciente y me apetecía explorar con ella las aguas estancadas del alma de Eduardo, como si echara una caña con cebo.

—Mi carácter es tal que detesto el comienzo y el fin de las cosas —recité—, por ser lo uno y lo otro puntos definidos. Toda la constitución de mi espíritu es de perplejidad y de duda. Así como el panteísta se siente árbol y hasta flor, yo me siento varios seres...

—Por favor, Sofía —me interrumpió impaciente—, no te hagas la sublime, porque no te sigo.

—Ya veo, ya. Pues nada, no hagas esfuerzos.

Trató de dulcificar su respuesta.

—Es que me estoy cayendo de sueño, compréndelo.

—Lo comprendo. El sueño es libre. Entre el mundo y yo hay una niebla que me impide ver las cosas como verdaderamente son: como son para los otros. No pondero, sueño. No estoy inspirado, deliro... ¡Ricardo Reis se llamaba el tercer heterónimo, me acabo de acordar!

—Vaya, mujer, me alegro de que eso no te vaya a quitar el sueño. ¿No estás cansada?

—¿Cansada? ¡Por favor! ¿Sabes lo que voy a hacer? Quedarme a dormir aquí para no molestarte luego.

Hubo una breve pausa.

—Muy bien, como quieras —dijo.

Repitió que él estaba cansadísimo y que se iba a dar un baño. Nos deseamos buenas noches y oí sus pasos que se encaminaban hacia El Escorial. Eso fue todo.

Luego ha estado dos días de viaje, y a la vuelta ya no ha hecho comentarios sobre mi traslado al cuarto de Amelia, como si diera por aceptada esta tregua provisional. Su hermana Desi le llama mucho. Lo noto rarísimo y sé que amaga tormenta. Pero de momento me deja totalmente en paz.

Mientras no reúna las fuerzas y las ganas —si las llego a reunir— de mantener con él una conversación consistente, capaz de abrir brecha en el muro que nos aísla, o al menos intentarlo, me resulta francamente incómodo seguir acostándome al lado de un señor que cuando llega de madrugada no te dice de dónde viene y a quien mis esfuerzos por disimular los cambios de postura que provoca el insomnio y fingir una respiración regular deben resultarle tan penosos como a mí los suyos por amortiguar el zumbido de sus obsesiones ocultas y teñir de normalidad las pocas palabras que me dirige antes o después de meterse en la cama.

Son dos camas adosadas de pata gruesa y larguero sólido, con cabecera común y cubiertas de día por la misma colcha, regalo de mi cuñada Desi; una tela de dibujo exclusivo, según ella, a quien la palabra «exclusivo» se le derrite en la boca como un tocino de cielo. En rombos rosa y gris. Algo tiesa. Y mala de doblar. Son difíciles de hacer estas camas tan pegadas y que fingen ser una, porque pesan bastante y separarlas cuesta. Se hacen mejor entre dos personas.

—Yo no sé si será por el colchón Flex tan gordo —dice Daría—, pero pesan más que un matrimonio mal llevao.

Lo dice, claro, con intención. Pero lo que encuentra más absurdo es tener que estirar la colcha de los rombos para que parezcan una sola cama, lo ve como una auténtica engañifa.

—Si son dos camas, pues dos camas, ¿no?, y cada una en una esquina, para que cada cual se tumbe cuando quiera, que así se molesta menos al prójimo. Y un biombo en medio, ustedes que se lo pueden pagar, de aquellos de chinos y de pajaritos bordados en la seda, que mire usted que eran preciosos, eso sí que era lujo. Como la cama grande que me regaló usted cuando se mudaron del otro piso, anda que no ha pasado tiempo.

Antes, en el piso de Donoso Cortés, donde vivíamos cuando nacieron los niños, teníamos una cama de matrimonio. Era de madera antigua, con incrustaciones de metal, y procedía de un pueblo de Teruel, de donde es oriunda la familia de Eduardo.

Ya estaba allí antes de casarnos, cuando él vivía solo en ese piso, junto a un pupitre grande y horroroso que ni sé de dónde venía ni dónde habrá ido a parar, estanterías apañadas con ladrillos y multitud de libros por el suelo.

Recuerdo la primera vez que Eduardo me llevó allí. Era a principios de otoño, yo acababa de terminar con Guillermo y estaba muy triste. Entraba una luz grata a través de las persianas verdes, y se notaba una bocanada de fresco viniendo de la calle.

—Parece de película neorrealista italiana —dije, en el umbral de la habitación.

—Tú también pareces en este momento una chica del cine italiano, con ese aire de pordiosera —dijo él—. Así que te va el decorado.

Fue la primera vez que me llamó pordiosera.

—Debe ser que estoy triste. Además lo destartalado no me disgusta.

No le dije por qué estaba triste ni él me lo preguntó.

Habíamos comido en un bar de la zona, y lo último que se me podía ocurrir es que tuviera intención de acostarse conmigo. Pero algunas cosas pasan así, por las buenas, sin que uno se dé cuenta ni se ponga en guardia. El caso es que en aquella casa me quedé yo embarazada de Encarna, que por eso fue el casarnos. Era un piso alquilado de renta antigua, con una distribución muy rara, varios cuartitos chicos que no se sabía para qué podían servir, y una cocina con fogón antiguo. Las dos únicas habitaciones bien arregladas eran las dos del fondo, donde Eduardo había puesto un bufete de abogado laboralista con dos amigos, que lo eran también de mi hermano Santi.

Luego, cuando nos casamos, el dueño nos dejó hacer obra, porque era pariente de Eduardo y además teníamos pensamiento de comprarle el piso. A mí me daba pereza, pero a él no. Siempre le ha exaltado de forma incomprensible el derribo de tabiques. De aquellos tres cuartitos que parecían recodos en el intestino grueso del pasillo salió otro que quedó un poco irregular, pero simpático. Allí se puso el dormitorio de la cama grande. Daba a un patio bastante luminoso, porque era un piso alto. Me casé embarazada de tres meses y las obras continuaron durante algún tiempo. Yo tenía muchas náuseas. Había dejado completamente de escribir.

A veces, cuando salgo del pretencioso baño-Escorial y miro este dormitorio de ahora con la colcha de rombos, tengo que hacer un verdadero esfuerzo para reconstruir cómo era nuestra vida al principio en Donoso Cortés, sobre qué versaban nuestras conversaciones nocturnas. La verdad es que a Eduardo la fiebre por ganar más dinero a costa de lo que fuera se le declaró muy pronto y vino a invadir con sospechosa celeridad el terreno de sus ideales políticos, a un ritmo tal que cuando me quise dar cuenta, ya la nueva obsesión los había desplazado por completo. Su hermana Desi se había casado con un hombre de empresa riquísimo y bastante mayor que ella, que empezó de empleado en una gasolinera. Para Eduardo era, y ha seguido siendo durante mucho tiempo, un ejemplo a seguir. Fue quien empezó a meterle en negocios de importación y exportación, que, según Eduardo, tenían mucho futuro. A mí la palabra futuro, en este contexto de los negocios y del dinero, me sonaba peor todavía que cuando aparecía adornando un discurso político. De todas maneras, aquella especie de diosa del futuro, tirando trabajosamente de carros y carretas, no era santo de mi devoción. Y Eduardo se empezó a quejar muy pronto de que yo no secundara sus proyectos ni espoleara sus ambiciones.

O sea que por las noches, aparte de fundir nuestros cuerpos con más o menos convicción en la gran cama turolense, hablábamos sobre todo de dinero. Mejor dicho hablaba él. Yo recuerdo una sensación de humedad y tristeza. De decepción.

—Parece que no me escuchas cuando te hablo —decía.

Era verdad. Sus palabras nacían ya anestesiadas para el recuerdo. Yo por entonces pensaba muy despacio, como si las ideas se abrieran paso trabajosamente entre surcos fangosos. Le escuchaba mirando al techo y no sabía qué contestar, ni si tenía que contestar algo. Dicen que les pasa a algunas mujeres durante los embarazos y después del parto. No sé. A mí me pasaba.

De todas maneras, antes de conocer a Eduardo ya algunas personas se me habían quejado de que estaba distraída cuando me daban recados o me hablaban de cosas prácticas. Pero lo curioso es que las conversaciones sobre política, tan cultivadas entre la gente cuando me matriculé en la universidad, tampoco conseguían prender mi atención, me producían una extraña desconfianza. Dios había muerto y había que buscarle ídolos de recambio. A mí, que abomino de todo apostolado, no me divertía nada la agresividad verbal de aquellos disidentes clandestinos. Y desde luego, no estaba dispuesta a derribar a Cristo para entronizar al Che Guevara. Precisamente ésa fue una de las cosas, como creo haber dicho ya, que me habían venido alejando de Mariana desde nuestro último curso de bachillerato. Aquel impaciente afán por desterrar cualquier rastro de injusticia y por solidarizarse en bloque con todos los desheredados del mundo me parecía particularmente insincero en algunas personas de extracción humilde, pero que habían logrado a fuerza de tesón y amor propio descollar en los estudios.

Era exactamente el caso de aquel chico aragonés de labios finos y ceño fruncido que venía a veces a las reuniones organizadas en casa por Santi, mi hermano mayor, aunque tardé bastante tiempo en fijarme en él. Yo los llamaba los conspiradores. La memoria es antojadiza y no sabemos con arreglo a qué criterio selecciona como perdurables ciertos decorados, mientras que otros, que albergaron en su día escenas más significativas, son relegados al reino de las sombras. Digo esto porque la habitación de casa de mis padres donde Santi se reunía con los conspiradores (y que ahora está incorporada al cuarto izquierda, donde vive otra gente) suele meterse de forma tan intempestiva en mis cavilaciones y cruzarse dentro de mis sueños con tal pertinacia, que he llegado a considerarla incorporada anatómicamente a mí, como una especie de tumor benigno enquistado en un repliegue del cerebro y acerca de cuya naturaleza ningún cirujano, en caso de autopsia, sería capaz de emitir dictamen. No recuerdo que en aquel cuarto me ocurriera nada digno de especial mención, aunque dentro de él se estuviera gestando mi destino.

Era el mayor de la casa, tenía un mirador de esquina y siempre estaba lleno de humo. Yo dormía en el de al lado, y por las noches el runrún de los conspiradores me hacía compañía y funcionaba como música de fondo para mis ensoñaciones solitarias, que buscaban a tientas un eco en la escritura. Pero, aparte de la voz de mi hermano, no reconocía ninguna en especial.

«¿Conocéis a mi hermana?», les preguntaba él algunas veces cuando nos tropezábamos casualmente por el pasillo. Y yo, según parece, ponía cara de estar en las nubes, posiblemente un gesto parecido al que, años atrás, me reprochaba el profesor de Matemáticas cuando hablaba de logaritmos. Algunos contestaban que sí, que ya me conocían, e incluso me saludaban llamándome por mi nombre. A mí los suyos acabaron por serme bastante familiares, pero no siempre los casaba con la imagen que le correspondía a cada cual. Concretamente aquel aragonés de extracción rural, Eduardo Luque, que había acabado Derecho con veintiún años y fue quien puso de moda en el grupo un acusado desaliño en el vestir, se me borraba de una vez para otra. Luego supe por él mismo que Santi me lo había presentado cinco veces en cinco sitios distintos, y yo sin reconocerlo nunca, que parece ser que eso a él fue lo que más le picó.

Pero volviendo al cuarto del mirador, lo más raro es que mi subconsciente, en modalidad de sueños o fantasías diurnas, lo asocie con Guillermo, que nunca puso los pies en él, como tampoco en ningún otro de los de aquella casa. Porque —hora es ya de decirlo— Guillermo no alcanzó a rozar más que tangencialmente mi vida cotidiana, y nuestras relaciones, aparte de que duraron poco, se desarrollaron en una especie de tierra de nadie donde no tiene cabida ni el pasado ni el futuro. Por eso me resulta tan difícil reseñarlas, aunque me empeñe en ello, como acotar el área de sus influjos. Tal vez la memoria —que podría no ser tan caprichosa como parece— haya elegido el cuarto de los conspiradores para esconder a Guillermo entre sus volutas de humo porque, en los meses anteriores a nuestro primer encuentro, aquella madriguera, separada de la mía por un simple tabique, era muchas veces mi único puente con el mundo exterior, frontera entre la historia y la fantasía, una especie de asidero cuando la marea de la irrealidad me anegaba demasiado. Y esas crecidas periódicas de marea azotaban también a una frágil barquilla que llevaba las palabras Mariana-Guillermo escritas en el costado. El guión que separa esos nombres unía para mí el dolor de la ausencia con el miedo a lo desconocido.

El invierno, que aquel año había empezado a anunciar sus rigores desde primeros de octubre, se me hizo muy largo. Tengo aquí delante de los ojos dos cartas de mi madrina, que no copio para que este relato no se vuelva tan largo como aquel invierno. Pero su lectura me está ayudando a reconstituir la sensación de zozobra y desarraigo que acompañaron a mi insensible espera del amor, mientras en la estancia contigua un amortiguado coro de voces masculinas vaticinaba el porvenir político de España.

Sofía Montalvo, mi madrina y tocaya, vivía en París, era prima de papá y mis fantasías sobre un posible romance juvenil entre ambos datan de la primera infancia. En los cuentos que inventaba para Mariana cuando éramos pequeñas, aparecía con frecuencia la figura radiante de la madrina salvadora, pero tardé bastante en hablarle de la mía. Cuando una tarde le conté que se llamaba igual que yo y que vivía en París, se quedó pensativa, como queriéndole buscar alguna razón de ser a aquella inesperada noticia. El gesto que acompañaba a esta actitud suya de pesquisa interior era siempre el mismo: se quedaba con los ojos en el vacío y el índice ligeramente doblado contra la boca como pidiendo silencio, yo lo había bautizado como «poner cara de detective».

Recuerdo que estábamos en una cafetería de la calle de Hermosilla, donde habíamos entrado a merendar al salir del instituto. El olor a tortitas con nata lo asocio siempre a la decoración de aquella cafetería y a la mezcla de exaltación y deleite que produce a los catorce años entrar con una amiga en un local público e intercambiar con ella confidencias a media voz, una sensación de protagonismo y de fe en la vida que jamás se volverá a repetir. Miré a Mariana, extrañada de su súbito silencio y le vi el gesto aquél. El nombre de mi madrina se había quedado flotando sobre las tortitas con nata y sobre nuestras cabezas, mezclado con las volutas de humo del pitillo de Mariana. Yo no fumaba por entonces todavía.

—Eso debe querer decir algo —dijo, al cabo, muy seria.

—¿Qué? ¿Lo de mi madrina? Quiere decir lo que dice, no pongas cara de detective. Que tengo una madrina en París.

—Pero nunca me habías hablado de ella.

—¿Y qué? Ni tú a mí de la tuya. Y también tendrás una madrina, ¿o no?

—Sí, pero es distinto. La mía es una tía abuela y además aburridísima.

Para mí la familia de Mariana era mucho más atractiva que la mía y me halagó notar que me envidiaba la madrina, que desde ese momento subió varios puntos en mi consideración. De todas maneras me vi obligada a confesar que la había tratado muy poco y que podía darse el caso de que también fuera aburrida.

—No, seguro que no —dijo Mariana—. Y además tú la idealizas. ¿Por qué, si no, salen tanto las madrinas en tus cuentos, di? Seguro que quiere decir algo.

Yo creo que a Mariana se le apuntaba desde pequeña ese afán por buscar tres pies al gato tan típico de los psiquiatras. Desde luego su capacidad para imponerles a los demás una interpretación personal de los hechos era tan notable como difícil escapar a su influencia. Siguió durante algún tiempo dándole vueltas al tema de mi madrina, y empeñada en que podía servir para explicar algunos aspectos de mi manera de ser y de las relaciones poco cordiales que mantenía con mi madre. Desde luego mi madre a «S. M. bis», como llamaba a la prima de papá, la tenía atragantada, e intentaba malmeterme con ella.

En fin, lo cierto es que yo tenía una madrina en París. Digo tenía porque ya murió. La había visto poco, me escribía esporádicamente y las dos cartas que me la han hecho traer ahora a colación contestaban a una mía donde yo, por lo visto, le contaba que había perdido a mi mejor amiga sin razón aparente y le pedía no sólo consuelo, sino también consejo sobre el modo de recuperar su cariño. Ella opinaba que ciertos cariños de adolescencia cumplen sencillamente una etapa, como un compás de espera para amores de mayor envergadura. La letra de mi madrina se parece un poco a la mía, pero en más picudo. No sé si para Mariana también esto querrá decir algo. No se me había ocurrido pensarlo hasta hoy, frente a sus cartas desdobladas. Escribía en papel muy fino, de tono azulado.

«Calla, calla, princesa, dice el hada madrina...»

A mí no me gusta Rubén Darío. Son demasiados cisnes y nenúfares y caballos con alas que hacia acá se encaminan. Y sin embargo, al ver ahora copiadas unas estrofas de su famosa «Sonatina» de puño y letra de aquella Sofía Montalvo, tengo que reconocer que tuvo algo de sibila. Porque, considerando las cosas con mirada retrospectiva, resulta evidente que lo que yo estaba necesitando aquel invierno era enamorarme. ¿A qué venían si no la continua flojera en las articulaciones y aquella especie de desasimiento ante cualquier incentivo que pudiera ofrecerme el mundo? Claro, «los suspiros se escapan de su boca de fresa, que ha perdido la risa, que ha perdido el color», no había bufón capaz de divertirme con sus piruetas. El desvío de Mariana no había hecho más que abonar el terreno de mi transformación en mujer y predisponerme para recibir la llamada del amor en cuanto se produjera. Pero sus rayos de fuego no surgían del cuarto de los conspiradores, aunque uno de ellos ya hubiera reparado en mí —o eso dice— con voluptuosa atención. Yo, desde luego, no me había dado cuenta.

No es que yo no supiera que podía gustarle a los hombres, claro que lo sabía. Pero se trataba de una información recogida en distintas ocasiones y guardada en reserva, frente a la que todavía no había tomado partido, porque no alteraba mis proyectos ni el ritmo de mi respiración.

Como consecuencia, no solía enterarme de cuando le gustaba a un chico; casi siempre era Mariana la que me ponía sobre aviso, y ni siquiera entonces lo admitía con esa adhesión que provocan en el alma las verdaderas creencias. Tampoco me inquietaba imaginar por anticipado los posibles trastornos que pudiera acarrear el amor.

—Y lo raro —se extrañaba Mariana— es que seas capaz, en cambio, de inventar unas historias de amor tan bonitas y que llores leyendo los sonetos de Garcilaso y Petrarca.

—Pues sí, ya ves, yo tampoco lo entiendo.

A ella le gustaba gustar, decía que, sólo notarlo, le producía una sensación de poder. Tenía un don de influencia innato y debe seguir conservándolo, aunque mantenga todavía la opinión de que ella siempre ha dejado en libertad a todo el mundo para que haga lo que le dé la gana. No sé, me parece que se engaña. En fin, no se trata de volver sobre esto ahora. Queda pendiente para cuando cuente lo de Guillermo, si es que llego a contarlo, porque esta narración, o lo que sea, se está convirtiendo en un puro vericueto.

El caso es, volviendo a los vaticinios de mi madrina, que los síntomas de languidez diagnosticados por Rubén Darío como heraldos del despertar de los sentidos eran más o menos los que yo padecía ese invierno, aunque el príncipe en ciernes no viviera en Golconda o en China sino en la calle de Sagasta. Una casa, por cierto, en la que nunca he entrado, aunque la miré y la sigo mirando muchas veces desde fuera, cuando paso por allí. Tiene balcones panzudos con herrajes un poco antiguos. Creo que la abuela de Guillermo todavía vive en ella. (O por lo menos eso me dijo él en Londres; así que ese «vive», después de diez años, resulta más que problemático.) Es una de las casas que más salen en mis sueños, tiene muchos pasillos circulares, un poco en cuesta, todas las habitaciones tienen dos niveles, separados por un escalón, y en el de arriba siempre estoy yo mirando. Reconozco la casa por pura intuición, como cuando de un determinado gabinete dices que te recuerda al de Madame Bovary, donde, como es natural, no ha entrado ninguno de los lectores de esta novela.

Creo haber dicho ya que fue un invierno muy frío. A lo largo de él, aparte de la incomprensible distancia entre Mariana y yo, me había dado cuenta de otra cosa: de que mis padres se llevaban cada vez peor.

(Al llegar aquí, he sentido la necesidad de revisar lo que escribí el otro día sobre mi conversación con Soledad. Al principio, lo buscaba en este mismo cuaderno, pero la parte que me interesa encontrar ahora está en el anterior. Y no puedo dejar de reseñar aquí la alegría que me da tener ya un cuaderno lleno y otro a medias. Ya lo he encontrado. Me decía Soledad que Amelia y ella hablaban a los dieciséis años con toda naturalidad de las relaciones matrimoniales de sus padres. Eso en mi tiempo no ocurría. Nunca comenté con nadie, ni siquiera con mi hermano, el que nuestros padres se llevaran mal, a pesar de que estaba persuadida de que él lo tenía que notar igual que yo. Y ahora pienso que el sufrimiento sordo y solitario que me produjo aquel descubrimiento puede haber influido en mi afán por ocultar a mis hijos el deterioro de mi relación con Eduardo. Es evidente que no me ha servido de nada.)

De aquel periodo de encierro invernal, asociado en mi recuerdo al runrún de los conspiradores, se destacan con toda nitidez dos fechas especialmente gélidas: una la de mi visita a Mariana (que queda apuntada en el cuaderno anterior) y otra la del último de año. Por la mañana, mi madre me preguntó que qué planes tenía para esa noche, que si no tenía ninguno podía ir con ellos a casa de unos amigos de esos de toda la vida que hay en las familias. Como no me apetecía nada, le dije que había quedado con un grupo de la Facultad.

—¿Quiénes son? —me preguntó mi madre—. Decías que no tenías amigos en la Facultad.

—Bueno, no son muy amigos. Pero para comer las uvas no hace falta una intimidad especial.

—Menos mal que te animas a salir un poco —remachó mi madre—. Pero podías haberles dicho que vinieran aquí. Ya sabes que me gusta conocer a tus amigos.

Me encogí de hombros y no contesté nada. El afán de mi madre por fiscalizar todos mis movimientos no lo podía resistir, porque además encubría intenciones casamenteras.

—Por cierto —dijo ella—, tienes una tarjeta de Mariana desde Barcelona. ¿Es que estáis enfadadas?

Me indigné. Aquella pregunta revelaba claramente que mi madre había leído el texto de la tarjeta.

—¿Y tú por qué tienes que meter las narices en mis cosas? ¡Dame esa tarjeta!

—Es lo que pensaba hacer —dijo, sacándola del bolsillo del delantal—. Desde luego, hija, cada día estás más loca.

Se la arranqué de las manos y salí de la cocina airadamente, dando una patada a la puerta, que es de vaivén. Sigue siéndolo. Es de las pocas cosas que no han cambiando en el refu: la cocina. Pero los cambios de fisonomía de esa casa desde que mis padres se casaron hasta ahora darían por sí solos para otro cuaderno. (Por cierto, que no se me olvide, tengo que ir al refu.)

Me metí en mi cuarto con la tarjeta de Mariana. Representaba un paisaje nevado con abetos y un Papá Noel. La nieve de las montañas y la barba del personaje, vestido de rojo y cargado de juguetes, estaban cuajadas de chispitas de plata, rugosas al tacto. La miré un rato antes de darle la vuelta. El texto era tan frío como el paisaje que representaba, y aludía a nuestro último encuentro en su casa. Frío sobre frío. «Feliz año nuevo, Sofía. Y a ver si creces de una vez.» Pensé, pero aún con más certeza que la tarde de nuestra despedida: «No está enamorada. No lo puede estar. Una persona enamorada emitiría otro resplandor, sería capaz de calentar a los demás con su propio fuego.» Rompí la tarjeta y la tiré a la papelera, mientras volvía a preguntarme una vez más si realmente existiría aquel fantasmal Guillermo que tenía cara de lobo, si estaría con ella en Barcelona y si renegaría también de los personalismos y complacencias burguesas que Mariana me había echado en cara. Mirando los pedacitos del Papá Noel y de las montañas nevadas que brillaban en la papelera, se me llenaron los ojos de lágrimas pensando en ellos, deseándoles lo mejor.

No daba por cancelada ninguna etapa, pero sí decidí crecer a mi manera. No fui a ninguna fiesta, quería recibir yo sola el año nuevo. Y aquella noche me senté a escribir. Era la primera vez que no lo hacía por darle gusto a Mariana o al profesor de Literatura, sino por necesidad imperiosa, porque no tenía otro camino. Seguirlo era cuestión de vida o muerte. Y supe también que era un camino escarpado, pero que me gustaba ser capaz de subirlo, y que lo iba a subir yo sola. Cuando oí los primeros ruidos en casa de los que regresaban de sus fiestas respectivas, apagué la luz y me metí en la cama vestida. No había cenado, no me había enterado del paso de un año a otro, y me parecía imposible que hubieran transcurrido tantas horas.

En los meses que siguieron, dejé de inventar historias sentimentales de final más o menos feliz para anotar mis sensaciones de una forma inmediata y descarnada. Me salían aforismos y poemas dedicados a mí misma. Con tinta roja los de las horas de cierta euforia. Con tinta negra aquellos en que gritaba mi impotencia para expresar lo que me oprimía. A los de tinta roja volvía en mis horas bajas y me servían de cierto consuelo. Aprendí a irme abriendo camino a tientas, a esperar sin esperanza, a no exigir de nadie una respuesta, a alimentarme únicamente de mi hambre de vivir, aunque la sintiera aletargada. Ése ha sido mi norte toda la vida, no convertirme en una mujer amargada, agarrarme a lo que sea para lograrlo. Y desde luego, no hay mejor tabla de salvación que la pluma. Gracias, Mariana, por habérmelo vuelto a recordar. Que ya he llenado casi la mitad del segundo cuaderno. Claro que éste es más delgadito.

Cuando me encerraba con mis libros en casa o en un rincón de la biblioteca del Ateneo, la necesidad de explorar aquel vacío en que me había sumido la ausencia de Mariana arrasaba mis propósitos de estudio y desembocaba en balbuceos poéticos a través de los cuales me parecía estar tocando la entraña del mundo. Interrogaciones urgentes lanzadas al vacío, intercaladas como descargas eléctricas en las páginas de todos mis cuadernos de clase, entre fechas de batallas, de inventos, de revoluciones culturales, de muertes de reyes y nacimiento de santos y poetas, de conmemoraciones, de pestes y naufragios. A aquel mar revuelto echaba mis poemas, como flores de una ofrenda anacrónica. Y a veces los fechaba también.

Hay uno del 27 de febrero titulado «Deshielo». Lo escribí por la mañana. Aquella tarde conocí a Guillermo.

210

XII. UN DÍA ENTRE DOS PUERTAS

En ella me fijé desde el primer momento y con una atención especial, donde bullían sentimientos encontrados.

Creo que fue por la manera que tuvo de agarrar la cajetilla de tabaco que le estaba alargando el recepcionista, un gesto que parecía el resultado definitivo, previo ensayo, de sucesivas tomas fotográficas seleccionadas para un anuncio lleno de *glamour*, cuya leyenda podría ser: «Marlboro, la elegancia natural de lo artificial», o algo por el estilo. A mí las manos se me están estropeando bastante, Sofía, y precisamente porque trato de ignorarlo o de presentar ante mí misma el fenómeno como insignificante, cuando de improviso las contemplo con mirada extraña junto a otras más jóvenes, donde las venas azulean sin sobresalir y los nudillos no son rugosos, esa evidencia del deterioro salta clamando por sus fueros y el temido ajuste de cuentas se sobrepone a las componendas para esquivarlo. Pero lo curioso es que aquella mujer, que inmediatamente se convirtió en foco de indagación para mí, tampoco parecía mucho más joven que yo misma, impresión que se veía reforzada al mirarla un poco más de cerca.

Nos habíamos encontrado en el mostrador de la conserjería, justo cuando yo llegaba con mi equipaje después de una noche en blanco e indecisiones varias sobre mi paradero, con el alma en tormenta y sin duchar. De esas veces que te pesan las ojeras. Era mediodía. Ella entraba de la piscina a buscar tabaco. Llevaba un albornoz corto abierto sobre un bikini de lunares que dejaba ampliamente al descubierto el vientre moreno y terso. Iba descalza.

Nos miramos. Su rostro acumulaba esa inexpresividad crecida a la sombra del ocio y del esfuerzo por mantener a raya cualquier emoción que pueda implicar arrugas supletorias. Seguramente se habría sometido a más de una operación estética. Pero las manos y los pies eran como de gheisa.

Cuando, poco después, el mozo que me había subido el equipaje a la 203, tras explicarme el funcionamiento de la televisión, me dejó sola deseándome feliz estancia y me envolvieron los sones de una música que llegaba de fuera, me di perfecta cuenta, allí paralizada mirando en torno mío, de que el plazo de esa estancia no iba a poder decidirlo yo. Prescrita por mí misma a modo de urgente cura de sueño, e imaginada en principio como un simple alto en el camino antes de regresar a Madrid, se empezaba a configurar como una incógnita, cuya duración se iría resolviendo con el correr de los días.

—No tiene por qué decidirlo ahora. De momento tenemos una habitación que está libre por una semana —me había dicho el recepcionista en tono conciliador, como quien intenta suavizar las asperezas de un trance violento.

Lo era. Porque yo, desde que había mirado las manos aterciopeladas que recogían el paquete de cigarrillos y luego sacaban uno y lo encendían, había sufrido una especie de fuga, lo que la doctora León llama «flashes de ausencia». Y en la sonrisa obsequiosa pero desconcertada del recepcionista capté la incomodidad que le debía transmitir mi gesto reconcentrado y mi chocante silencio ante su pregunta de que cuánto tiempo me pensaba quedar.

—Ya. Pues muchas gracias. Es que no sé. Depende de unas noticas que espero recibir —contesté distraída, mientras miraba alejarse nuevamente a aquella mujer de los pies descalzos como flores.

Seguí pensando en ella durante mucho rato y su figura se interponía a manera de obstáculo en la anhelada conquista del sueño. Bajo su mirada de estatua había aflorado en mí un viejo contencioso, a duras penas refrenado, donde la envidia y el

212

desdén por la mujer-objeto esgrimen alternativamente sus armas, sin que ninguno de los dos bandos alcance más que victorias pasajeras. Ahora el de la envidia estaba tomando posiciones estratégicas.

Debe ser el bajón de la noche en vela, las tensiones a que me ha sometido Silvia —me dije, mientras contemplaba con ojos ofuscados el grabado del iceberg que acababa de descubrir, ahuyentaba todo proyecto de futuro y me prometía un reposo profundo y sin interferencias—. Cuando me despierte, la cabeza funcionará mejor.

Me caía, efectivamente, de sueño y de cansancio. Tanto que ni fuerzas para ducharme tenía. Puse en la puerta el cartelito de «No molesten», saqué un pijama del maletín y, antes de abrir la cama, salí a la terracita de los muebles de mimbre con intención de bajar el toldo.

El lujoso recinto de la piscina, rematado por una barandilla de piedra que se asoma al mar y salpicado de tumbonas de colores vivos, mesitas bajas y quitasoles a rayas, me invadió brutalmente los sentimientos, encendiéndome el deseo de permanencia estable en aquel mundo ocioso y placentero, de sumergirme en él al abrigo de toda responsabilidad, desconectada de cualquier problema o remordimiento, camuflada en el jardín tropical de sus convenciones. Me asomé un poco más.

Debajo de mi terraza vi la barra ovalada de un bar estilo cubista con taburetes rosa y negro, y de aquel punto procedía la música que, unida al olor del mar, multiplicaba el desfallecimiento de mi voluntad y aguzaba la alerta de mis sentidos. Era una canción de los Beatles la que estaba sonando en aquel momento:

I'd like to be
under the sea
in an octopus' garden
in the shade...

La oí por primera vez en Barcelona, en casa de un chico catalán con el que yo salía entonces, Sergi Casal, me acuerdo porque dio lugar a una de nuestras riñas de cariz más o menos político, creo que la última. No fue un novio estable. Nunca he tenido un novio estable. Vivía con sus padres, gente de dinero pero bastante culta, en una casa espaciosa donde gozaba de una independencia poco habitual y de los privilegios del hijo único superdotado y con madera de líder. Ahora es un pediatra muy conocido. Me lo he encontrado en algún congreso. A él le encantaban los Beatles.

—¡Qué estupidez! —dije yo—. ¿Es que no te das cuenta de lo absurda que es esa letra? «Me gustaría estar/en el fondo del mar/a la sombra de un jardín de pulpos...», como todas las de esos chicos, por otra parte. ¡En un jardín de pulpos! Vamos, ¿a quién se le ocurre?

—Esas cosas sólo se les pueden ocurrir a los poetas, claro —dijo Sergi—. Si le pides lógica a la poesía es que tu inteligencia se empieza a oxidar. Ojo, Mariana, encanto.

Yo me exalté mucho. El mensaje que estaban mandando los Beatles a todo el mundo, dorándonos la píldora con un espolvoreo de poesía, era peor que estúpido o absurdo, eran consignas de evasión, como el «let it be», como el «here comes the sun» o el «submarino amarillo», esperanzas ñoñas de inmersión en lo irreal, que a la larga iban a hacer mucho daño a la gente, la iban a despolitizar y a volverla más indolente, más sensual, a rebajar sus defensas y su criterio, qué más da, tú escurre el bulto, *here comes the sun*, todo está bien como está, *let it be*, y que siga la fiesta. Fue un discurso bastante visceral, lo reconozco.

—¿Qué diferencia encuentras —concluí— entre todo eso y el reaccionario Manuel Machado de las antologías con su alma de nardo del árabe español? «Mi voluntad se ha muerto una noche de luna/en que era muy hermoso no pensar ni querer...», ahí lo tienes; no necesitamos que nos lo descubran desde Liverpool esos cuatro alfeñiques.

Sergi, que estaba junto al mueble bar sirviéndose una copa, volvió a poner el disco que momentáneamente había quitado, como si quisiera dejar patente que era mi discurso el que había interrumpido el de los Beatles y no al revés. De momento

214

casi no me di cuenta. Me había acalorado mucho y tenía la respiración muy agitada. Sergi vino a sentarse a mi lado en el sofá y me cogió una mano. Sonreía, entre irónico y seductor. La canción que aconsejaba buscar escondite en un jardín submarino a la sombra de los pulpos volvía a trepar por las paredes de la habitación empapelada en tonos verdes, sobre la que empezaba a caer una grata penumbra, «*I want to be under the sea*», giraba, rebotaba contra las esquinas, amenazaba con distorsionar la realidad. Quise decir algo, pero Sergi puso el dedo índice en mis labios.

—¡Qué cerril eres a veces, Ninotchka! —me dijo casi al oído—. Si no fueras tan rabiosamente guapa... Anda, por favor, calla un poco, *let it be...* ¿No quieres beber algo?

Yo me levanté sin decir una palabra y me fui de aquella casa dando un portazo. Enseguida comprendí que había sido una reacción excesiva y me detuve junto al ascensor. Estaba segura de que él iba a salir a llamarme, como en las películas. Pero no lo hizo.

Anochecía. Recuerdo que iba llorando de rabia por la calle Aribau, mirando hacia los balcones y acordándome de Andrea, la protagonista de Carmen Laforet, que vivía por allí, y me gustaba imaginar que podía encontrármela y cogerme de su brazo como del de una amiga antigua. Tal vez estaba a punto de volver a aquella casa oscura donde vivían sus parientes, un ambiente opresivo que a ti, Sofía, te recordaba el de *Cumbres borrascosas*; y ella llegaba allí después de haber estado deambulando sin rumbo por la ciudad, con su trajecillo raído, se paraba vacilante ante el portal de la casa, le daba pereza subir a encerrarse, yo la llamaría: «¡Andrea!» y nos reconoceríamos de inmediato. Empecé a andar más despacio, como extrañándome a mí misma. Hacía tiempo que no sufría ese tipo de alucinaciones, casi siempre nacidas, Sofía, al calor de las tuyas. Y además de noche, porque era aquel olvidado duendecillo Noc, padre de todas las historias, el que ponía el mundo patas arriba. Y el corazón me dio un vuelco al verlo resucitar entre piruetas, colgado de los hierros de un viejo balcón de la calle Aribau, a la luz de los faroles. Andrea-Noc, una de esas asociaciones de ideas tan intensas y arbitrarias que desplazan en el recuerdo al razonamiento que las motivó, lo cual no deja de ser poesía pura. Ojo, Mariana, encanto, si le pides lógica a la poesía es que tu inteligencia se empieza a oxidar. Tenía razón Sergi. ¿Por qué me empeñaba siempre en vivir a la defensiva?

Y me daba cuenta, aunque fuera subterráneamente, de que mi llanto había dejado de ser una rabieta de amor propio. Era ya puramente poético y contradecía a la lógica, porque se basaba en la añoranza de un personaje de novela con el que nunca hasta ese momento se me había ocurrido identificarme. Y si lo rememoraba, no era tanto porque me sintiera sola e incomprendida por las calles de Barcelona, como Andrea en los años cuarenta, sino porque *Nada* fue una de las primeras novelas que tú me recomendaste apasionadamente, Sofía, aunque tu madre no nos la dejaba leer. Y en ese momento, recién expulsada por mi propia soberbia del jardín de los pulpos que me brindaba Sergi, me refugiaba en el recuerdo de nuestras primeras lecturas clandestinas, cuando a todos los jardines de cuento me introducías tú de la mano, y la sorpresa era una liebre blanca que sólo descubren los que no salen de caza. En una palabra, era a ti a quien echaba de menos, Aribau abajo, para contarte mis males, que venían de atrás; desde que había dejado de contártelos. Necesitaba oír tu opinión sobre casi todo. El recuerdo de nuestras cabezas juntas bajo la lámpara de mi cuarto con la novela de Carmen Laforet encima de la mesa es lo que había acarreado la añoranza de unos pasos nocturnos acompañando a los míos. Por eso había revivido también Noc, claro, y se había eclipsado inmediatamente. Porque, sin ti, él se aburre. Tanto Noc como yo era a ti y no a Andrea a quien necesitábamos encontrar. Me pareció deslumbrante aquella asociación de ideas. Cada vez veía más clara mi vocación de psiquiatra. ¡Oh, investigar los caminos tortuosos del mundo interior! Ya por entonces, mi último curso de Medicina, lo tenía casi completamente decidido.

Pero ahora que lo pienso, en mi desazón de aquel paseo nocturno por las calles de Barcelona, tal vez empezaba a insinuarse también esa polémica secreta frente al asunto de la mujer-objeto, donde no siempre mis posiciones han estado bien definidas, con lo que a mí me gusta definirlo todo. Consideraba una ofensa que Sergi me hubiera llamado guapa para zanjar una discusión que a mí me parecía más seria, cuando por otra parte yo nunca he podido vivir sin que los hombres, de una manera o de otra, me hagan entender que me encuentran guapa. Pero mejor de lejos, sin acercarse mucho. Desde los once años me pasa lo mismo, tú lo sabes muy bien, Sofía.

—¿Pero cómo te puede bastar con eso? —me preguntabas a veces, muy extrañada.

—Bueno, no sé si me basta, pero saber que gusto me alimenta y me anima. No me quiero meter en más líos.

—¿A qué le llamas lío?

—Pues lío le llamo a atarme, hija, la palabra lo dice, a depender de otro.

—¿Te da miedo?

Y yo te decía que no, que no era miedo propiamente. Pero sí lo era.

Y una noche, durante una fiesta de cumpleaños en casa de Sergi, poco antes de lo del jardín de pulpos, me emborraché por primera vez en mi vida, yo que tanto he presumido de aguantar bien el alcohol y saberlo controlar. Había muchos amigos del grupo, casi todos hombres, con los que más o menos debía haber andado yo coqueteando. No me acuerdo de nada, pero por lo visto (se lo sonsaqué luego a la novia de uno de ellos) me dio por llorar y por decir que yo era una farsante, y que daría todos mis estudios y desvelos por el futuro de la clase obrera a cambio de perderle el miedo al placer, a la buena vida y a los hombres. Fue lo que me valió el apodo de Ninotchka.

En fin, que cuánto tiempo ha pasado desde aquella tarde en que oí por primera vez el «*octopus' garden*», y cuánta menos resistencia le opongo ahora a esa letra que se me va infiltrando insensiblemente en la sangre, qué pena no volver a tener veintipocos años, cuando llorar por la calle te embellecía, ni siquiera tenías que comprobarlo espiándote de reojo en la

217

luna de los escaparates, se daba por hecho, todo te embellecía, nada dejaba marca. Eso es lo que pensaba el otro día cuando, recién llegada aquí, me asomé a la terraza de la 203 y estaba sonando la canción de los Beatles, que se extendía en ondas suaves por todo el ámbito de la piscina hasta escurrirse por entre la barandilla de piedra, rodar por la playa y luego hundirse en el mar. «Me gustaría estar en el fondo del mar, a la sombra de un jardín de pulpos», ya lo creo, ¡qué divertido!, «en un escondrijo entre las olas», sí, y no tener que volver a sacar nunca la cabeza, nunca. A escondidas, a espaldas de todo, en un jardín clandestino.

Y en ese momento un camarero se dirigió con su bandeja a una de las mesas resguardadas por quitasoles, y cuando dejó el martini y los aperitivos, me fijé en la mano rematada por uñas primorosas que surgía de las profundidades de la tumbona para firmar la nota que el camarero le tendía. Y era ella, la mujer que me había salido al encuentro en recepción.

Se incorporó para saborear el trago rojo a través de la pajita y pinchó con desganada elegancia una aceituna. En toda su actitud se leía el tedio. «Llevo tanto tiempo hurgando en los motivos de ese tedio —pensé—, asistiendo como mero comparsa a las fiestas donde se incuba, recogiendo los añicos de los destrozos que provoca.» Pero no podía dejar de mirarla fascinada. Se había levantado y avanzaba ahora hacia el trampolín, cuyos escalones subió, tras una ligera ducha. Sin gorro, por supuesto. El pelo lo lleva corto. Creo que teñido, no sé. Pero, en todo caso, con muy buenos productos.

Una vez en lo alto del trampolín, recortándose contra el mar, miró hacia mi habitación, que cae justo enfrente. Sonrió e hizo un saludo antes de arrojarse al líquido color turquesa en un salto impecable. Retrocedí como cogida en falta. Fue cuando me di cuenta de que alguien, que estaba en la terraza de al lado, se había percatado de mi presencia. Posiblemente la misma persona a quien iba dirigido el saludo desde el trampolín. Era un hombre delgado, pero solamente conseguí atisbar su silueta borrosa a través de la mampara de cristal esmerilado que separa cada terraza de su vecina. Inclinó la cabeza rápidamente. Me pareció que estaba leyendo un periódico.

Me metí, bajé la persiana a toda prisa y me acosté pensando que me cuido muy poco, que tal vez me convendría cortarme el pelo. Y desde luego perder por los menos cuatro kilos. Imaginando lo excitante que debe ser practicar el esquí acuático, nadar correctamente a crol, hacer una excursión en yate, o proyectar un viaje de placer con alguien que te dé todas las cosas resueltas. Pero esa última idea la descarté como falaz. En el ascensor, junto al espejo, había visto anunciados servicios de sauna, gimnasia pasiva, masaje, peluquería y clases de natación. Decidí que quería volver como nueva a Madrid, que Raimundo no me reconociera. Pero la imagen de Raimundo también la descarté como falaz.

Las sábanas estaban bien planchadas y la penumbra, veteada por los ruidos que llegaban de fuera, era muy relajante. Pero daba vueltas en la cama y no conseguía dormirme. Porque, junto con mis propósitos de embellecimiento, surgía la descalificación desdeñosa de la persona que los había provocado. Contra el deseo turbador de parecerme a ella, se enfrentaba la convicción altiva de mi superioridad y se insinuaba la tentación paralela de buscar una ocasión para amonestarla sobre la vacuidad de una vida sin otros estímulos que los del consumo. Imaginaba a retazos las diferentes circunstancias que podrían acompañar a nuestra conversación. Y acababa convenciéndome de que, en cualquier caso, sería aburridísima y sin interés ninguno, de que aquella mujer era un cromo que tenía «repe».

La sospecha de conocerla ya, de haberla visto en otro sitio, se alternaba con la impresión de estarme recordando a alguien sobre quien yo ejercía influencia, posiblemente a alguna paciente. Con el diván por medio, nunca la habría envidiado. Estaba segura. Pero también sabía que no tenía ganas de volver a la habitación del diván, identificada cada vez más con la boca de un lobo. No, allí no, sólo de pensar en eso me entraban sudores de angustia que hacían más delicioso, por contraste, un salto imaginario desde el trampolín. Y ella estaba allí abajo, deslizándose como una sirena por las aguas color turquesa, mientras yo me palpaba los michelines del estómago y me perdía en sórdidos soliloquios. Con el diván por el medio, no la habría envidiado. Claro que no. Pero no había venido a mi consulta. Nos habíamos conocido en su campo, me tocaba jugar ahí, en campo adversario. Y una de dos: o bien tiraba la toalla, o bien tenía que contar con tan desventajoso detalle. Y saber que en ese campo, el reino por excelencia de la mujer objeto, ella llevaba, en principio, las de ganar.

Por lo menos eso fue lo que pensé antes de levantarme a buscar una pastilla de orfidal, tomármela con un botellín de agua de Vichy que saqué de la nevera, volver a ingresar en cama y abandonarme definitivamente al sueño.

Me desperté a eso de las seis. Deshice a medias la maleta, me duché y di mi primer paseo a pie hasta el pueblo por el camino que aleja de la playa, sin enterarme de si el trayecto se me hacía largo o corto ni preguntarme para qué iba allí. Pero congraciada con mis pasos.

Ya esa primera tarde descubrí la tienda adonde luego he ido tantas veces y me llamó la atención su aspecto híbrido de almoneda, mercería y librería de viejo. Compré un palillero de China en forma de perrito, un cuaderno rayado marca Centauro y el *Diario* de Katherine Mansfield. En la misma calle está la parada de autobuses de línea que enlazan regularmente con Cádiz y otros pueblos de la costa. Pedí los horarios.

Andaba sin designio, sumida en una placentera sensación de irrealidad que potenciaba, por contraste, la realidad de mi propio cuerpo, dotando a la mirada de tensión y descanso, una mezcla muy rara de lograr, Sofía, para mí: esa percepción que emana de concentrarse simplemente en abarcar lo concreto y considerar sus límites, colores y reflejos. Durante el paseo de ida, entre chalets, había visto varios senderos a la derecha que bajaban hacia el mar. No los tomé, pero, subida en un montículo, había hecho un alto para orientarme. La marea estaba baja, y desde la punta del pueblo hasta el hotel podía volver por la playa, si quería. No había rocas ni edificaciones que lo impidieran. Aunque no decidí nada, la posibilidad de ese regreso nocturno a la orilla del mar me acompañaba luego en mi deambular por el pueblo a medida que lo recorría y notaba que iba cayendo la tarde y el aire se hacía más frío.

Se me había olvidado el reloj de pulsera, seguramente en la repisa del baño, y lo tuve por buen augurio. «No me lo vuelvo a poner hasta que me vea llegando a Madrid», me prometí a mí misma. Y por primera vez la idea de reanudar mis horarios de trabajo se me presentó como algo inminente y se me hizo intolerable. Porque además cada día que pasa estoy quedando peor con Josefina Carreras, la doctora que me suple desde lo de Raimundo y que debe estar preocupadísima. Solamente he conectado una vez con ella desde Puerto Real. «Tengo que llamarla mañana mismo», me dije. Pero sabía que no lo iba a hacer.

Me entró de repente mucha hambre y estuve cenando en un restaurante del pueblo bastante destartalado, de vigas altas, atendido por un solo camarero visible, de aire un tanto fantasmal y edad indecisa, que sonreía sutilmente, como si todas sus palabras llevaran doble intención.

—¿Le quito el otro cubierto o espera a alguien? —me preguntó, mientras tomaba nota de lo que me apetecía cenar, entre los manjares que había recitado de memoria, sin dejar de mirarme.

—No espero a nadie. Quítelo. Y vaya trayéndome, por favor, un fino frío.

Hizo un gesto como de tirarme un beso y comentó que a los españoles nos gusta poco estar solos. Sonreí sin ganas.

—Al fondo hay más sitio, si quiere usted pensar —añadió.

—¿Pensar? No, no. Estoy bien aquí.

—Digo allí al fondo, pasando el mostrador. Junto a la puerta del callejón.

—Que no. Gracias.

Volvió a hacer el gesto aquél con los labios y comprendí que era un tic. Luego se alejó hacia el mostrador con barandilla de zinc y desapareció por una puertecita que había detrás.

El local, débilmente iluminado, era una especie de bodega inmensa, sin ventanas, y tenía un aire buñuelesco. Daba la impresión de que por todas partes sobraba pared y de que los grandes bodegones de hule colocados irregularmente estaban tapando algún desperfecto o ventana camuflada. Supuse que todavía debía ser temprano para cenar. No había más que una mesa ocupada por un chico joven y una mujer menos joven. Podía haber elegido otro rincón cualquiera para sentarme, ya que estaba vacío, pero me había puesto cerca de ellos sin poderlo remediar. Me atrajeron desde que los vi. Era una pareja intensa, con historia.

Aunque no captaba más que a medias su conversación, ya antes de que el camarero me retirara los entremeses me había enterado de que se trataba de un reencuentro y de que el tiempo que llevaban sin verse a ella se le había hecho más largo que a él. Me hubiera ayudado bastante para aclarar la historia tomar nota de sus respectivos gestos, sobre todo durante las pausas, que no eran pocas. Pero mi baza más segura estaba en disimular la curiosidad creciente que me estaba invadiendo y que a mí misma me parecía exagerada. Era incapaz de decir: «Esto no me concierne.» Saqué el libro de Katherine Mansfield y me puse a hojearlo con ficticia atención. Ellos, si me miraban, podrían tomarme por una profesora extranjera en vacaciones. Nos separaba un aparador antiguo en cuyo estante superior, debajo de un bodegón con sandías, campeaba una gaviota disecada y tuerta, porque uno de los ojos de cristal se le había caído.

Mientras saboreaba la cena y fingía mantener un coloquio mudo, a ratos con la Mansfield y a ratos con la gaviota disecada, me di cuenta de que ellos, en cambio, tenían poco apetito y de que la mujer bebía más agresivamente que su compañero. Todo en su voz rezumaba pasión contenida, y las preguntas que le hacía sobre su trabajo, lugares del recuerdo o amigos comunes iban desplazando, a medida que bebía, el tono a duras penas festivo para adquirir otro más inquisitorial, aceleraban su ritmo, intensificaban incontroladamente los agudos finales y traspasaban la zona de las buenas maneras.

Siempre he detectado la disparidad del sentimiento amoroso a tenor de la desigual distribución de preguntas y respuestas intercambiadas por los amantes. En el caso de aquellos dos, que sin duda lo habían sido, las preguntas las formulaba la mujer y el chico las padecía. Contestaba brevemente, en un tono apagado, o bien intentando cambiar de conversación. Entonces la voz se le coloreaba y adquiría cierto vuelo hacia unos imposibles cerros de Úbeda, divagación que ella solía cortar impaciente —«Pero no estábamos hablando de eso»—, y que se remataba con un «Bueno, mujer, perdona», una risa forzada o un silencio de aquellos cada vez más frecuentes que sólo de reojo me permitía a mí misma indagar. Pero él no preguntaba nada. Ni se percibía estremecimiento o emoción en su voz. Sólo a veces un poco de fastidio.

Seguramente —pensé— se encuentra a disgusto metido en una situación que no ha elegido, pero que se siente obligado a controlar, ya que no tiene más remedio que apechar con ella. La cuestión reside en mantener los reflejos, no perderle la cara al oponente, no soltar prenda, rendirlo por cansancio. Tarea defensiva, al fin y al cabo. Su malestar derivaba del reencuentro en sí, no rebasaba esos límites. Para él, de lo que se trataba era de dominar la escena a que yo misma estaba asistiendo como espectador, y salir airoso, dejarla bien resuelta. Saqué el cuaderno recién comprado que llevaba en el bolso y apunté: «Como un actor. Como un torero. Problemas de destreza y de inventiva que se reducen a superar cada tramo de la lidia o del texto. Entrega al presente.»

El malestar de ella, en cambio, como el de la mayoría de mis pacientes femeninas, como el mío también cuando pierdo pie, era de índole distinta. Al malestar presente se le añaden resonancias que lo distorsionan y dificultan la búsqueda de recursos para enfrentarse a ese conflicto concreto y analizar sus particularidades. «La perturbación de las adherencias» le llamo yo a eso en mi argot profesional. El problema está en que no se sabe acotar el asalto del pasado ni vacunarse contra su contagio. En la situación vigente se infiltran para enturbiarla otras ya marchitas y deformadas por el recuerdo. Estas reflexiones me ocuparon toda la cena.

Cuando ya había terminado el café y pedido la cuenta, ellos llevaban un rato callados y seguía sin entrar nadie más en el local. De pronto sentí mucha angustia y me invadió una extraña sospecha; la de que aquella pareja, con su silencio tenso, me estaba transfiriendo su problema, implicándome en él. Necesitaba huir de ese maleficio, desactivarlo mediante la palabra, como en los cuentos de hadas, como en las pesadillas cuando se grita antes de despertar. Comprendí que tenía que dirigirme a ellos y decir algo, lo más banal que se me ocurriera, simplemente para comprobar que a mí no me estaba pasando nada de aquello, que no los conocía, para desligarme de su enredo.

Me atreví, pues, haciendo un esfuerzo, a desviar los ojos de la gaviota tuerta fijándolos de plano en la mesa vecina, llena de restos de comida, y en los rostros de quienes la ocupaban. Ella se había puesto unas gafas ahumadas, apoyaba la cara en una mano y con la otra estaba haciendo caminitos sobre el mantel con regueros de azúcar y migas de pan. Así que me dirigí a él, que acababa de encender un pitillo, e inmediatamente respondió a mi mirada con una sonrisa casi cómplice.

—¿Sería tan amable de decirme qué hora es? —pregunté.

Se levantó la bocamanga de la chaqueta y, a cierta altura de la muñeca, apareció un reloj grande y anticuado que volvió a cubrir enseguida.

—Y media. Las diez y media.

—Muchas gracias.

En ese momento la mano de ella aferró bruscamente aquella manga y luego se metió por debajo con gesto furtivo a palpar el antebrazo del chico. Parecía fuera de sí.

—¡Quieta, Eloísa, por favor! ¿Qué haces? —intentaba defenderse él, muy violento.

—¿Que qué hago? ¿Y esto? Decías que nunca llevarías reloj, acuérdate. ¿No te acuerdas?, que el tiempo se mide de otra manera, decías...

—Bueno, sí, pero no pasa nada. Estoy harto de tus «¿te acuerdas?». He cambiado de opinión. Y basta.

—No. No basta. Tenías que habérmelo dicho. ¿Es que no merezco yo que se me explique un cambio tan importante? Es como si no te conociera. Di algo. ¿Por qué llevas ese reloj tan horrible? Es horrible.

La voz de él era seca y tajante cuando dijo, desprendiéndose de la mano que lo agarraba y protegiendo el reloj con gesto cuidadoso:

—No es horrible, Eloísa. Es el regalo de una persona a quien quiero mucho, para que te enteres.

—¿Lo ves?, ¿lo ves? ¿Desde cuándo lo llevas? ¿Qué persona?

Me dirigí al mostrador para pagar allí la nota, perseguida por el llanto de Eloísa. Ni siquiera atendí a lo que me decía el camarero. Ni siquiera esperé el cambio. Era tal la sensación de claustrofobia que cuando traspuse el umbral de la puerta del fondo, que daba a un callejón, iba casi corriendo. Me di cuenta de que ya era completamente de noche y me puse un pullover que llevaba en la bolsa, porque se notaba frío. Una vez perdida, pero a salvo, por las distintas calles y callejas que me alejaban cada vez más de aquel local, aunque me había ido sosegando, seguí andando deprisa y sin volver la cabeza. Hasta que me orienté.

Salí a la playa desde el final del pueblo, y al llegar a la orilla me quité los zapatos y eché a andar en dirección al hotel, cuyas luces se veían a lo lejos delante de la del faro, que extendía su amplio haz de plata recorriendo la superficie quieta del mar. Durante un buen trecho, la última pregunta de aquella mujer de las gafas ahumadas —«¿Qué persona, di, qué persona?»—, entrecortada por los sollozos y sin hallar respuesta, me resonaba machaconamente, agudizando mi conciencia de huida, y la vaga sensación de haber dejado a mis espaldas sin resolver algo que no me era totalmente ajeno, un asunto irremediable. Se me vino a la memoria como imagen lejanísima la escena en casa de Raimundo, salvada por un tris de caer en un desagüe igualmente catastrófico. Nunca más, nunca más caer en precipicios así.

La marea estaba muy baja y daba gusto caminar con el agua que venía a mojarme los pies. Me remangué los vaqueros hasta la pantorrilla. A medida que avanzaba, idealizaba mi vuelta al hotel, la necesidad de amueblarlo para mí sola, de hacerme una casita, un refugio donde nunca sonara el teléfono ni tuviera que preguntarle a nadie, al despertar de la siesta: «¿Te apetece dar un paseo?» o «¿Qué te pasa que no hablas?». De pronto caí en la cuenta de que gracias a aquel disgusto con Raimundo —tan absurdo, tan distante— estaba disfrutando del aire de la noche andaluza, cargado de olor salino y de la libertad que da saber que nadie te va a pedir cuentas de tu tardanza ni tiene noticia de tu paradero.

Hacía tiempo que no paseaba sola de noche, y menos por parajes tan desiertos. Sólo se oía el rumor apagado de las olas que venían a morir a mis pies. De vez en cuando hacía un alto de espaldas a la playa, me metía un poco más en el mar y echaba la cabeza hacia atrás para dejarme alcanzar por el dardo mágico de las estrellas, que no hace blanco, según decías tú, más que en la gente tranquila y sin agobios. La misma en cuyos corazones prenden y encuentran cobijo las historias de Noc. Apelar a tu recuerdo, Sofía, es mi verdadera ancla, ya lo ves. Mejor dicho, lo verás porque espero compartir contigo algún día las impresiones de este viaje. Eres tú quien me estimula a repasarlas, quien las estructura y sujeta, como un esqueleto que no se ve, pero que va a perdurar cuando desaparezca todo.

Estaba llegando a la parte trasera del hotel, rematado por un letrero luminoso de color rojo que se leía del revés, porque los clientes, claro, llegan por el otro camino de delante y allí aparcan sus coches. Desde la playa se sube a la explanada de la piscina por una escalera bastante empinada excavada en la roca, ya me había dado cuenta cuando me asomé por la mañana. En el primer descansillo me paré a mirar las terracitas de las habitaciones, tratando de localizar la mía, cosa que no logré con exactitud. Algunas estaban encendidas, en otras había gente sentada o moviéndose. Debía ser bastante tarde. Venía del interior del hotel una música de blues, y a medida que seguía subiendo, con los ojos fijos en aquella fachada, surgió en mí, como una fiebre, la extrañeza. Tú conoces bien la sensación, Sofía, ese desarraigo repentino que nos hace cortar amarras con las referencias habituales, desenfoca los perfiles del mundo y nos lleva a la deriva hacia las costas de la literatura. ¿Cuánto tiempo había pasado? ¿De verdad una de aquellas terracitas apagadas era la de mi cuarto? Ni siquiera me acordaba del número de la llave ni de la disposición de los muebles. Entonces, ¿por qué lo llamaba mío? Tengo que conquistarlo primero con los ojos —me dije— y luego habitarlo. Llamaré a Josefina Carreras para decirle que prolongo mi viaje. Las estancias de paso son huellas en el agua.

Acababa de subir la escalera y me senté a sacudirme la arena de los pies, a desdoblarme el bajo de los pantalones y a calzarme. Era un piano lo que estaba sonando, y ahora se oía más cerca. Hubo una breve pausa y enseguida atacó los compases iniciales de «Strangers in the night». Fue en ese momento, justo cuando me había puesto de pie y echaba a andar hacia el vestíbulo del hotel atraída por aquella melodía, cuando me asaltó, vivísima, la tentación de escribir una novela, y me dejé herir por su flechazo. ¿Por qué no? Se me habían cruzado, días atrás, cientos de ideas y de comienzos posibles, pero mi compromiso anterior con el ensayo les había venido poniendo una barrera. Es un viejo proyecto aletargado que por fin revivía, tomaba vuelo y se apoderaba gozosamente de mi voluntad. Me pareció verte sonreír satisfecha: «Claro, mujer, nada de teorías. Un libro con portada de novela rosa dibujada por Penagos. El ensayo ése sobre el erotismo te está aburriendo, huele a puchero de enfermo, reconócelo.» Tienes razón. Además podía aprovechar alguna de sus notas más inspiradas, sin obligarme a citas ni a conclusiones, simplemente como adorno del argumento central: la escapatoria de una mujer madura. Me acordé de todas las cartas que te he escrito y no te he mandado desde que tomé un tren camino del Sur, y mi entusiasmo se redobló. «Para Sofía y para Noc, desde lejos.» Busqué en el cielo la Osa Mayor, sentí tu mano en la mía y fueron lágrimas de infancia las que acudieron a mis ojos. Los astros desdeñan nuestras cuentas mezquinas, nuestro orden cronológico. Podía ser una especie de diario desordenado, sin un antes y un después demasiado precisos, escrito a partir de sensaciones de extrañeza, jugando con el contraste de emociones inesperadas, con la corriente alterna de los humores dispares que transforman insensiblemente a una misma persona.

Por ejemplo, según pensaba eso y atravesaba a paso ágil y animoso el recinto de la piscina, completamente vacío a aquellas horas y con las hamacas recogidas, miré el trampolín reflejado en el agua inmóvil y no pude por menos de preguntarme si era yo quien había dado alas, algunas horas antes, a aquellas cavilaciones tortuosas sobre la mujer-objeto, disipadas sin más como una bandada de pájaros negros. Del hall, separado de la piscina por unas columnas que forman arco, es de donde venía la música de piano. Me dirigí hacia allí, tarareando las palabras con las que Frank Sinatra inmortalizó a todos los extraños que se cruzan en la noche.

¡Qué divertido, Sofía, entrar ahora al hotel por la puerta de atrás! Mejor, ¿a que sí?, mucho mejor. La señora que llegó esta mañana por la otra puerta no me gusta, y seguro que a ti tampoco si la hubieras visto. Ojalá no vuelva. Oye, a esto de las dos puertas se le podría sacar un partido enorme para la novela, no me digas que no. Un día entre dos puertas. Llegué como náufrago y vuelvo como detective. Por cierto, cuántas casualidades, también en el mesón de la gaviota entré por una puerta y salí por otra. ¿Querrá decir algo? ¡Qué risa si estuvieras aquí! Me dirías: «Anda, no pongas cara de detective, vamos a meternos de puntillas en ese vestíbulo tan lujoso. ¿Te das cuenta de lo bien que suena la música y de lo brillantes que son las baldosas? Y tú como un golfillo, con el borde de los vaqueros mojado. Vamos a jugar a ser Heathcliff y Katherine cuando se metieron de noche en el jardín de la Granja de los Tordos y se auparon al alféizar de una ventana para fisgar desde fuera el salón de los Linton. No hagas ruido, Mariana, no nos vayan a echar los perros.»

Era un pianista negro el que tocaba y había poca gente

oyéndolo, repartida en tres o cuatro mesas alrededor de una pequeña pista de baile. Apoyada en una de las columnas de acceso al hall y oculta a medias por ella, esperé a que terminara «Strangers in the night» para salir de mi escondite y avanzar resueltamente hacia una de las mesitas vacías, la más pegada al piano. Estaban sonando unos débiles aplausos a los que uní el mío, sonoro y prolongado. El pianista me pagó con una sonrisa y yo correspondí con otra.

—Por favor, ¿conoce usted «Perfidia»? —le pregunté, ya sentada.

—Seguro, madame. Lo tocaré para usted con placer.

—Y para una amiga mía, si no le importa —murmuré—. A ella le encanta.

Vino el camarero y me preguntó si estaba en el hotel. Le dije que sí, pero que no me acordaba del número de la habitación, y le tendí con gesto indolente una tarjeta de visita para que confirmara mi nombre en recepción. Me divertía muchísimo todo aquello, que naturalmente te estaba dedicando, como la petición de «Perfidia». Pedí un café con hielo. Luego cerré los ojos para escuchar a gusto la melodía que empezaba a sonar para ti de joven, porque el tiempo no existe.

> Y tú quién sabe por dónde andarás,
> quién sabe qué aventura tendrás,
> ¡qué lejos estás de mí!

Y deseé que estuviera a punto de ocurrirte una aventura bonita, algo que te saque de tu rutina matrimonial y tus problemas de fontanería.

Cuando me trajeron el café con hielo, abrí los ojos lánguidamente y en ese momento lo vi a él. Estaba solo, sentado justo enfrente, con las largas piernas cruzadas y sujetando entre los dedos un vaso mediado de whisky. Llevaba una chaqueta de ante y no me quitaba los ojos de encima. Ya ves lo que son las cosas, un ejecutivo de buen ver, con un ligero aire a Gregorio Termes, interesado por la señora despeinada y sin maquillar que pone cara de detective. Le sostuve momentáneamente la mirada. Es un género que interesa poco, pero menos da una piedra, ¿no?, y para la novela puede hacer caldo. Estaba claro que se aburría.

Cuando acabó «Perfidia» y le di las gracias al pianista, saqué del bolso el cuaderno estrenado en el mesón de la gaviota tuerta y me puse a tomar notas febrilmente para lo que estoy escribiendo ahora, varios días después. Me sentía sofocada, embellecida, feliz. Siempre que levantaba la cabeza, como al descuido, me encontraba con los ojos del hombre de la chaqueta de ante, buscando los míos. Desde esa noche no ha dejado de mirarme.

Lo que no sabía —y seguro que va a hacerte mucha gracia— es que viaja con la mujer-objeto. Son mis vecinos de la 204.

XIII. EL VESTIDO ROJO

Yo iba de rojo, con un vestido muy especial. Todo se desencadenó por culpa del vestido rojo. Mejor dicho, de los sentimientos que su estreno desencadenó en mí. He repasado muchas veces los preliminares de aquella tarde y, aun contando con los retoques continuos que imprime la memoria a los cuadros predilectos del pasado, creo poder decir con conocimiento de causa que el argumento central de éste es el vestido rojo. Porque en cuanto cierro los ojos para revivir detalles, ángulos o figuras olvidadas, lo primero que estalla es el color rojo en mitad de todo lo demás, y mi cuerpo resucitando dentro de esa funda de fuego, mientras sigo con la mirada una silueta, nimbada también de resplandores rojos, en cuclillas ante las llamas de cierta chimenea, tratando de avivar las brasas con un fuelle. Yo estoy sentada en un sofá detrás de él. Es un hombre, pero todavía no le he visto el rostro.

Se llamaba María Teresa, de apellido no me acuerdo, la compañera de clase que me llevó allí, una chica de gafas que hablaba de la emancipación femenina, se mordía las uñas y decía tacos, costumbre aún llamativa entre mujeres de la época. Era del grupo de mi hermano Santi, gente de la FUDE, aunque por el cuarto de los conspiradores no pisó nunca, que yo sepa. Chicas iban muy pocas, sólo la novia de alguno a buscarlo, cosa que a mi madre, por cierto, no le hacía gracia ninguna. Como María Teresa prefería los secreteos políticos en el bar a aparecer por clase, nuestra relación se re-

231

ducía fundamentalmente a la cesión de apuntes, intercambio en el que a mí me había correspondido el papel de prestamista y que para ella parecía tener un interés vital, a juzgar por la insistencia de sus requerimientos y el nerviosismo que los acompañaba. Ya se reflejase en su rostro el afán por mover a piedad o la indignación anticipada ante una posible negativa, siempre formulaba su petición a trompicones, con la respiración alterada y el gesto tenso.

No eran síntomas desconocidos para mí. Durante el bachillerato, Mariana y yo —que siempre estábamos jugando a cosas— habíamos inventado una era de cultura rudimentaria que bautizamos con el nombre de «copiomanuense inferior», cuyos individuos vivían obsesionados por la consecución del apunte ajeno, como fuente primordial de subsistencia. Llegamos a hacer tiras de comic, donde aparecían los copiomanuenses, unos hombrecillos con cabeza de insecto y labios en forma de ventosa. Llevaban taparrabos de piel y un manojo de flechas a la espalda. Cuando los apuntes dormían, ellos se acercaban de puntillas y se arrodillaban para chuparles la sustancia, pero lo más frecuente era que corrieran el riesgo de salir a cazarlos para después llevarlos a su cueva y ofrecérselos como trofeo a sus mujeres. El texto de aquellas aventuras lo escribíamos entre Mariana y yo, sobre dibujos iniciales míos. Todavía hace poco me encontré con una de estas historietas traspapelada dentro de un libro y se la regalé a Encarna, porque le gustó mucho. Dice que me quiere poner en contacto con un amigo suyo que se dedica al comic. Pero el gozo frente a aquella nomenclatura de «apuntodocus» y «apuntosaurios», y la risa cuando hacíamos una tira nueva o nos la mandábamos de pupitre a pupitre, eso no lo puede compartir Encarna, por mucho que nos queramos, ni nadie en el mundo más que Mariana. Ni a mí me divertiría estar hablando de ello con tanto detalle si no la hubiera visto recientemente en la exposición de Gregorio Termes y no nos hubiéramos reído juntas de lo de la liebre en el erial, que fue la inmediata contraseña para reconocernos entre tanta gente desconocida y el pie para que ella me pusiera deberes, siga usted señorita Montalvo, por donde sea.

Pues ya ves, hoy les ha tocado a los copiomanuenses, que no venían en el programa, porque yo esta noche me puse a escribir con el firme propósito de aclarar lo de Guillermo. No se pueden tener firmes propósitos. Tal vez los rodeos que me permito tengan que ver con la oscura certeza de que ese nombre de varón no nos dice lo mismo a ella que a mí, ni las historias que evoca en cada una de nosotras van a unirnos, sino posiblemente todo lo contrario, como ya se insinúa en la única carta que Mariana me ha escrito. Y en cambio aquellas pueriles historietas de cazadores antediluvianos estoy segura de que se esconden en algún repliegue de su memoria con la misma nitidez con que se dibujan ahora en la mía; y eso nos unirá mientras tengamos aliento, porque pertenece al mundo de lo indudable. El paisaje era muy pedregoso, arbolado tipo alcornoque, y por encima de los roquedales y los arbustos volaban los apuntes en su modalidad de pájaros planos y enormes. Otras veces tomaban la forma de canguros o lagartos gigantes de extraños perfiles geométricos, y se ocultaban a saltos oblicuos entre la maleza, para vigilar desde allí, con sus ojos abultados de poliedro, el avance enemigo. Pero tanto si corrían como si volaban, su superficie estaba marcada por las arrugas de una apretada caligrafía simulando un dibujo jaspeado que los identificaba, aun desde lejos, como blanco inconfundible y, desde luego, el más apetecido por las flechas de aquella tribu cazadora.

Pues bueno, María Teresa pertenecía a la especie de los copiomanuenses, que yo creía extinguida. Y hacer frente a aquel ejemplar sin contar con el apoyo y el comentario de Mariana me resultaba pesadísimo. Considerando que en una carrera universitaria las materias que se estudian ya no son tan elementales, mi sorpresa ante la pervivencia del género me llevó a tomarlo inicialmente como una ilusión óptica. No me entraba en la cabeza que nadie pudiera sacar provecho de la caza y captura de apuntes ajenos, ya difíciles de interpretar para el mismo que los ha tomado y hasta para el profesor que los dicta, porque al fin tiene que ir resumiendo, según habla,

233

lo que ha estudiado en distintos libros y poniendo algo de su cosecha. Y luego, que depende del humor que tenga el día que da la clase y de su capacidad de concentración y de cómo haya dormido. Al principio intenté discutir estos asuntos con María Teresa y llevar a su ánimo la inutilidad de su labor copiomanuense en comparación con las ventajas ofrecidas por la bibliografía de primera mano. Pero nunca mostró la menor receptividad ante mis consejos, que achacaba a tacañería, ni por la cuestión en sí, a pesar de que ahondando en ella se puede llegar a la entraña misma del comentario de textos, que a eso se reduce, al fin y al cabo, estudiar Letras. Era como hablarle a la pared. Teniendo en cuenta, además, que María Teresa no brillaba por su sentido del humor, pronto comprendí que nuestras charlas no tenían mucho futuro, y me atuve a esas limitaciones, sin pedirle más peras al olmo.

Nunca llegamos a hablar arriba de media hora seguida, excepto aquella tarde en que yo había estrenado el vestido rojo. Ella creo recordar que llevaba un chaquetón de pana, tal vez negro o gris, no lo sé. Si su persona se ha salvado definitivamente de arder en el olvido no es porque nuestra conversación de esa tarde pusiera al descubierto inesperadas afinidades entre ambas, ocultas hasta entonces, sino porque el transcurso de la tarde misma iba a operar el milagro de convertir a aquel ejemplar tardío de copiomanuense inferior en «la chica que me llevó allí», transformación que la ha elevado en mi recuerdo a un estadio superior.

Llevo un rato pensando sólo en Mariana, ya lo he dicho, escribiendo para ella, con la esperanza de que lea esto algún día. Es el único sentido que le encuentro a haberme extendido tanto y con cierta comicidad en la presentación de un ser tan anodino como María Teresa: el recuerdo de lo que le divertían las historias laterales y los personajes secundarios. Lo malo es que ahora me veo obligada a no cortar por lo sano, porque no se pueden meter muchos detalles de una cosa y ninguno de otra, así que por este camino no tengo ni idea de las páginas que me toca llenar antes de que entremos en aquella casa de la chimenea encendida. Seguro que termino este cuaderno. Pero me estoy divirtiendo mucho, ¿no?, y nadie me pide cuentas. Pues ya está. No sé por qué va a ser malo.

Lo primero de todo es hablar del vestido rojo.

Me lo acababa de mandar mi madrina, por medio de unos amigos suyos que venían de París y que estuvieron en casa de visita la tarde anterior, los señores Richard. Con motivo de aquella visita, mis padres habían estado discutiendo por teléfono un rato antes; él llamaba desde el despacho diciendo que posiblemente se retrasaría un cuarto de hora y mamá reaccionó en forma brusca e iracunda: de ninguna manera estaba dispuesta a recibirlos como no viniera él. No sé cómo acabaría la cosa. Yo me fui a la calle y, al volver, ya estaban allí.

Me veo en el inhóspito salón llamado «del biombo» con el paquete de mi madrina apretado contra el pecho, percibiendo a través del papel la blanda contextura de una ropa que se adivina de lujo, mientras atiendo sin ganas a la conversación de mis padres con aquel matrimonio un poco mayor que ellos. Creo que el marido era una persona importante y con la que a mi padre, por las razones que fuera, le interesaba quedar bien. Mi madre se había pintado y se había puesto tacones. Estaban hablando de ir los cuatro juntos al día siguiente a Toledo, ciudad que los Richard no conocían. Yo había sido llamada simplemente para recibir el regalo que traían para mí, y comprendí con toda clarividencia que si cedía a la tentación de sentarme, acabaría viéndome implicada en aquella tediosa excursión. Desde las Navidades, en casa se respiraba un ambiente familiar enrarecido y yo con frecuencia me había avenido a paliarlo y a suavizar tensiones, olvidando mis propias tristezas. Al fin y al cabo, era la chica. Y además una chica que sabe ser simpática cuando quiere y que habla francés correctamente, primor educativo que en aquel caso concreto era un tanto en contra mía. Pero, de pronto, lo único que me interesaba era abrir el regalo, todo lo demás me resultaba insoportable. Y se convirtió en un deseo tan vehemente como el de escaparme del salón y dejar de ver las grullas y mariposas bordadas en la seda gris del biombo, de donde, por otra parte, me costaba separar los ojos, como si allí los sintiera a mejor recaudo.

Madame Richard era una mujer elegante, de rostro menudo y expresivo, y mi madre se esforzaba por mantener con ella una charla que no denotara demasiado su desinterés, pero el rictus de fastidio la traicionaba. Mi padre estaba hablando de la destrucción del Alcázar de Toledo y del «Entierro del Conde de Orgaz». A monsieur Richard le entusiasmaba El Greco, y papá no le llevaba la contraria, aunque en familia siempre había dicho que era un pintor de tuberculosos. Aparté la vista de las grullas del biombo y lo miré. La alarma ante una situación incómoda se le traslucía en un tic nervioso apenas perceptible para los extraños y que consistía en apretar intermitentemente la mandíbula. Era su forma muda de pedir apoyo. Me miró y notó que yo lo había notado.

—¿Qué te pasa, Sofía? —preguntó con cierta severidad—. ¿Por qué no te sientas?

—Perdona, papá, pero iba a salir. Y además estoy deseando abrir el regalo de mi madrina, compréndelo.

Yo, desde niña, sabía darle a mi voz, cuando me dirigía a mi padre, un tono que a él le gustaba, mezcla de dulzura y firmeza. Me salía natural y ejercía efectos inmediatos.

—El paquete lo puedes abrir perfectamente aquí —intervino mi madre.

—Sí, claro, poder podría. Pero...

—¿Pero qué?

Hubo un silencio.

—Pero no quiere y es natural.

Era la señora francesa la que había hablado. Sonreía, comprensiva. Mi madre no replicó, pero el amago de tormenta que se leía en su frente se había acentuado.

—Es muy posible que Sofía le mande algún mensaje dentro del paquete, con lo que a ella le gustan las cartitas —continuó madame Richard—. Y los mensajes de las madrinas son secretos, ¿verdad, *chérie*?

Me incliné a darle un beso.

—Sí, señora. Gracias por haberlo entendido.

—Siempre te las arreglas para salirte con la tuya —dijo papá, evidentemente dulcificado.

—Eso indica personalidad fuerte —comentó monsieur Richard.

Mamá no dijo nada. Me despedí cortésmente y salí de la habitación como si me hubieran nacido alas en los pies.

Efectivamente, con el vestido rojo venía una cartita. La leí antes de probármelo.

«No sé si es de tu talla —decía—. Pero el fuego no tiene tallas. Espero que en esa hoguera ardan todos tus fantasmas y resucite tu cuerpo.»

Era exactamente de mi talla y se me adaptaba al cuerpo como un guante. En cuanto a la resurrección y la quema de fantasmas, siendo como eran augurios bastante en consonancia con los formulados por las hadas de los cuentos, tengo que confesar que me quedé un rato largo contemplándome delante del espejo, al acecho de algún prodigio. Y la muchacha de rojo se desprendió de mí como una desconocida, a medida que se acentuaba la sonrisa sensual con que parecía invitarme a un peligroso juego de complicidades. Retrocedía y avanzaba hacia mí con paso lánguido, arqueando los brazos sobre la cabeza y volviéndolos a bajar lentamente. El escote era cuadrado y bastante generoso, con dos clips. Desde luego no era mi estilo de vestir ni de moverme, pero me encontraba guapísima. Pensándolo bien, la mayor trasformación consistía precisamente en aquella complacencia al descubrirme distinta y gustarme. Creo que nunca me he mirado tanto rato seguido al espejo, era como una situación hipnótica.

Desperté de ella bruscamente cuando se abrió la puerta y apareció mi madre para avisarme de que me llamaban por teléfono. Su extrañeza, inicialmente motivada por el hecho de que yo no lo hubiera oído sonar, cuando estaba colgado en el pasillo, junto a la puerta de mi dormitorio, aumentó al verme convertida en una especie de Marilyn que ensaya su papel. Y lo más raro de todo fue que ni siquiera me sentí avergonzada. Al contrario; exageré la pose teatral iniciando una leve reverencia.

—¿Pero qué te pasa? ¿Qué estás haciendo?

—Nada. Probándome el vestido que me ha mandado Sofía.

—¿Y esos gestos tan raros?

—Por favor, mamá, ¿no me puedo divertir un poco? No nos vamos a tomar siempre la vida como un funeral de tercera.

Se apartó para dejarme pasar.

—¡Qué barbaridad! —dijo—. Te queda exageradísimo. Pareces una fulana.

Suspiré mientras la veía alejarse por el pasillo. Luego me apoyé contra la pared y cogí el auricular.

La que me llamaba era María Teresa y debo reconocer que me decepcionó muchísimo. No porque yo esperara aquella tarde alguna llamada de nadie, sino precisamente por eso: ya que no esperaba nada, cabía lo inesperado. Y mientras escuchaba la consabida petición de apuntes, formulada esta vez en términos de agobio, yo, arqueando una rodilla para apoyar el pie contra la pared, acariciaba la falda suave, como de ante, ciñéndose a mis caderas.

—Sofía, ¿estás ahí?

—Sí.

—Creí que se había cortado. Es que voy atrasadísima, en serio. Me faltan todos los de Gramática Histórica desde antes de Navidades, fíjate qué horror. ¿Me estás atendiendo?

—Que sí...

—Pues ¿cómo quedamos, oye?

Al día siguiente era domingo y yo había decidido pasármelo entero en el Ateneo para huir de implicaciones familiares. La cité a las siete en el bar de allí.

Era domingo, pues, el día en que estrené el vestido rojo. Con un abrigo encima, eso sí, porque salí temprano y hacía frío. Pero lo llevaba desabrochado, en plan un poco desafiante.

Nunca me he atenido a la división —mucho más rígida en aquellos años que ahora— entre ropa de diario y ropa de vestir, y además pienso que tardar en estrenar un vestido trae mala suerte. De todos modos, a medida que iba andando y mirándome de refilón en las lunas de los escaparates, yo misma me daba cuenta de que no era una *toilette* muy adecuada para ir a estudiar al Ateneo. Y me producía cierto malestar reconocer que en mi elección, más que el capricho, habían influido el comentario despectivo de mi madre y el afán por llevarle la contraria. Ya por entonces vislumbraba yo algo que iría quedando cada vez más claro con el correr del tiempo: que no basta con dar un portazo y largarse a la calle para librarse del influjo de otras vidas que inciden en la propia.

Me cundió poco el estudio aquel domingo. Y tampoco escribí nada de fuste, excepto un poema corto titulado «Deshielo», que no está mal. Habla de las ansias con que un alma entumecida otea la llegada de la primavera, como el avance de un ejército enarbolando teas ardientes. Me salió de un tirón. El resto del tiempo, en cambio, lo gasté en empezar varias veces una carta dirigida a Mariana, cuyos principios iba rasgando sucesivamente y tirando a la papelera. No encontraba el tono, y era porque en vez de pensar en lo que quería decir, hacía conjeturas sobre la disponibilidad de su ánimo hacia mí, y las tachaduras eran reflejo de la inseguridad que me invadía. Ensayé finalmente el tono jocoso, pero tampoco resultó. En la última cuartilla que rompí, incluía una tira inédita de copiomanuenses y un dibujito del vestido rojo, con abrazaderas en los hombros como las que llevan las mariquitas recortables. Pero no. Mariana no se iba a divertir con esos dibujos, no iba a recibirlos como un fulgor, o por lo menos no estaba segura. Así que di por definitivamente fallido un intento que tal vez estoy recogiendo hoy. Las cartas sólo se adornan sin trabas cuando se tiene la certeza —equivocada o no— de que el destinatario va a disfrutar muchísimo con su contenido y le va a saber a poco, «siga usted, señorita Montalvo», entonces da igual lo que se ponga aunque sean tonterías. Y ya no lo son. Precisamente deja de ser una tontería lo que se cuenta con ganas. En eso consiste.

En algún momento de la tarde empecé a encontrarme muy a disgusto y a pensar si no habría sido preferible irme con mis padres y los Richard de excursión a Toledo, que por lo menos allí me habría sentido útil y en mi sitio. Se pensaban quedar a dormir. Me inquietaba imaginarlos por las calles estrechas, venciendo sus tensiones interiores, haciendo esfuerzos por que resultara un día digno de recuerdo. Me pesaba de lejos su deambular inútil y me reprochaba un egoísmo que al fin y al cabo no me había servido más que para dinamitar mis propios espejismos de plenitud.

Tenía sentado en el pupitre de enfrente a un chico con calva incipiente y pinta de opositor, que subrayaba compulsivamente ristras de frases con bolígrafos de distintos colores. De vez en cuando resoplaba, se rascaba la cabeza y se me quedaba mirando al escote, primero de reojo y poco a poco con mayor descaro. Eso contribuyó a aumentar mi malestar y mi incapacidad de concentrarme. La tarde había dado un quiebro extraño hacia el aburrimiento. De la complacencia ante mi figura reflejada en el espejo y presagiando inquietantes mutaciones, resbalaba por una cuesta abajo de desconfianza y conciencia de error hacia el ciego deseo de romper a pedradas todos los espejos.

Acabé recogiendo los libros y bajando al bar media hora antes de lo acordado para la cita. La tarde no acababa nunca de pasar.

Cuando llegó María Teresa nos tomamos un café y le pasé los apuntes de Gramática Histórica, que inmediatamente tomó al peso y hojeó abrumada, más que para hacerse una ligera idea de su contenido para contar los folios grapados, tarea en la que se ayudaba mojando un dedo en saliva, y que pareció sumirla en atroz depresión.

—¡Cuarenta hojas! ¡Pero cuántos apuntes ha dado! Son muchísimos, ¿no?

Había en el tono de su voz una sombra de reproche.

—Sí, los de enero y parte de febrero, ahí tienes las fechas. Es que vienes muy poco a clase, chica, qué quieres que te diga.

—Hay cosas más importantes que asistir a clase —dijo con cierta acritud.

—Bueno, eso allá tú, no te lo discuto. Pero luego no te vengas quejando, deja de estudiar y ya está.

Seguía mirando los apuntes.

—¿Tú ya te los sabes todos? —preguntó.

—Yo no. Les echaré una mirada cuando sea el examen. A ver si los copias pronto, tú, que la otra vez te eternizaste.

—A ver —replicó—. Es que son muchos.

Los metió, suspirando, en una carpeta azul deslucida. Luego pagó los cafés y salimos juntas.

—¿Ya no estudias más?

—No. Me ha cundido poco el día. Hay días muy tontos.

Echamos a andar en silencio camino de la Plaza de Santa Ana. Hacía una tarde ventosa y despejada de finales de febrero, y al fondo de la calle del Prado se vislumbraban resplandores de primavera. Me paré a mirar el escaparate de una librería de viejo que todavía existe. Siempre que paso por allí me acuerdo. Había una lámina grande en tonos sepia y rojo, donde se veía a una señorita decimonónica reclinada en un sofá con gesto voluptuoso. En la mano derecha, abandonada sobre la falda, tenía una carta que probablemente acababa de leer. Y sus ojos, dirigidos hacia alguna ventana invisible, conservaban el fulgor provocado por aquellas palabras del enamorado ausente que impregnaban la escena por completo. Aquel descubrimiento daba pie a cualquier novela de las que yo solía inventar para Mariana cuando éramos más pequeñas y soñábamos con el amor romántico. En cuántos poemas y canciones habíamos bebido ese aire inflamado de la ausencia amorosa, la ausencia es aire que apaga el fuego chico y aviva el grande. Y de pronto, al mirarme reflejada en el escaparate, con mi vestido rojo bajo el abrigo desabrochado, vigilando a aquella enamorada de papel, comprendí que estaba deseando descubrir por mí misma, como Mariana, la diferencia entre lo vivo y lo pintado. Comprendí que ya no me bastaba con inventar novelas ni con que me las contaran, que de lo que tenía ganas era de enamorarme yo. Bueno, la verdad es que no sé si me lo formulé exactamente así, pero de esta manera me lo cuento ahora siempre que vuelvo a pasar por delante de aquella librería. Lo que sí es verdad es que me había quedado absorta, que el corazón me latía muy fuerte y que el vestido de la mujer del dibujo era rojo, como el mío.

—¿Qué miras? —me preguntó María Teresa.

—Ese grabado; me gusta mucho.

—¿El de la señora leyendo una carta? Pues hija, a mí no. Lo encuentro una cursilería.

Seguimos andando. Había unas nubes revueltas de color acero. Era la típica noche para haberme quedado a dormir en casa de Mariana, ya que mis padres no volverían hasta el día siguiente. Me invadió una mezcla exaltada de añoranza y rebeldía. Echaba de menos a mi amiga hasta no poder más, pero necesitaba quemar fantasmas, romper la tiranía del círculo vicioso. Algún camino tenía que haber para escaparse hacia lo desconocido.

—¿Hacia dónde vas? —me preguntó María Teresa al llegar a la Plaza de Santa Ana.

—No sé. Puede que dé un paseo. ¿Es tuyo ese Isetta?

—Sí. Te puedo acercar a algún sitio, si quieres.

María Teresa se había parado junto a un dos plazas redondeado y transparente de los que llamaron aquí «huevos», que tenían un diseño como de helicóptero y se abrían por delante. Era un modelo italiano bastante barato y en la España preconsumista hizo furor, aunque duró poco. Miré con envidia a María Teresa, mientras levantaba la cubierta ovalada de su Isetta y quedaban al descubierto los dos asientos. Yo nunca había montado en ningún coche de aquéllos, y me hacía ilusión. Tenía algo de carricoche de tiovivo.

—¿Qué dirección llevas? —le pregunté.

—Voy a casa de unos amigos que viven en comuna por la parte de Pozuelo y celebran un cumpleaños. Por cierto, me han dicho que lleve a quien quiera. Seguramente estará tu hermano. ¿Te apetece venir?

Dije que sí con un repentino entusiasmo. Y así fue como me dirigí montada en aquel ingenio de cristal un tanto surrealista hacia la casa de la chimenea encendida. Pero no estaba mi hermano. Ni nadie que me despertara ningún re-

242

cuerdo ni a quien tuviera que dar cuentas de mi presencia allí. Mi hada madrina había preparado bien las cosas.

La gente que por aquellos años había empezado a vivir en comuna tenía a gala burlarse de las convenciones burguesas y exhibir cierto grado de desorden vendido como espontaneidad y desinhibición. Las menciones a Marx y a Simone de Beauvoir recibían un refuerzo de modernidad y eficacia cuando se mezclaban con un manejo experto de estadísticas de exilio, natalidad y desempleo, discos de Raimon o de Brassens y exaltación del amor libre. Cuando en una de aquellas viviendas, generalmente chalets de extrarradio alquilados entre varios, se celebraba una reunión política o festiva, el que llegaba por primera vez introducido por algún amigo no podía esperar que nadie le presentara a nadie ni le aclarara quién de los asistentes pernoctaba en la casa de forma fija o de qué madre y padre eran los niños que por allí correteaban.

Es muy raro lo que se me está ocurriendo, en plan de insólita asociación de ideas, según escribo esto. Pero de pronto me parece haber hallado el patrón escondido sobre el que se organizan —contando con todas las diferencias aparentes que pueden camuflar el parecido— fiestas de «elite» como la del otro día en casa de Gregorio Termes, donde la consigna es no hacer caso de nadie, porque todos se consideran elegidos y cómplices. Seguro que Gregorio fue un progre de los sesenta, se bañó poco, vivió en comuna y atacó de forma furibunda el orden burgués. A saber si no estaría incluso en aquella casa de Pozuelo cuando María Teresa y yo llegamos en el Isetta.

Eran dos habitaciones grandes y un poco destartaladas formando ángulo y separadas por una puerta corredera que tenían abierta. Tampoco estaba cerrada la que daba al jardín y que María Teresa simplemente empujó, sin andar llamando a ningún timbre. Las paredes estaban forradas de corcho y había

243

una escalera de acceso a los pisos superiores, donde debía estar el grueso de la reunión, a juzgar por un rumor intermitente de voces, risas y música que bajaba de allí. Adultos en la parte de abajo se veían pocos, pero sí varios grupos de niños tirados por el suelo leyendo tebeos o jugando con construcciones de madera. Otros salían o entraban del jardín un tanto descuidado, donde vi una piscina de azulejos mellados con un fondo de agua verdinosa. Había también un perro.

Creo que María Teresa desapareció enseguida escaleras arriba. Tal vez saludó antes a alguien. Tal vez me preguntó que si quería subir con ella. No sé. No me acuerdo de nada. Desde que entré en aquel recinto en forma de ele lleno de estanterías de ladrillo y posters sujetos al corcho, de botellas semivacías, juguetes, almohadones, ceniceros y libros abandonados por el suelo, no me fijé más que en un chico rubio con pantalones de pana y camisa a cuadros, que estaba en cuclillas en el rincón de la derecha delante de una chimenea de fuego mortecino, cuyas brasas removía cuidadosamente con un hierro. De espaldas a cualquier solicitación ajena, transmitía a través de su actitud absorta la impresión de estar entregado a una tarea de importancia fundamental: reavivar un fuego. No sé cuánto tiempo lo estuve mirando antes de echar a andar despacio pero inevitablemente en aquella dirección.

De camino, sobre una mesita octogonal, vi una bandeja con bebidas y me paré a servirme un vaso de vino. Era tinto corriente, y los vasos de cartón. No se trataba de ninguna copa de cristal tallado ni de un líquido con reflejos ambarinos como uno se imagina los filtros de amor que transformaron a la infanta Flérida o enajenaron la voluntad de Isolda, no había razón para ponerse en guardia. Bebí, pues, el primer sorbo despreocupadamente, como si hiciera un alto en mi viaje. Me sentó bien y me arrancó un suspiro profundo, de olvido e ingravidez. Miraba subyugada el rescoldo de aquel fuego y la figura inclinada de quien intentaba hacerlo revivir. Tal vez yo iba en su ayuda, pero no tenía prisa por llegar, me bastaba con saber que quería ir allí y con inspeccionar desde fuera los accesos al recinto (limitado por un sofá y dos buta-

244

cas) donde se guarecía el chico rubio, igual que cuando el niño perdido de los cuentos cree ver brillar entre las tinieblas del bosque la lucecita de una casa lejana y se para a gozar de su esperanza y su deslumbramiento repentinos. ¡Quién volviera a ese instante de tiempo detenido! Yo vuelvo muchas veces, aunque por vericuetos que no arrancan de la mesita octogonal sino de distintos lugares superpuestos, de mis bosques de ahora. Y la escena aparece siempre igual.

Es una foto fija como la que, al principio de algunas películas, congela la imagen de los actores, mientras aparece a la derecha su nombre de verdad junto al que les ha tocado en el reparto. La muchacha de rojo: Sofía Montalvo. Aún no sabemos lo que les va a pasar. Un cromo repetido que se cuela entre medias de mis sueños, que interrumpe también, cuando menos lo espero, algún quehacer, recado o argumento tedioso y me rapta en volandas de la sombra a la luz. Está usted en las nubes, señorita Montalvo. ¿En qué piensas, Sofía? Y yo ya en otro tiempo, en otro ámbito, dentro de la burbuja, sin entender por dónde he vuelto a entrar en ella, con miedo a que el calor la haga estallar. Pero no, eso es postizo, miedo no. La chica de rojo no tenía miedo, y tú eres la chica de rojo. Estás parada en medio de la habitación desconocida, a unos quince pasos de la chimenea, y te has llevado el vaso de cartón a los labios. ¡Quieta! Concéntrate. La mirada no debe apartarse de los hombros del chico rubio, que aún no conoce tu existencia, igual que tú no sabes que de la curva de esos hombros es de donde brota la fuerza que te llama, ni sabes que has tomado un bebedizo, porque ¿quién desconfía de un vaso de cartón? Sonríes, has brindado por el fuego y te pesa el abrigo. Concéntrate en tu cuerpo, ya te puedes mover un poco, como si te miraras al espejo. ¡Acción!

Volví a llenar el vaso y lo apuré de un trago. Luego avancé hacia el recinto de la chimenea, sorteando algunos cachivaches tirados por el suelo, en línea oblicua, atenta a cada paso que iba dando. Las butacas eran grandes y estaban muy pegadas al sofá. No me convenía ni correrlas para abrir un pasillito de acceso ni entrar por los dos huecos que dejaban en la

245

parte delantera, más cerca del fuego, porque cualquiera de estas opciones delataría mi intrusión. Así que me quité el abrigo para sentirme más libre de movimientos, lo puse en el respaldo del sofá y luego, sentándome en el brazo izquierdo, me dejé resbalar despacito al asiento y giré las piernas en el aire. En ese momento él le había dado la vuelta al único tronco grueso que quedaba encendido. No daba la impresión de que fuera a prender. Me quedé un rato completamente inmóvil. Ni siquiera me estiré la falda, que se me había subido —estrecha como era— bastante por encima de las rodillas. Y el corazón me latía muy fuerte, como cuando has llamado al timbre de una puerta desconocida y empiezan a oírse dentro los pasos de alguien que viene a abrir y ya no puedes volverte atrás.

De pronto pasó algo muy raro: supe que el chico rubio había detectado mi presencia. Ni yo me había movido ni él había vuelto la cabeza. Pero se estiró hacia la derecha para coger un fuelle, y cuando lo aplicó al corazón de la brasa, ya sabía que alguien había invadido su recinto. Me acurruqué en un rincón del sofá esperando que se volviera irritado o al menos curioso. Pero no lo hizo. Tenía unas manos muy bonitas y sus gestos eran cada vez más delicados. Se movía para mí, le gustaba que estuviera mirándolo. No sé cómo se entienden estas cosas, así por lo fulminante, pero cuando ocurre ni hace falta pedir garantías ni hay rectificación que valga. Mera cuestión de fe. Era así. Me estaba dedicando aquellos gestos, tal vez me hubiera visto de reojo, como los toros vislumbran el revoleo de un capote, quién sabe. Pero del fuego ya se había distraído, aunque seguía atizándolo cada vez más lentamente, sin eficacia alguna. Había pasado a ser un incendio de teatro, un pretexto para lucir sus manos y su nuca ante mí. Además el tronco aquél no prendía, hacía falta un poco de leña menuda. Era demasiado gordo.

Entorné los ojos y apoyé la cabeza en el respaldo del sofá, dispuesta a improvisar mi papel en cuanto me dieran pie. Me lo tenía que dar él, porque seguía sin aparecer nadie más. Seguramente sería una frase interrogativa, es lo más corriente para iniciar el diálogo entre personas que no se conocen. Y a mí no me tocaba hablar la primera, esa posibilidad prefería descartarla. ¿Pero a qué perder el tiempo en conjeturas? Lo importante era hacer acopio de serenidad y saborear aquella excitación tan grande ante la idea de contestar «quiero» a cualquier invitación o desafío. Se avecinaba un juego inédito, aunque muy antiguo también, el gran juego apasionante del que todo el mundo tiene referencias y que hasta entonces yo sólo había disfrutado a través de las que me llegaban del cine y los libros. Mariana opinaba que me estaba envenenando con tantas historias de amor literarias y que aquellas pistas falaces de las novelas y del cine me iban a despistar cuando intentara aplicarlas a mi propia historia.

—No tendré que pedir ninguna pista a nadie, no te preocupes —protestaba yo—. Sabré yo sola muy bien lo que tengo que hacer cuando llegue el caso.

—¿Y cómo sabrás que ha llegado el caso? —insistía Mariana.

—Porque tendré ganas de gustar. Me lo dirá el cuerpo. Y la imaginación y la inteligencia se crecerán, obedeciendo a las señales del cuerpo, querrán ponerse a su altura.

Todo se iba cumpliendo, con el añadido de un regalo premonitorio. La imaginación tenía que abarcar mucho para ponerse a la altura de un cuerpo que llevaba veinticuatro horas con ganas de gustar, que, resucitando inopinadamente al conjuro de un hada madrina, se había vestido de gala y había ensayado ante el espejo una función sin réplica; que estaba deseando convertirse, a su vez, en espejo. El mismo cuerpo que ahora acababa de desprenderse en silencio de los zapatos y subía los pies al sofá con languidez teatral; gesto, por cierto, que pareció hallar eco en el otro actor y provocar un amago de torsión en su cabeza, aunque tan tenue y breve que la chica de rojo no tuvo tiempo más que para adivinar entre pestañas el remate de una garganta memorable. Menos mal que no llegó a emitir sonido alguno. Pero había rondado ese peligro.

Me temblaban un poco las manos. Comprendí que tenía que estar alerta, sin que se notara, a la frase que aquel joven, digno de ser amado como Calisto o Romeo, podía pronunciar intempestivamente, hasta incluso de espaldas, golpe traicionero que haría la réplica más arriesgada.

Pero bueno, el caso era perder el miedo y fomentar la imaginación. No podía defraudar a mi madrina. Me había vestido de rojo para ver si alguien quería jugar conmigo a un juego cuyas reglas iría aprendiendo a medida que me metiera en él. Las cosas no iban mal. Era evidente que el otro jugador había aparecido, aunque por ahora fuera un enigma. Pero como encarnación del enigma no podía darse una figura más sugestiva. Además no todo dependía de él, sino también de mis capacidades para descifrarlo.

Así que me puse ya descaradamente en posición horizontal, y como vi que estaba a punto de caer la noche, decidí invocar a un viejo amigo que apadrinaba siempre mis relatos y ensoñaciones: el duendecillo Noc. Crucé las manos sobre el regazo, y con los ojos cerrados le pedí sabiduría para tantear el enigma y audacia para suplantar su poder de fascinación. Le pedí que encendiera en el chico rubio la sorpresa y la sed por escuchar mis fantasías solitarias, todos mis cuentos descabalados que se pudrían para nadie, gracia para coser esas historias rotas y acierto para entender que él me las exigía, paciencia para esperar la señal, oh Noc. Le pedí que me inflamara con su numen para vestir de oro mis palabras y verlas reflejadas en los ojos ansiosos que aún no me habían mirado; suéltame la lengua, oh Noc, le pedí, pero también refrénamela, como hiciste con Sherezade, márcame a tiempo las pausas para que siempre quede algo por contar y por escuchar, mañana sigo, mañana vuelvo, amén, oh Noc, amén.

«Estoy apostando a ciegas —pensaba de repente, como en una ráfaga de lucidez que disipaba mi borrachera— porque aún no me ha mirado ni se ha dirigido a mí. Y puede ser su rostro de los que no dan pie y su voz de las que no piden respuesta ni invitan a nada. Si fuera así, mejor que tarde en mirarme, ¿no te parece, Noc?, mejor que no me mire nunca ni se mueva. Avísame si se mueve, yo no pienso abrir los ojos.»

Y Noc, el diosecillo que presidió siempre mis cuentos nocturnos inventados para Mariana, sonreía burlón y revoloteaba por encima de mí con sus orejas puntiagudas. Pero yo no pensaba en Mariana, no me acordaba de ella para nada.

En el piso de arriba empezó a sonar «Rien de rien» en la voz de Edith Piaff. Música francesa, naturalmente. Mi madrina no iba a descuidar ese detalle. Muy bonito como banda sonora de película. Y también quedaba muy de película que la chica de rojo sonriera en plan un poco soñador con los párpados abatidos, mientras seguía como en un rezo las palabras de la canción. *Je m'en fous du passé*, barrido el ayer, dejado atrás, nada, no me arrepiento de nada, ni del mal que me hicieron, ni del bien, qué más 'da, con mis recuerdos he encendido el fuego, con mis penas y gozos.

Y entonces pensé en Mariana, claro, pero como en algo a lo que se dice definitivamente adiós. Tal vez ella lo hubiera sentido igual cuando se enamoró, y en ese momento me pareció lógico que no hubiera querido o sido capaz de compartir conmigo sus amores. Lo entendí de lejos y sin daño, con la extraña nubosidad mezclada de certeza con que a veces se entienden las cosas en sueños o se ve una ciudad a nuestros pies cuando empieza a subir el avión que tal vez, sin que lo sepamos, nos aleja para siempre de ella, y dice uno «por allí cae tal plaza, tal edificio, tal parque», y pega la nariz a la ventanilla, los reconoce dibujados primorosamente como entre los caminos de un cementerio, adiós, *je ne regrette rien*, ahora emprendo viaje hacia otros pagos. Pero me estaba despidiendo de la infancia, ésa era la verdad. Y también, en nombre suyo, de la de Mariana, a quien siempre gustaron poco las ceremonias solemnes.

Lo mejor para llevar las riendas de una situación es abstraerse. Con los ojos cerrados, me desentendí de la hoguera del chico rubio para encender la mía, mi propia hoguera-Piaff, donde crepitaban como hojas secas las voces de la infancia y todos los cuentos leídos e inventados para entretener la espera del amor. Perdí la noción del tiempo.

—No llores —oí que decía luego cerca de mí la voz más dulce del mundo—. ¿Te encuentras mal?

Abrí los ojos. El chico rubio se había sentado en el suelo

junto al sofá, y me estaba mirando. Mi silencio y tal vez mi expresión de pasmo al verlo allí tan cerca y tan de sopetón le animaron a poner una mano sobre mis rodillas y acariciarlas como al descuido. Fue una caricia breve, pero definitiva, que se adueñó de todo mi futuro.

—No llores, por favor —me seguía diciendo—. Estás temblando.

Yo me ahogaba de emoción. Creo que ya he dicho en otro sitio de estos cuadernos a quién se parecía el chico rubio, así que para qué voy a explicar nada. Por una parte, no habiendo visto nunca una película de James Dean, la impresión fue mayor. Pero además no le había oído sentarse allí ni recordaba por qué empecé a llorar. Eran demasiadas sorpresas a la vez, y encima la caricia a traición en mis rodillas, que eso ya de por sí minaba cualquier terreno y era el golpe de gracia para que el argumento, después de haberle estado dando vueltas tanto rato, campase por sus fueros, ajeno totalmente a mi control. Bajé las piernas del sofá y estiré un poco la falda. Nada de aquello venía en mi programa.

—No quería llorar. No pensaba llorar —dije como una tonta, mientras me llevaba los dedos a las mejillas, para comprobar la huella de mis propias lágrimas.

—¿Ah, no? —preguntó repentinamente divertido—. ¿Pues qué pensabas hacer?

Desvié la vista, porque su mirada no la resistía. El fuego se había apagado completamente.

—Decirte que no sabes avivar fuegos, entre otras cosas. Que no se pueden avivar sin leña menuda o por lo menos sin gurruños de papel. Y unas gotas de fe, claro. ¿De qué te ríes? Yo también te podré preguntar de qué te ríes.

—De la palabra gurruños. Creí que era exclusiva de mi abuela. Y yo no te he preguntado por qué lloras, que conste, guapa. Te he pedido sólo que no lo hicieras. Es distinto, ¿no?

Me había llamado guapa, pero no como yo hubiera querido oírlo, como se lo diría yo si me atreviera, y ahí me sonó la alarma, ojo, debe estar más que harto de oírse llamar guapo, igual es un presumido insoportable, protégeme, oh Noc, empiezo a perder pie.

—Sí, es un poco distinto —dije—, perdona. Siempre te tienes que salir con la tuya, ¿verdad?

Me sentí un poco violenta. Era lo mismo que me había dicho a mí mi padre antes de probarme el vestido rojo. Las palabras se me estaban escapando sin querer y en un tono que no venía a cuento. Decidí rectificar.

El chico rubio se había quedado serio, mirando el rescoldo de la hoguera. De pronto no me pareció tan joven. «Es de los que cambian según la luz», pensé con agrado.

—Bueno —dijo—, menos en lo de reavivar fuegos. En eso no parece que me haya salido con la mía.

—Te fallaría la fe.

—Muy probable. ¿Vas a llorar más?

—No.

—Pues anda, sécate las lágrimas que te quedan.

Me tendió un pañuelo muy limpio que se sacó del bolsillo. Pero sin el menor aire de conquistador. Lo estaba haciendo todo muy bien. Me lo pasé despacio por las mejillas y nos miramos sonriendo. También con mutua curiosidad. Una mirada de tanteo.

—¿Quieres que pruebe yo? Queda un poco de brasa —dije, señalando a la chimenea—. Antes no me atreví a proponértelo. ¿Sabes dónde hay leña menuda o periódicos viejos?

—No tengo ni idea. Sólo he venido otra vez a esta casa. Además, gracias, pero tu fe no me vale. Se trataba de una apuesta conmigo mismo, ¿sabes?, y la he perdido. Eso es todo.

—Lo siento —dije.

—Yo no. *Je ne regrette rien.* Era un fuego condenado a apagarse.

Se puso de rodillas en el sofá, mirando hacia el jardín oscurecido a través de la ventana. De perfil era todavía más guapo.

—¿Te gusta Rabindranath Tagore? —me preguntó después de un silencio bastante largo.

—Sí. Pero no está de moda. Me extraña que te guste a ti.

251

—Ni yo pretendo estar de moda ni he dicho que me guste.

—¿Y entonces?

Me puse de rodillas yo también y me abracé al respaldo del sofá. Daba la impresión de que se avecinaba un cuento.

—Verás —empezó—, de niño me gustaba muchísimo... Mejor dicho, le gustaba muchísimo a mi abuela.

—¿La de los gurruños?

—Esa misma. Y de tanto leérmelo, me aficioné a aquel lenguaje poético, que se me hizo familiar como el de la calle. Ya ves qué absurdo, y me sabía trozos enteros de memoria. Así me pasé gran parte de la infancia, fanático perdido de Tagore. Luego, como a todos mis amigos les parecía muy cursi, cosa de señoritas remilgadas, me llegué a avergonzar de que me hubiera gustado tanto. Bueno, también puede ser que de verdad me empachara. El caso es que renegué de aquella pasión.

Hablaba muy despacio, como para sí mismo, y ahora se había callado.

—Pasa mucho —dije yo—. A mí me ha pasado con Hermann Hesse.

—Pero de lo que se ha llevado tan adentro, siempre quedan huellas. Por ejemplo, muchas veces me he preguntado...

Se interrumpió súbitamente y se encogió de hombros, sin dejar de mirar a la ventana.

—¿Qué?

—Bueno, una tontería, en realidad. Que cómo sería sonreír con máscara de ausencia plena, que es una frase de Tagore, no sé si la recuerdas. Durante mucho tiempo soñé con encontrar ese gesto en la cara de alguna niña; sabía que lo reconocería, a pesar de tratarse de unas señas bastante inconcretas. No apareció nunca aquella niña, claro. Y de la frase me había olvidado ya. Llevaba años sin acordarme, eso es lo raro.

Hubo un silencio que parecía definitivo. En el piso de arriba aumentaba el jaleo. Ahora estaban poniendo música de jazz.

—¿Por qué me cuentas eso? —pregunté al cabo con un hilo de voz, mientras pensaba que el duendecillo Noc era evidente que se había pasado al otro bando.

—Porque antes, cuando se me apagó el fuego, y me volví, y estabas ahí tumbada con los ojos cerrados y ese vestido rojo, llorando y sonriendo al mismo tiempo, se me vino de repente a la memoria la frase de Tagore, pero reciente, igual que si la leyera por primera vez o la estuviera inventando yo, «¡cómo sonríes con tu máscara de ausencia plena!», parecías estar tan lejos y tan cerca... Pero, además, cambias.

—Tú también.

No me miraba. Pero era maravilloso oírle hablar.

—Y encima un encuentro tan anacrónico, ¿no? —añadió, ahora ya en otro tono—. Es evidente que la ausencia plena se ha equivocado de escenario.

—¿Tú crees?

—Y tanto que lo creo. En esta casa seguro que les nombras a Tagore y te llaman pequeñoburgués... Y a propósito, ¿qué has venido tú a hacer aquí? Y con ese traje... No te pega nada.

Ahora me estaba mirando de plano. Y no sólo a la cara.

—¿El traje o haber venido aquí?

—Haber venido aquí. El traje... Bueno, el traje es de escalofrío... Las de arriba llevan todas pantalones o ropas flojas.

Me congracié repentinamente con el vestido rojo, con mi cuerpo, con mis ansias de aventura. Ahora me tocaba el turno. Tenía que lanzarme con una réplica de cine en blanco y negro. Eché mano a mis dotes imitativas.

—Enciendes muy deprisa una hoguera con otra, forastero —dije con voz de doblaje de película.

Había dado en el blanco; se echó a reír. ¡Qué alivio! De pronto éramos amigos de toda la vida. No se sabe lo que había podido pasar para lograr aquel ajuste de ritmo en tan poco tiempo.

—Y tú te sacas de la manga mucha leña menuda, niña. Me gustaría saber de dónde sales.

—Adivínalo. No pretenderás que te resuma mi vida, después de eso de la ausencia plena que queda tan bonito.

—No, por Dios, sería una vulgaridad —dijo—. No me gusta que nadie me resuma su vida ni pretenda que yo le resuma la mía, ni que tenga prisa, ni que me diga «defínete», «hay que ser responsables» o «la unión hace la fuerza». Ah, y tampoco me gustan las reuniones de mucha gente. El número ideal es el dos. ¿Te adaptas a eso?

—Lo procuraré, jefe.

Se levantó y se agachó a ponerme los zapatos. Luego me cogió de la mano.

—Pues entonces no sé qué pintamos aquí. Vámonos. No tendrás que despedirte de nadie, supongo.

Me dejé arrastrar de su mano hacia la salida.

—No propiamente. ¿Y tú?

—Tampoco.

Cuando ya estábamos en el jardín, miré al cielo. Habían salido las primeras estrellas, y una luna muy grande. Me acordé de que podía llegar a casa a la hora que me diera la gana, respiré hondo, y era tan feliz como no he vuelto a serlo nunca en mi vida.

—¿Sabes adónde vamos? —le pregunté.

—Yo no. Me figuro que tú tampoco.

—No; no conozco este barrio ni tengo coche.

—Me tranquilizas.

Echamos a andar entre chalets, por calles desconocidas. Y pensaba, cogida de su mano, que era un milagro que a él le estuviera corriendo la sangre por las venas al mismo tiempo que a mí, y que hubiera descubierto en mi rostro la máscara de ausencia plena y que aquella luna que nos miraba estuviera iluminando también mares bravíos, montañas solitarias, caminos perdidos, ciudades ruidosas, tejados, valles, aves nocturnas, y los fuera a seguir iluminando en el futuro; y las palabras en mi garganta eran olas contenidas que se preparaban, oh Noc, para anegarlo todo.

Y él dijo, deteniéndose debajo de un farol, antes de besarme: «¿No te parece que ahora es siempre?» Y fue cuando supe que aquel amor me iba a asesinar lentamente, porque no era para durar.

Queda contado lo único que puede transmitirse de una historia de amor: los preliminares. Que es donde estalla su verdadero fulgor.

Pero si algún día, Mariana, lees este cuaderno, que en el fondo para eso lo escribo, quiero que sepas que tu nombre no salió a relucir esa noche entre nosotros. Ni durante algún tiempo. Se limitó a decirme de pasada que había roto con una novia demasiado racional y dominante para un lector de Tagore. Y que más o menos esperaba encontrarla en aquella casa, pero que ella no había ido.

—¿La de la hoguera apagada?

—Justo, la de la hoguera.

Pero no le pregunté más porque la noche iba de adivinanzas y de símbolos y de réplicas brillantes. Prohibido indagar.

Y aunque horas más tarde, en un local del Madrid viejo donde estuvimos bailando boleros, el corazón me diera un vuelco raro al enterarme de que se llamaba Guillermo, me tranquilicé pensando que, después de todo, no es un nombre tan infrecuente.

—¿Te pasa algo? —me preguntó—. Te has quedado muy callada. ¿Por qué me miras así?

—No sé, ¿cómo te miro?

—Raro.

—¡Es que eres tan diferente de perfil!

Fijándose bien, y dado que aún no se le podía comparar con James Dean, puede, sí, que Guillermo tuviera algo de cara de lobo. Que era la única seña llamativa que tú me habías dado de tu novio la primera tarde que me hablaste de él. Pero yo a los lobos nunca me los había imaginado rubios.

Querida Sofía:

Ayer por la mañana, cuando fui a dejar la llave de la 203 en el casillero, el recepcionista me preguntó que si ya he decidido por cuánto tiempo voy a prolongar mi estancia. Sonreía al decir «ya». Tiene unos dientes muy blancos y uniformes, y los luce al buen tuntún, aunque la sonrisa no venga a cuento, como esos locutores de televisión que no meten las pausas al servicio del texto, sino que las padecen a modo de tic nervioso más obediente al mandato de los focos que a las leyes de la prosodia. Lo deben haber contratado por los dientes. Son de anuncio. Yo para mis adentros lo llamo el Profidén.

De todas maneras aquel «ya», intencionadamente o no, resaltaba en la frase como si quisiera llamar la atención hacia su esencia adverbial y alertarme sobre la necesidad de pactar con las fechas. Asunto, por cierto, al que desde que abro los ojos suelo darle bastantes vueltas yo por mi cuenta. O mejor dicho, es su zumbido de moscardón girando en torno mío lo que me despierta, y mis primeros conatos mañaneros de reclutar voluntad se dirigen indefectiblemente a inventar argucias para espantarlo. Así que me molestó mucho aquella pregunta. Era como el recrudecerse de un dolor de cabeza cuando se está empezando a pasar. Además, en un sentido estrictamente literal, aquel ajuste de cuentas con el tiempo no parecía ser la primera vez que me venía sugerido por el joven de la sonrisa impecable.

Yo había bajado un rato a la sauna por ver de paliar la resaca de una noche rica en pesadillas. Me buscaban por un bosque Silvia y Josefina Carreras, montadas en un carricoche raro. El cochero, vestido con pesadas ropas de invierno e inmóvil como una estatua, resultaba ser Raimundo. Era noche cerrada. Pasaban cerca de mí y yo me escondía detrás de los árboles porque tenía miedo. En la sauna me crucé con la mujer-objeto. Luego, ya en mi habitación, recién limpia y oliendo a ambientador de flores, me había estado maquillando y probándome distintos atuendos, que iba dejando tirados sobre la cama, en busca del más resistente a mi crítica. La neurosis de las ropas. Bajo este epígrafe tengo muchas notas en mi fichero de Madrid. Hay días en que se agudiza la relación neurótica de la mujer con sus prendas de ropa, sobre todo con las de adquisición más reciente, que no siempre tienen entidad cuando pasan unos días. Una especie de lucidez mezclada de impotencia nos lleva a aborrecerlas y a vislumbrar lo que tienen de trampa, de paliativo. El que nunca me defrauda, y por eso acabo por ponérmelo siempre en situaciones así, es el traje sastre de gabardina, que ya tiene sus años y no lo intenta disimular, sin nada debajo y un pañuelo de flores en el escote. Además de ser un viejo amigo del que te puedes fiar, me adelgaza mucho. Lo llevaba —no sé si te fijaste— cuando te encontré en la exposición de pintura de Gregorio Termes. En cuanto al pelo, últimamente creo que me queda mejor recogido. O por lo menos eso es lo que dice Raimundo. Todavía tengo la goma con que me lo sujetó la última noche que pasé en su casa. Cuántas cosas se enhebran y convocan, Sofía, delante del espejo, mientras se busca, a modo de sustento, la figura más idónea para asomarla sin que se desmaye al balcón del nuevo día, que nunca sabemos lo que nos va a deparar.

Este tipo de juegos, encaminados en principio a hacer las paces con el propio cuerpo para que el alma se sienta a sus anchas dentro de él, rebasan enseguida las fronteras del preámbulo y se alzan con el mando de las decisiones posteriores, tomando el timón de su rumbo. Una especie de suplantación de nuestra voluntad, que finalmente se pliega a la evidencia de que hay que amortizar el tiempo gastado en tan minucioso ensayo. Acabamos aceptando, pues, la servidumbre de salir a mendigar el contraste de una mirada ajena que juzgue los resultados conseguidos, porque nuestro espejo se ha quedado sin azogue. Tras vacilar cerca de una hora entre las opciones de despejar la mesa supletoria y sentarme a escribir, tirarme un día inerte de piscina o tomar desde el pueblo un autobús en busca de improbables aventuras, me había inclinado por esta última.

El cliente de la 204, que estaba hojeando un periódico en el hall, se levantó en cuanto me vio salir del ascensor y se dirigió al mostrador para preguntar si tenía correo. Su pregunta interrumpió la que acababa de hacerme a mí el recepcionista, y eso me ayudó a ganar tiempo. Casi nos rozábamos, olía a colonia de calidad y lo del correo era un pretexto de los muchos que inventa para acercarse a mí o seguirme de lejos con los ojos. La sospecha de que incluso alguna noche pueda espiar desde su terraza las conversaciones que me traigo con el magnetófono da pábulo a sentimientos enfrentados de repugnancia y curiosidad que cargan de un intenso fluido nuestros posteriores encuentros. Aunque quizá todo esté sólo en mi cabeza, que desvaría mucho desde que vivo aquí, con acusada tendencia a la fantasía erótica. No lo he visto en la piscina más que una vez. Las piernas las tiene algo delgadas para mi gusto, pero derechas y firmes. He llegado a la conclusión de que sus relaciones con la mujer-objeto —como posiblemente su propia biografía— carecen de todo incentivo. Debe ser de las que dicen: «Ahora no, por favor, que me despeinas.» Cuando está con ella evita mirarme, y yo a ratos he llegado a persuadirme de que tenemos algo que ocultar.

Me quedé absorta, mirando al vacío y mordisqueándome la uña del dedo pulgar. Un gesto que tú conoces, Sofía, y que bautizaste en tiempos como de «rumbo al Cairo va la dama», por aquella canción romántica que sabía mi madre y cuya música he olvidado. Pero seguro que tú te acuerdas. Menos mal que existes tú.

—Verá usted —dije, pensativa—. El caso es que no depende de mi voluntad.

—Perdone, señora, ¿cómo dice? —preguntó el recepcionista, aunque yo, evidentemente, no me estaba dirigiendo a él.

—La decisión de irme, me refiero. No depende de mí, ¿entiende?, o al menos no exclusivamente de mí. Espero que lo comprenda.

Hubo una pausa. Mi vecino de la 204 alargó una mano para recoger la carta que el recepcionista le tendía, me rozó el brazo y nos miramos fugazmente.

—Perdone —dijo tan bajo que no me sentí obligada a contestar más que con una especie de suspiro.

—Lo comprende, ¿verdad? —insistí.

—Por supuesto, señora. ¿Tal vez mañana pueda decirme ya algo?

Fijé los ojos en el casillero. Siempre se me acelera la respiración al hacerlo. Naturalmente, estaba vacío. Pero esa comprobación no me tranquiliza del todo. El recepcionista, que captó la inquietud de mi mirada, dio la impresión de que no intentaba disculparse.

—Para usted no ha llegado nada —dijo, acentuando la sonrisa—. ¡Qué le vamos a hacer!

—¿Recados no he tenido ninguno tampoco?

Metió los dedos en el hueco, como por cumplir. Los dos estábamos actuando con un grado de complicidad bastante aceptable, incluso para espectadores reticentes.

—Tampoco, señora, lo lamento mucho.

—¡Qué raro!

El sobre de mi vecino venía escrito a máquina y traía un membrete tedioso, de banco o de oficina, no alcancé a verlo bien. Pero el nombre sí. Daniel Rueda. Que no es extranjero lo sabía, porque le he oído a veces discutir con la mujer-objeto. Discuten por cuestiones de dinero sobre todo. Porque ella gasta mucho. Otras conversaciones que he pescado entre los dos, aunque la verdad es que se los ve poco juntos, versan sobre crucigramas, pasatiempo en el que ella se enfrasca con mucho ahínco, pero al parecer no con la base cultural suficiente como para acertar cuál es la doctrina filosófica según la cual todo sucede por determinaciones ineludibles del destino,

259

con nueve letras, o cómo se llama, con cinco, el pariente australiano del perro. Pero en fin, que son españoles.

Se retiró a la butaca de donde se había levantado y desapareció de mi campo de visión, aunque probablemente yo no del suyo. Me quedé pensando en lo insulso que debe ser abrir un sobre como ése a media mañana y preguntándome cuánto tiempo habrá pasado desde que recibiera la última carta que le hizo latir el corazón, si es que ha llegado a recibir en su vida alguna de ese tipo. Representa cuarenta y cinco. En su juventud todavía se escribían cartas de amor. Querido Daniel, Daniel, mi vida. Por lo que más quieras, Daniel, dime si te acuerdas de mí, dime algo. ¿Por qué no me escribes? Daniel. El nombre se presta. Se me cruzó la tentación como una diablura fugaz que inmediatamente se convirtió en sugerencia literaria. Podría ser un buen comienzo para la novela que ando rumiando y que tiene ya tantos embriones de comienzo. Abrir con un personaje accesorio siempre da juego, ¿verdad, Sofía? Precisamente lo que más me gusta de tus deberes es la aparición casi inmediata de la señora Acosta. Son fascinantes los personajes accesorios, si se saben manejar. Pues bueno, Daniel Rueda puede ser el detonante de mi relato. En el casillero de la 204 aparece un buen día una carta para Daniel Rueda escrita en papel color garbanzo. La recoge la mujer-objeto. Hay una escena violenta entre ellos. En el comedor, por ejemplo, o en su terracita, eso ya se vería. Pero en algún sitio desde donde yo pueda pillar fragmentos de ese altercado. Daniel jura y perjura que no recuerda a esa amante, pero en días posteriores sus miradas hacia mí se vuelven cada vez más inquisitivas, porque empieza a sospechar vehementemente que la carta color garbanzo se la puedo haber mandado yo, sospecha que recojo y me altera, aunque procuro que no se me note mucho. Sin embargo, no sé cómo decirte, tampoco me importa que se me note un poco, ya me conoces, no me disgusta dar pie a trances extremados. Se intensifica entre nosotros el clima de deseo basado en el tira y afloja de las miradas, y todavía más a medida que él se va dando cuenta de que yo pierdo terreno y me siento insegura. Le intriga detectar síntomas de inseguridad en persona de gestos altivos y paso resuelto, y se aplica a acechar esos síntomas. Es decir, en cierta manera se convierte en detective de mi comportamiento. ¿Qué te parece? Podría ser un buen punto de partida para ir cercando poco a poco el núcleo central del argumento: la progresiva desintegración psicológica de Mariana León, aquejada de manía persecutoria. ¿De quién huye? ¿Por qué huye? Y en la lente de Daniel, atraído en principio por el fulgor de lo inaccesible, se van reflejando las deformaciones de esa alma en pena, sus cambios de actitud y de humor. Muy difícil de lograr, desde luego, pero sugerente como idea, ¿no? Todo el acierto dependerá del texto de la carta, la carta es lo que hay que inventar bien. Y de la dosificación de la sospecha. Como adorno argumental, cabe echar mano del recepcionista, cuya intervención para cotejar mi firma con la caligrafía de la amante desconocida tal vez añadiera un matiz policiaco a la pesquisa. Aunque no sé si entraría un poco forzado.

Llevaba un rato acodada en el mostrador, sin hablar. Los ojos del Profidén, divorciados totalmente de su sonrisa, acusaban un vago desconcierto.

—¿Me permite, por favor, ver mi ficha? —le pregunté casi sin darme cuenta, y arrepintiéndome inmediatamente de aquella incontrolada salida de tono.

—¿Qué ficha?

—La que rellené al llegar aquí. Supongo que rellenaría una ficha.

—Sí, claro, por supuesto —dijo el recepcionista, aturdido—. ¿Quiere saber qué día llegó?

(Te conviene abreviar esta escena, que va a emborronar el texto y no lleva a ninguna parte. Es un paso en falso. Tienes que romper cuanto antes el círculo vicioso. Salir del hotel.)

—Bueno, es que soy bastante desmemoriada —contesté con aire ligero—. Ni siquiera sé para qué le estoy pidiendo que busque la ficha, de manera que cómo me voy a acordar del tiempo que ha pasado desde que llegué. Pero da lo mismo. Déjelo. Total, mientras no reciba noticias, mejor olvidar el día en que se vive, disfrutar a gusto de las vacaciones, ¿no le parece?

El recepcionista se había puesto a hurgar en el fichero y levantó unos ojos pasmados. «Con los ojos alzados al aparente vacío», recité mentalmente, dedicándote la frase. Esta vez la sonrisa tardaba en salirle. Paralizó su acción. Creo que estaba pasando del aturdimiento al susto.

—Como mande, señora —dijo—. De todas maneras...

Se quedó mirándome como si explorase mis capacidades de comprensión antes de seguir hablando. Sí, al recepcionista hay que meterlo, aunque debe tener un aire más siniestro, vestido tal vez de oscuro, con un atuendo intemporal. Daría un toque kafkiano a la narración. Los personajes accesorios, tú lo decías, son siempre algo kafkianos. Aunque también podría decirse que los personajes kafkianos son siempre algo accesorios. Su nombre ni siquiera se consigna o es una simple inicial. Relativizan nuestra existencia, la hacen más ambigua, la adelgazan. Para ellos, llegar no significa necesariamente llegar a alguna parte.

Ya era de noche cuando K. llegó. La aldea yacía hundida en la nieve. Nada se veía de la colina. Bruma y tiniebla la rodeaban; ni el más leve resplandor revelaba el gran castillo. Durante largo tiempo, K. se detuvo sobre el puente de madera que del camino real conducía a la aldea, con los ojos alzados al aparente vacío.

Nos sabíamos de memoria este comienzo de *El castillo*, y lo habíamos incorporado a nuestra jerga secreta. A veces, cuando yo te preguntaba, al verte distraída, que en qué estabas pensando y por toda respuesta te encogías de hombros, mirando al techo o al cielo, yo te solía decir: «Anda, no te quedes con los ojos alzados al aparente vacío.» Y era como echarte un cabo de cuerda para tirar de ti y que salieras a flote, el salvavidas de la literatura. Y enseguida surgía la risa, aquella risa cómplice que siempre restableció nuestra unión, hasta que yo empecé a tomarme la vida demasiado en serio. «Bueno —contestabas tú—, voy a cruzar el puente de madera y enseguida estoy contigo.» Emecé Editores, Buenos Aires, ¿te acuerdas? El emblema de la editorial era un libro abierto con una E. mayúscula abarcando cada página. ¡Qué poder de evocación tienen las iniciales! Se me ocurre, de paso, que el nombre y el apellido de la amante desconocida pueden llevar mis mismas iniciales, Magdalena Lastra, por ejemplo, o mejor Marta Lucena. Eso sería divertido.

El recepcionista reinició la frase interrumpida, haciendo un visible esfuerzo.

—De todas maneras —insistió—, si prolonga usted su estancia, tal vez tengamos que trasladarla de habitación. A otra del primero. Es lo que quería decirle antes, señora. ¿Me entiende? A otra. Pero tendría que ser individual. Caso de que no esté esperando la visita de alguien, ¿no le importaría que la cambiáramos a una habitación individual?

Articulaba muy despacio las palabras, como si se estuviera dirigiendo a un extranjero o a un deficiente mental.

Yo estaba deseando pasar a otra escena. Le dije que no, que no me importaba absolutamente nada ni estaba esperando la visita de nadie, pero noticias sí. Que me avisara, por favor, en cuanto recibiera alguna carta a mi nombre, paquete o telegrama. Que eso era lo fundamental, lo único verdaderamente urgente.

—Llegue a la hora que llegue, ¿entendido?

Y en mi voz había unos acentos tan veraces de súplica y sobresalto que a mí misma me pusieron sobre aviso. ¡Ojo! M. L. anda rozando los linderos de la demencia.

—Descuide, señora, la tendré al tanto. Pero ya sabe, la hora de llegar el correo es siempre la misma.

Crucé el vestíbulo en dirección a la puerta principal. Una mirada de soslayo me bastó para comprobar que Daniel Rueda, o sea D. R., seguía pendiente de mis movimientos, pero yo ya no pensaba en la carta que le tengo que escribir, sino en la que yo no recibo. La certidumbre de que va a aparecer en el casillero una carta a mi nombre el día menos pensado me asalta intempestivamente, como la sonrisa del monstruo en las películas de terror. Tengo que estar preparada. Nadie debe notar signos de alteración en mi gesto cuando la recoja. Pero significará, ni más ni menos, que me han descubierto. Lo mejor sería no abrirla siquiera. Tomarla, eso sí, como señal de alarma para iniciar una huida más concienzuda, en la que no queden cabos sueltos. Por ejemplo, al taxista que me trajo desde Puerto Real (porque finalmente vine en taxi) no debía haberle dado tanta conversación.

Hacía una mañana fresca de sol, cubierto de vez en cuando por rachas de nubes veloces y caprichosas, nubes sin rumbo fijo, desflecándose al pairo de la misma brisa que rige y atenúa nuestros ardores, nuestros altibajos de humor. Respiré hondo y me sosegué pensando que por ahora no ha pasado nada que me obligue a tomar una determinación. Llevaba un calzado muy cómodo y, a medida que avanzaba por el camino levemente empinado que aleja del hotel, la respiración se iba armonizando con la ligereza de los pasos, nutriéndose de aire libre, como una mariposa que aletease tras haber estado a punto de perecer ahogada en los remolinos de un río.

Ahora oriéntate, Mariana, toma tierra y goza de lo que ves; pero, sobre todo, de poder vivir para verlo. Tus fantasías están llegando demasiado lejos, a un sitio donde casi no hay aire, donde se pierde el sentido de las distancias. No dejes que te perturben el presente, cuyo disfrute consiste, como muy bien sabes, en el ajuste del pensamiento, en revisar cómo anda de maquinaria antes de echarlo al mar de los sueños. La fantasía y la lógica tienen que ir cogidas de la mano como dos hermanas, para que el universo no se trague su barca. Siempre juntas, siempre de la mano, tú misma has dado muchas veces ese consejo. Tal vez precisamente ha dejado de valerte de tanto como lo has repetido. Pero prueba a escucharlo por primera vez, como si te lo dijera alguien a quien quieres mucho, inyéctatelo en vena. ¿Quién te va a escribir ahora una carta, di, si nadie sabe dónde te has metido?

Y sin embargo, la espero. Puede llegar en cualquier momento. Porque sé que me están buscando, Sofía. Eso lo sé seguro. Y nunca, ni en los casos de crimen perfecto, hay huida que no deje alguna huella comprometedora. Por la noche me atiborro de novelas policiacas, y el rostro del detective, más tarde o más temprano, acaba por adquirir los rasgos angulosos de Josefina Carreras.

La última vez que hablé con ella fue desde la calle de la Amargura. No parece haber, de momento, ningún problema profesional grave que requiera mi vuelta a Madrid, pero en la voz de Josefina se acusaban vibraciones de alarma. ¿Qué me había pasado? Era como un cambio de personalidad, no podía entender aquella espantada, aquella desaparición insólita y repentina, sin avisar, dejándole, por todo dejar, una breve nota encima de su mesa de despacho. «Espero que no te moleste seguir supliéndome por unos días. Mi amigo ya está fuera de peligro. Tengo que salir de viaje. Te llamaré.»

—Menos mal que me llamas —me dijo—. Me tenías en ascuas, Mariana, compréndelo. No es tu estilo. Ni siquiera dejarme un teléfono, unas señas, algo.

No puedo soportar las fiscalizaciones. Por eso estuve seca.

—No te preocupes, el teléfono ahora te lo dejo. Pero no se lo des a nadie, ¿entendido? Yo volveré pronto. ¿Ha habido algo urgente?

Me contestó que no, que no se trataba de eso, sino de saber lo que me estaba pasando. Para ella lo único urgente era saber lo que me estaba pasando, o lo que me había pasado.

—Porque no me dirás que no te ha pasado algo —insistió, ante mi silencio—. ¿Estás con tu amigo?

Le hice un resumen incompleto y desganado de la situación. Ella de Raimundo sólo tiene referencias indirectas, pero no le cae bien. Dice que me está arruinando la vida. Yo traté de excluir a Raimundo como desencadenante de mi viaje, motivado en parte —le dije— porque me apetecía cambiar de aires, después de tantos días de hospital, pero sobre todo por razones profesionales. Me sentía responsable de una antigua paciente que me necesitaba mucho y en cuya casa me estaba albergando. Dado que Silvia acababa de notificarme su llegada desde Carmona, no sentí estar mintiendo mucho. De todas maneras, a Josefina siempre le miento algo porque es muy agobiante, y tiende a tomarse mis asuntos demasiado a pecho, a vivirlos como suyos.

—Eres incorregible, Mariana —dijo—. Te entregas exageradamente a los demás. No sé cómo das abasto. Y ya ves, para el pago que recibes.

Me sentí incómoda al calor de aquel halago. El contraste con la imagen despiadada de mí misma que Silvia me había transmitido por teléfono era demasiado estridente. Pero casi prefiero sus insultos a la devoción perruna de Josefina. Aunque lo que prefiero, naturalmente, es que me dejen en paz.

—No digas tonterías, por favor —repliqué impaciente—. A veces hablas como una señora de mesa camilla. Yo no me siento víctima de nada ni de nadie. Te lo he dicho mil veces. Y si me meto en algún lío, soy yo quien tiene la culpa y nadie más.

Luego sentí haberle hablado en ese tono y le pedí perdón. Pero es que a veces me saca de quicio con sus juicios totalitarios y su absoluta carencia de sentido del humor. Dirás que cómo me puedo entender con ella, y no te sabría contestar. Fue alumna mía, tuvo una infancia muy desgraciada y llevamos ocho años juntas; se trata de una colaboración, en fin, de las que ya no tienen remedio. Yo reconozco sus méritos de lealtad, honradez y competencia. Pero, para que nos entendamos, Sofía, linda un poco con la especie de los copiomanuenses. Supongo que no te habrás olvidado de los copiomanuenses. Como casi todos ellos, es nerviosa, no bebe y lleva gafas. Estatura mediana.

Le dejé el teléfono de Silvia en plan *top secret*, y quedamos en que, si no podía estar en Madrid a principios de la semana siguiente, la avisaría. No quiero ponerme a echar las cuentas de dónde ha ido a parar esa semana. Repitió que me notaba rara y que se quedaba intranquila. Ahora debe estarlo mucho más, ya que no he vuelto a dar señales de vida y que Silvia, con la que sin la menor duda habrá entrado en contacto, no tiene más pistas sobre mi paradero que las que pueden encerrarse en un poema de Pessoa. Hasta ahora Josefina y Silvia no sabían nada una de otra, pero no me resulta difícil imaginar las chispas que estarán surgiendo de su reciente alianza ni el embrollo alarmista que pueden haber montado entre ellas dos y Raimundo. Porque a Raimundo lo han metido en el ajo, eso seguro. Los tres indagan. Los tres se han lanzado a buscarme, andan merodeando por las cercanías. «No puede estar muy lejos», murmuran. Acabarán dando conmigo.

Iba tan abstraída en mis cavilaciones que me sobrecogí

266

cuando un coche se detuvo a mi lado. Al volante iba D. R. Yo me había apartado bruscamente hacia la cuneta. Bajó la ventanilla y asomó un rostro que de repente me pareció absolutamente vulgar e inexpresivo.

—Perdone —dijo—. ¿La he asustado?

—Pues sí, un poco, la verdad —admití, al tiempo que le miraba fijamente, para convencerme de que no lo estaba viendo imaginariamente como a mis perseguidores.

Por unos instantes, el agobio de sentirme descubierta por ellos desaguó en otro. Ahora tendría que darle explicaciones a D. R. acerca de la carta color garbanzo. ¿Por qué motivo más que por ése podía estarse dirigiendo a mí? Pero enseguida me acordé de que no se la había escrito todavía.

—Lo siento —dijo—. Simplemente quería preguntarle si necesita que la acompañe a algún sitio. Lo haría con mucho gusto. Yo voy en dirección a Cádiz.

Hablaba atropelladamente, con una voz gangosa y sin matices. No me apetecía nada darle carrete.

—Gracias. Pero yo no llevo dirección fija. Y además me gusta andar.

—No la habré molestado, ¿verdad?

—No, no, en absoluto.

—Pues buenos días. Y que disfrute de su paseo.

—Lo mismo digo. Adiós.

Arrancó el coche y me quedé unos instantes parada, mirándolo alejarse. Sonreí. El contraste de una mirada ajena y aprobatoria sobre mi aspecto estaba conseguido. Ahora sólo hacía falta que me pasara algo más excitante que un ligue de carretera con un señor tan recortadito. Mejor seguir dejándolo relegado al taller donde acumulo retales de material literario. Bastaba oírlo hablar para descartarlo como protagonista real de una aventura romántica. De todas maneras es una escena que puede aprovecharse para la novela, aunque cambiando el diálogo. Y también, claro, el tono de la voz y la intención de la mirada. Porque, en la novela, D. R. ya ha recibido la carta de Marta Lucena.

Antes de reemprender camino, comprobé que llevaba mi cuaderno de notas en el bolso. Pero no; mejor buscar en alguna papelería una caja de papel bueno con sobres a juego. Se me había encendido una lucecita. De pronto me apetecía muchísimo la idea de sentarme en algún café de la parte vieja de Cádiz, ponerme a escribir una carta para D. R. y mandársela de verdad. Me acordé de uno grande con espejos que hay en el callejón del Tinte, donde a veces me citaba con Manolo. Estaría solitario a aquellas horas. Podía ser una mañana muy placentera. En el terreno literario, tenía asegurada la aventura. Menos da una piedra. Apreté el paso canturreando.

Cuando llegué al pueblo, estaba a punto de salir un autobús para Cádiz. Lo cogí. Pero antes compré algo de prensa para leer durante el viaje. A la altura de San Fernando, de las páginas del diario local me saltó a los ojos una noticia que me dejó sin aliento. Manuel Reina está exponiendo cuadros suyos en una galería de arte gaditana. La sorpresa es una liebre, Sofía, y el que sale de caza nunca la verá dormir en el erial. Ahora sí que viene a cuento el retorno de esta frase, por las coincidencias de situación con la primera vez que te la dije, después de tantos años. A la liebre, no cabe duda, le gusta aparecérseme en exposiciones de pintura, tras una neurosis de ropas que acaba provocando la elección del traje sastre de gabardina con pañuelo estampado al cuello y nada por debajo. Venía la foto del artista, apoyado en la pared junto a uno de sus óleos. Para qué te cuento cómo está el artista, con camisa blanca abierta y cazadora de piel, un poco despeinado, sonriendo al desgaire. El cuadro, en cambio, me olió a engañifa. Claro que en blanco y negro no se puede juzgar, y menos impreso en mal papel. Pero, con todo, se puede apreciar que ha cambiado de técnica y se ha apuntado a los borrones. Antes pintaba unas acuarelas muy poéticas, llenas de luz, con motivos marineros. Tampoco parecen corresponderse con la manera de hablar suya que yo recuerdo las declaraciones que hace en una entrevista concedida al periódico. Habla de lo telúrico, de ámbitos esenciales, de descontextualización. ¡Con lo que él se reía de esa jerga!

Pero bueno, está en Cádiz. Y a juzgar por las fechas de la exposición, lo estaba ya hace unos días, cuando le puse un telegrama sin firma a Nueva York y anduve persiguiendo su recuerdo por calles y lugares donde muy fácilmente podría haberme topado con él. Pero no, prefiero llegar sobre aviso, porque este encuentro puede tener sus escollos. No conviene descartar la probabilidad de que haya venido con la galerista americana, ni olvidar que seguramente ha sido ella quien le ha regalado esa cazadora tan moderna que lleva puesta en la foto. Y él se sonreiría complacido al probársela. Los veo reflejados en un espejo de su apartamento neoyorquino, ella detrás, rodeándole la cintura con ojos enamorados. Y él se vuelve para besarla: «*Thank you, honey.*» Porque, claro, hablarán en inglés, y ella... Pero bueno, en ella no pienses. Ella no entra en tu alegría de esta mañana ni tiene derecho a enturbiarla. Tú, la galerista nada, como si no existiera. Elimínala. Manuel no te ha podido olvidar. Hay que proyectar las cosas bien. Tienes que lograr verlo a solas.

Cuando bajé del autobús, me sentía renacida, imantada. De pronto, una luz vivísima rasgaba las brumas de la fantasía, dejaba sin sustancia todos los caldos de cerebro. Las imágenes de Josefina, Silvia y el cliente de la 204 se batían en retirada como dragones heridos. Por fin iba a pasarme algo de verdad, el corazón me latía de verdad, veía de verdad los barcos anclados en la bahía, los ojos calculaban las distancias, el cuerpo resucitaba, ¡qué alegría de vivir! No podía predecir cómo iban a desarrollarse las cosas, pero me veía guapa con mi traje sastre de gabardina, y nada me apetecía tanto como enfrentarme a la aventura de tener delante en carne y hueso a ese hombre que por las noches me dice desde el magnetófono: «Ven, te necesito.»

Sin embargo, una vez leída con más atención y parsimonia la entrevista del periódico en el primer bar donde me metí a recapacitar y a tomar una copa (que fueron varios), la temperatura de mi entusiasmo descendió unos cuantos grados. Era evidente que le acompañaba ella. La mencionaba como «mi manager», pero unas líneas más abajo el adjetivo «experta» dejaba fuera de toda duda que se trataba de una mujer: ELLA. Le había instado a cambiar de estilo, le había insuflado rigor y constancia, había tenido fe en su talento y le había introducido en el mercado neoyorquino, donde su nombre se empezaba a considerar. El éxito de su reciente exposición en una galería de Lexington Avenue lo confirmaba. Y mientras le enseñaba al entrevistador recortes de algunas críticas, comentaba: «Ya ves, Jesús, nadie es profeta en su tierra. Hay que salir al extranjero para que te reconozcan.»

—Sí, y para que no te reconozcamos nosotros cuando vuelves —salté yo, sin darme cuenta de que había hablado en voz alta hasta que vi que un hombre solitario, sentado en la mesa de al lado, me miraba con ojos cómplices y guasones.

—Perdone, no va con usted —le aclaré.

—Ya me lo figuraba —dijo sonriendo—, usted tranquila, mujer. Cada día somos más los que hablamos solos. Aquí en Cádiz, legión. Usted no es de aquí, ¿verdad?

—No señor.

—Pero da igual, es cosa de los tiempos. Como yo digo, ¿de qué iban a vivir los psiquiatras, si no fuera por los que hablamos solos, verdad?

—Lleva usted mucha razón —murmuré entre dientes, antes de darle la espalda y volverme a enfrascar en la tarea de buscarle tres pies al gato escondido en las palabras de Manolo.

¿Se consideraba, entonces, tras aquella experiencia más «ciudadano del mundo» que gaditano? Bueno, no, la prueba es que su regreso a España estaba empezando por Cádiz, como homenaje obligado a la patria chica. Luego, dentro de un mes, esta misma exposición viajaría a Madrid y a Barcelona. «Si no vendo aquí todos los cuadros, claro», concluía. «¡Qué fuerte vienes, Manolo —comentaba el entrevistador—. En moral y en precios. ¡Quién te ha visto y quién te ve!» «El arte lo he llevado siempre dentro —contestaba él—. Pero admito que lanzarse al mundo le hace a uno cambiar. Se aprenden muchas cosas, ¿sabes?» «¿Por ejemplo?» «Pues por ejemplo que si no pisas fuerte, te pisan a ti.»

A las dos y pico, tras intervalos cada vez más fugaces de reanimación, la moral me fallaba casi por completo y mi deambular por la ciudad se había convertido en una especie de penosa huida sin designio. Miraba a lo lejos cautelosa y suspicaz cada vez que enfilaba una calle nueva o entraba en una librería o en un café. Ni que decir tiene que me había vuelto a aflorar la neurosis de las ropas y me compré dos o tres prendas que no necesitaba para nada. Por Puerta de Tierra, que es donde estaba la exposición, no me había atrevido a acercarme, y en el antiguo número de Manolo, que marqué sucesivamente desde una tienda y desde una cabina pública, no contestaba nadie. El deseo de verlo a solas aumentaba en razón inversa a mi seguridad y a mis capacidades de inventar un pretexto estimulante y gracioso para conseguirlo. Era un deseo cada vez más frenético, que me ofuscaba la mente y debilitaba mi voluntad de gobernarlo. «No puedo, no puedo —me decía—, no sé qué hacer. Y tengo que hacer algo.»

La llegada al café del callejón del Tinte, asilo imaginado para escribir una carta a Daniel Rueda, significó un alivio a mis tensiones. En primer lugar porque a aquellas horas —las de comer— estaba totalmente vacío, y luego porque su penumbra acogedora no sólo invitaba a la reflexión sino que me devolvía, como piedras preciosas, momentos de aquel verano distante que otras veces trato en vano de repescar.

Me había dirigido sin dudarlo a una mesa del fondo, la misma donde Manolo —sentado enfrente, sin dejar de mirarme en silencio mientras yo discurseaba— había puesto por primera vez su mano sobre la mía, posada encima del velador.

—¿No te parece? —pregunté.

—¿De qué? ¿Quieres otro fino? Porque yo sí.

Asentí. Se levantó y fue a que le sirivieran otras dos copas en la barra, donde se entretuvo un poco charlando con unos amigos. Estaba anocheciendo. Yo lo acababa de conocer en su exposición de acuarelas. Creía haberle deslumbrado con mi brillantez verbal; pero cuando volvió, lo único que me preguntaba es si volvería a poner su mano sobre la mía. Lo hizo. Yo no me sentía capaz de mirarle.

—Hablas mucho tú, preciosa. Y con las palabras lo lías todo, te impiden gozar —dijo.

—¿Cómo lo sabes?

—Yo siempre noto lo que sobra, soy especialista en eso, ya sé que es un oficio que no da dinero, pero lo domino... A ti te han gustado mis barquitos veleros, ¿no? Pues vale. Ya me he

enterado. Las palabras muchas veces sólo sirven para descon-
fiar de lo mismo que se está diciendo, para perderse en ellas...

—¿Tú crees?

—Yo lo que creo es que debías mirarme un poquito y no
pensar tanto. Me gusta mucho que me mires.

Lo hice, y la presión de sus dedos se intensificó.

—Gracias —dijo—. ¿Probamos a aguantar un rato sin decir
nada, a ver qué pasa?

Y de pronto, la vida se había remansado en el trecho que
mediaba entre sus ojos y los míos, había empezado a fluir
transparente y mansa, como las aguas de un río al que te puedes abandonar sin miedo.

Procuré hacer memoria. Manolo había dicho aquella tarde
que sólo pintaba cuando tenía ganas, que la vida y el arte eran
para él una aventura, y que su única ambición era la de ser feliz. Mi perorata ampulosa, que él truncó con aquella ración
inolvidable de mirada, versaba sobre las excelencias del trabajo riguroso y sobre la posibilidad de convertir también la
exigencia en aventura, de hacer coexistir la convicción con el
sentimiento y depurar esa mezcla, en el alambique de la técnica. «¡Jesús, qué raro!», sonrió él.

¿Por qué me molestaba, pues, ahora que hubiera triunfado
como pintor y estuviera satisfecho de ello? Su cambio de estilo
no era razón suficiente, porque además no podía pronun-
ciarme sobre unos cuadros que no había visto y que —tenía
que reconocerlo— no me producían la menor curiosidad. La
raíz de mi molestia estaba en la resistencia a aceptar que la galerista neoyorquina, a quien hasta entonces me había empeñado en considerar como personaje accesorio, hubiera influido
sobre él tanto como parecía.

De todas maneras, yo no podía dar fe de esos cambios hasta
que no le viera la cara. Necesitaba verlo como nada en este
mundo, leer en sus ojos si me había olvidado. No, no podía ser.
Decía que yo le gustaba por mi libertad, por mi capacidad de
salir siempre por registros inesperados. Tenía que jugar esa
carta, saber, a costa de lo que fuera, si me seguía considerando
un antídoto contra la monotonía. Presentí que en aquel mismo

momento estaba sintiendo mi ausencia, como yo la suya. Bien es verdad que apenas había comido y, en cambio, había bebido bastante, pero ese presentimiento interno y repentino me hizo revivir. Nada de reproches, simplemente reanudar, «decíamos ayer»..., aire intrascendente y deportivo. Como a él le gustaba.

Saqué una caja de papel de cartas color garbanzo, que había comprado en una librería, con sus sobres correspondientes. No traía la estatua de la Libertad en la tapa como la que estrené para escribirte a ti, Sofía, la única carta que te he mandado a principios de este mayo turbulento. Traía —que tampoco está mal— un barco velero. Apoyé un pliego en el mármol del velador y me puse a escribir:

Querido Manolo, estoy en el café del callejón del Tinte, donde me dijiste por primera vez que no te echara discursos. No quiero ir a ver tu exposición, porque me parece que tiras peligrosamente hacia los chafarrinones, y porque en Yanquilandia te han contagiado un tono muy pedante de hablar. Quiero saber si sólo lo usas para contestar a los entrevistadores o hay que bajarte los humos, como tú me los bajaste a mí. En una palabra, quiero verte, lo necesito. Sin discursos. Simplemente para que nos miremos un ratito a los ojos, a ver qué pasa. En principio, con una hora bastaría. ¿Te hace?

Consulta tu agenda. Te daré un pequeño plazo. Te espero pasado mañana por la tarde a partir de las seis en el chiringuito de aquella playa larga donde vimos atardecer un día de duración eterna. Rafa, el camarero, me ha dado recuerdos para ti, y opina que poco vas a parar en América. Cree que somos novios. Yo ahora me albergo en el hotel de cuatro estrellas que se ve desde allí y que tú me recomendaste, uno donde, por las noches, hay pianista. *By the way*, tenemos pendiente un baile agarrado. Podría bailar con un tal Daniel Rueda, pero no me apetece. Tiene maneras de ejecutivo. Espero que no las hayas cogido también tú. En la foto del periódico estás muy guapo. Necesito oírte y verte.

Te espero pasado mañana en el chiringuito. Como tú dirías, es una orden. Un beso,

Mariana

273

Metí la carta en su sobre y lo cerré sin releerla. Tal vez las alusiones a Nueva York sobraban, podían sonar algo a reproche. Pero, a pesar de que había recuperado parcialmente la euforia, tenía miedo de volverme a arrugar. Me acordé de tus reglas de oro: «No tachar nunca nada.» No convenía andar dudando.

Me levanté hacia el teléfono y comprobé que sentía un mareo que me obligaba a agarrarme a las sillas. Tampoco eran muy seguros ni armoniosos mis gestos, mientras buscaba en la agenda el número de los padres de Manolo, que no encontraba ni en la M ni en la R, y que por fin apareció en la P, donde tengo también apuntados los de otros *«padres»* de amigos o clientes. Llamé y se puso una señora con voz muy dulce. Le pregunté las señas exactas de la casa y si podía dejar en el buzón una carta para Manolo.

—Bueno, ellos paran en el Hotel Atlántico —dijo.

—¿Pero usted no lo ve?

—¡Cómo no lo voy a ver! Claro. Quedó en venir esta tarde.

—Pues le voy a dejar la carta en su buzón, si no le importa, porque me pilla más cerca. Se la dará, ¿verdad?

—Decuida, hija. ¿No serás Rosalía?

—No, no, soy una amiga de Madrid.

Cuando me acerqué al portal de aquella casa, me temblaban las piernas. Miré alrededor. No pasaba nadie por la calle. Dudé unos instantes entre romper el sobre, que apretaba dentro de mi bolsillo, o echarlo en el buzón. Prevaleció este último propósito, que llevé a cabo a toda prisa, con el nerviosismo de quien deja un paquete bomba. Cuando salí del portal iba corriendo, como si huyera de mí misma. Así llegué a la parada de taxis más cercana, donde cogí uno para volverme aquí. Hice casi todo el trayecto con la cabeza echada hacia atrás y los ojos cerrados, como aquel día —de repente tan lejano— en que acompañé a Raimundo desde el hospital hasta su piso de Covarrubias. Pero ahora no venía nadie a mi lado para acariciarme el pelo.

Todo esto pasó ayer, Sofía. Hoy me he quedado en el hotel escribiéndote y estoy muy excitada. Daría cualquier cosa por saber con qué cara ha leído la carta y si estaba ella a su lado cuando la cogió. Vuelvo a tener miedo, la estela de inquietud típica que dejan las decisiones tomadas bajo los efectos del alcohol. Por una parte, me muero de ganas de que pase el tiempo, pero por otra estoy a gusto así, arropada por esta desazón de lo no resuelto, de lo que se refracta en mil finales porque aún no ha tenido ninguno, a salvo y al mismo tiempo presa en la telaraña de los asuntos pendientes.

Escribirte, de todas maneras, está apaciguando un poco mis zozobras. Porque las cosas más insensatas parecen adquirir sentido al repasarlas. Al fin y al cabo, eso es lo que más importa de las historias, al margen del final que vayan a tener: registrar sus preliminares, ¿no? Así hiciste tú, recapitular minuciosamente todos los detalles anteriores a nuestro encuentro, en tu primera tanda de «deberes». (Que, por cierto, ojalá los hayas seguido.) Yo no estoy haciendo más que copiar descaradamente el sistema que tú empleas.

Continuará, Sofía, aunque no sé por dónde.

Un beso,

Mariana

P.D. Los clientes de la 204 se han ido hoy. Pero así, tal como quedan, como personajes accesorios, para mí cobran mucho sentido.

Hay un cuarto en casa en el que nunca se ha hecho reforma deliberada de ningún tipo, aunque haya ido cambiando de fisonomía y de nombre a tenor de las circunstancias que nos han transformado insensiblemente a nosotros también. Ahora se llama «el trastero de Encarna».

Cuando se mudaron al refu, ella dejó ahí parte de sus cosas, porque es donde durmió siempre, y cada equis tiempo renueva la promesa de venir una tarde o un par de ellas para tirar lo que no le sirva y llevarse lo que estorbe aquí. Naturalmente, dada su escasa tendencia a los expurgos y a dar por definitivamente jubilado ningún objeto, es una promesa que nunca ha cumplido. Pero como la mantiene de buena fe y además, a instancias de Daría, nos ha dado permiso para que de momento (expresión muy suya) aprovechemos los cajones y estantes que quedaron vacíos, el caso es que allí va a parar todo lo que sobra o no se sabe dónde poner. De momento, al trastero de Encarna, luego ya veremos. Y así, establecida poco a poco una convivencia intrincada entre lo que había y lo que va llegando, ese cuarto, que da al patio y se llamó sucesivamente «el cuartito azul» y «el buco», ha ido adquiriendo como trastero, más aún que cuando Encarna lo ocupaba, la peculiar mezcla de disponibilidad, penumbra y desorden propia del carácter de su inquilina. Toda la estancia es una madriguera provisional, presidida por el «de momento», y conserva esa incondicionalidad que caracteriza a las almas generosas para albergar emergencias, cuitas, secretos y peregrinos de cualquier raza o procedencia. Algo tan difícil de definir como un olor, pero también igual de inconfundible.

Y cuando una cosa se da por irremisiblemente perdida, más tarde o más temprano, aunque nadie se acuerde de haberla llevado allí, es casi seguro que acabará apareciendo en el trastero de Encarna. Por regla general, no cuando se busca, ese día no. Pero en cambio suele encontrarse otra cosa que anduvimos buscando obsesiva e infructuosamente en otra ocasión similar, como si el tiempo, mediante estas pequeñas perversidades, añagazas y premios de consolación, quisiera demostrar que no se atiene a más leyes que las de su soberano capricho, y que las sorpresas las da él cuando le viene en gana, que es el amo, en una palabra. Y lo más raro es que esto nos siga sorprendiendo como fenómeno que se da por primera vez y al que cabría buscarle una explicación lógica. «¡Vaya, mira por dónde, con lo que las busqué yo en este mismo cajón! ¿Quién las habrá metido aquí? ¡Las tijeras grandes!, ya ves, a buenas horas...»

Buenas o no, mandan mucho las horas, tanto por lo que deciden como por lo que regalan, si somos capaces de recibir con gratitud y buen gesto el regalo. Casi nunca salen vacías al cascarlas, rara es la que no trae en su seno algo que no llegamos a descifrar o a lo que hacemos ascos, pendientes sólo con obtuso empeño de ver si coincide con lo que nosotros habíamos pedido. Pues no. No coincide casi nunca, conviene hacerse a la idea. Son como Reyes Magos las horas de la vida. Pero en plan de «o lo tomas o lo dejas», no les gustan las súplicas ni los requerimientos. Rechazar de plano el pacto que proponen y el fruto que brindan es poner cimientos tempranos a la arterioesclerosis. Y mejor, en caso de aceptar, hacerlo de buen grado y con mirada alerta, porque así es como pueden caer propinas inesperadas. La sorpresa es una liebre, ya se sabe, y el que sale de caza nunca la verá dormir en el erial. Pero se nos olvida cuando más falta hace. Incluso a mí que lo repito tanto.

Por cierto, he estado mirando el collage de la liebre blanca surgiendo en mitad de un cóctel sin que nadie más que dos niñas vislumbre su aparición, heraldo surrealista que preside, entre añicos de espejo, mi primer cuaderno. Para contar bien lo del vestido rojo empecé el tercero, al cabo, según parece, de diecinueve días. ¡Qué raro es el tiempo de la escritura! Ése sí que manda y se impone como dueño absoluto. Sobre todo cuando ya dábamos por cancelados sus efluvios y vuelve a irrumpir tras una larga ausencia, dispuesto a arrebatarnos en su borrachera y poner patas arriba toda apariencia de simultaneidad, vendaval tiránico que nos alza en volandas y nos zarandea para llevarnos donde se le antoja. Déjate a él, Sofía, no tengas miedo, que es peor. Desafía el vértigo. No consiente que protestes de las curvas del camino, ni que cierres los ojos, ni que sugieras otro itinerario. ¿Que toca entrar en el trastero de Encarna? Pues vamos allá. Luego, seguramente, entenderás para qué entrabas.

Ayer por la noche estaba muy inquieta y caí en la tentación de ponerme a buscar fotos de cuando los chicos eran pequeños. No me gusta pegarlas en álbum, porque me parece estar disecando mariposas en vez de cazarlas simplemente para admirarlas de cerca un momento y dejarlas volar luego otra vez, así que andan siempre por ahí descabaladas, revueltas con otras cartas y papeles o metidas en libros. Total, que no aparecía el lote que estaba echando ansiosamente de menos: dos carretes en blanco y negro que nos hizo mi cuñada Desi en la playa aquel verano que pasamos con ellos en Suances, el siguiente a mi último parto.

Higinio, su marido, había comprado allí un chalet antiguo de dos plantas, que perteneció a una familia ilustre venida a menos y dividida por múltiples rencillas. Hacía algunos años que no lo habitaba nadie y estaba en un estado de deterioro bastante avanzado, según contaron. Higinio lo había modernizado por dentro sin reparar en gastos ni escatimar detalle alguno que pudiera contribuir a su confort. Pero la fachada y el jardín los había respetado, limitándose a reparar algunos desperfectos.

—Le debo mucho a este jardín —decía—. Sentado ahí, en ese banco, me hice hombre.

Su padre había trabajado muchos años de jardinero en aquella casa, y a veces, cuando él se había portado bien durante la semana, le dejaba acompañarlo, con la recomendación encarecida, eso sí, de que no diera guerra, se estuviera quieto y no hablara con nadie más que para saludar o cuando le preguntaran.

—Y lo seguí al pie de la letra —comentaba—. Nadie me invitó a desobedecer. Eran otros tiempos, claro. Y a mí me parece bien, ahora que lo miro con distancia. Los señores en su sitio. Si no somos iguales, pues no lo somos, para qué vamos a andar con engaños. Y el que quiera subir a otro puesto mejor, que lo sude, no hay más cáscaras.

Sentado en aquel banco del jardín, bajo el viejo magnolio, mientras veía moverse caprichosamente ante sus ojos las sombras blancas y fugaces que se asomaban a la galería de arriba, cruzaban por los senderos bordeados de boj o subían con incomprensible naturalidad las escaleras de acceso a aquel paraíso ignorado, se habían fraguado los primeros deseos de revancha social de Higinio, sus sueños ambiciosos de futuro, y se había jurado a sí mismo no cejar en el empeño de alimentarlos hasta llegar a tener tanto dinero como aquellos señores.

Ahora, según cuenta Eduardo, tiene más del que ellos tuvieron nunca. Una versión *light* de Heathcliff, porque no creo que ninguna de las vaporosas sombras femeninas que acechó desde el jardín llegara a morir de amor por él ni a suspirar siquiera. De atractivo diabólico carece por completo, es bromista, emprendedor y un maniático del orden y la limpieza. Además tira a feo. Debe andar ahora por los setenta y pico, pero lleva bien la edad porque se cuida mucho. Con Desi se casó ya cincuentón y no han tenido hijos. Aunque hablan con frecuencia de adoptar uno, nunca han acabado por decidirse, de manera que ya tal posibilidad, cuando sale nuevamente a relucir, se nota que ha entrado a amueblar ese desván donde se almacenan los remordimientos y fracasos que en la edad

279

madura tratamos de presentar ante los demás espolvoreados con azúcar.

El ala derecha del piso de abajo la habían destinado para huéspedes —tres dormitorios, un gabinete y dos cuarto de baño—, todo muy coquetón y remozado, aunque conservando alguno de los muebles sólidos y cuadros de cierto valor que la anterior familia había dejado en la casa para poder subir un poco el precio. A mí aquel contraste, aunque reconozco que estaba armoniosamente logrado, me producía cierto desasosiego, como si recogiera en las arenas movedizas de mi vida personal los ecos de una sorda contienda entre lo autóctono y lo postizo, y el peso de aquella desavenencia entre dos estratos de tiempo ajeno viniera a añadirse a mi propia incapacidad para adaptarme al presente y conciliarlo con el pasado. Además las habitaciones que íbamos a estrenar nosotros, si bien puestas con un buen gusto incluso excesivo, resultaban frías y oscuras, porque aquella fachada estaba orientada al norte y cubierta por una hiedra tan espesa que tapaba en parte las ventanas, con la consiguiente merma de luz. Pero Higinio se negaba a podarla, porque ése fue siempre el gusto de su padre, y los dueños antiguos lo habían respetado.

Todo esto, unido a mi desazón ante las mudanzas, que se suele agudizar cuando rondan proyectos de veraneo, el cansancio del viaje y mi preocupación porque Amelia, que estaba echando los dientes, venía con diarrea, bloqueó desde la noche misma de nuestra llegada mi disponibilidad, ya bastante mermada de por sí, para participar en alegrías ajenas o seguir el hilo de historias en las que no me sentía implicada. Me agobió muchísimo el recorrido por todas las dependencias de la casa a que nos sometieron Desi y su marido nada más vernos llegar, y no era capaz de atender a aquellas explicaciones detalladas sobre la reforma, la mejoría del conjunto en comparación con la distribución antigua, mucho más irracional, y la historia de cada objeto. Era como sufrir el implacable acoso de un cicerone, pero en peor, porque en este caso eran dos y se quitaban la palabra uno a otro continuamente. Costumbre que, por lo demás, también cultivan cuando no están enseñando la casa y a ellos les hace gracia, porque la consideran fruto de su simbiosis afectiva. A mí Desi siempre me ha cohibido un poco con su despliegue de optimismo y actividad. No es precisamente de las personas que me gustaría encontrarme al lado cuando tengo ganas de llorar. Y aquella noche tenía muchísimas. Casi me resultaba difícil respirar. Todo el día había hecho un calor horrible y había estado amagando tormenta.

Recuerdo que me retiré de la mesa cuando acabó la cena, acosté en sus respectivos cuartos a Lorenzo y Encarna, y, una vez en nuestro dormitorio, mientras Amelia tomaba la papilla y aprovechando que Eduardo se había quedado haciendo sobremesa, di rienda suelta a un llanto sofocado y breve, de los que yo llamo de emergencia, indispensables para descargar la congoja, pero que no me permiten recreo ni dan tregua para el ensueño. Cuando llegó Eduardo, acababa de cambiarle el pañal a la niña, la había metido en la cuna y contemplaba con hastío el equipaje a medio deshacer. Pero ya tenía los ojos secos. Sonó un trueno y me levanté a cerrar la ventana, que se estaba batiendo con el aire. Llovía. Menos mal. Aspiré unos instantes con delicia el olor a tierra mojada, antes de reingresar en mi precario mundo interior, cuya futilidad contrastaba con la fuerza salvaje de la naturaleza. Se oían gruesas gotas rebotando en la grava del jardín y el silbido imponente de aquel viento repentino agitando las ramas de los árboles. Eduardo se había quedado de pie con las manos a la espalda y cuando me volví se cruzaron nuestras miradas. La suya era severa. Inmediatamente se puso a reprocharme mi actitud negativa, el descontento que continuamente se leía en mi cara y la falta de atención ostensible de que hacía gala cuando los demás se dirigían a mí. No me daba cuenta yo de lo insolente que podía llegar a resultar mi gesto.

—¿Qué gesto? —pregunté, frunciéndolo de nuevo tras el breve alivio.

Él me empujó con brusquedad ante el espejo grande que había sobre la coqueta y dio la luz de un aplique de tres brazos que lo coronaba. Me tenía cogida por los hombros, como si temiera que escurriera el bulto.

—¡Ése! ¡Ese gesto! ¿Lo ves?

Sí, lo había visto. Me desprendí de él y apagué la luz que caía sobre la cuna de la niña. Recuerdo con toda nitidez aquella escena, porque cuando, años más tarde, fui al psiquiatra y me preguntó que de cuándo databa mi sensación de estar conviviendo con un extraño, fue esa imagen de los dos reflejados en el espejo, mientras fuera batía la lluvia, la primera que se me vino a la imaginación. Era algo parecido al odio lo que había descubierto en mi gesto.

—Es que no me gusta que me traten mal. No sé si lo sabes —dije—. Mejor dicho, creo que no lo sabes. Porque de mí no sabes casi nada.

Se quedó tan desconcertado que tardó en reaccionar. Solía callarme siempre, y sigo con esa mala costumbre. Te vas tragando las cosas y estallas luego en el momento más incomprensible para el que recibe ese vómito inconcreto de malestar cuyas causas no se justifican. Reconozco, además, que la alusión a malos tratos estaba expresada en términos incorrectos, según el código matrimonial, porque Eduardo no había pasado de dar algún portazo, pero la mano no me la había levantado nunca. Fue a lo que él se agarró inmediatamente.

—¿A qué llamas malos tratos? —preguntó.

Me encogí de hombros y me invadió una súbita flojera, mientras notaba que las lágrimas, el arma femenina más artera contra la clarividencia, volvían a nublar mi capacidad para dilucidar en términos lógicos ninguno de los asuntos de cuya confusión yo misma era cómplice. Me replegaba, como un caracol dentro de su concha, al menor amago de interrogatorio sobre mi conducta. Me acordé de Mariana, como muchas veces en trances de desfallecimiento similares. Tampoco ella me había maltratado físicamente, simplemente se había negado a entender mi necesidad de explicarme. Pero ¿había peleado yo por hacerle entender esa necesidad, apelando a una lógica de la que estuvieran excluidos los balbuceos y las lágrimas? La verdad es que no. Y eché de menos furiosamente aquella edad de oro de nuestra amistad en que no hacían falta explicoteos para entenderse, en que bastaba con que una de las dos descubriera un velo de pesadumbre en la expresión de la otra para que acudiera a disiparla con una caricia o una broma. «Anda, Sofía, mujer, no te quedes con los ojos alzados al aparente vacío.» Y el vacío se volvía eso, aparente, se llenaba de esperanza. Y se sucedían los veranos de oro donde nunca pasaba nada, pero siempre estaba a punto de surgir lo inesperado. «Nunca más —dijo el cuervo—. Nunca más.»

Eduardo se creció ante mi silencio.

—No te entiendo, de verdad, Sofía, no te entiendo —dijo—. ¿Te refieres a algo que haya pasado hoy?

Lo miré abstraída. Lo veía borroso a través de las lágrimas. ¿Hoy? ¿De dónde arrancaba aquel «hoy»?

—Que si me refiero a algo ¿con qué?

—¿Pero qué te pasa? ¿Cómo que con qué? ¡Con lo de los malos tratos! ¡No me hagas perder la paciencia, por favor! Explícate. ¿A qué te refieres?

—No sé. A nada en concreto. Son cosas que se sienten, pero no se pueden explicar.

—¡Sobre todo si no se intenta! —gritó él.

Comprendía que tenía razón y no sabía cómo aplacarlo. En aquel momento era lo único que me interesaba, echar tierra sobre aquel asunto de ramificaciones tan incómodas. Que no siguiera gritando, porque podía despertar a la niña.

—Déjalo y perdona. Tienes razón. Déjalo, de verdad, debe ser que estoy cansada.

Me miró, fuera de sí. Y me di cuenta, como otras veces, que no se pueden dulcificar las iras de nadie cuando el que lo intenta no abriga en el fondo de su corazón dulzura de ningún tipo hacia el iracundo. Por otra parte, la que estaba llorando era yo, y mientras ese llanto significara que anteponía mi necesidad de ser aceptada incondicionalmente a los requerimientos ajenos de comprensión, el contencioso seguía en pie. No hay en el mundo cosa más absurda y aburrida que una riña matrimonial.

—Sí, «déjalo», pero estás llorando —estalló él—. Y de cansancio no se llora. ¿Qué necesitas, di? ¿Qué echas de menos? ¡Que te tratan mal! ¡Es el colmo! Vas por la vida como si te lo debieran y no te lo pagaran. ¡Deja, por lo menos, de llorar! ¡Estoy harto! Ya no sabe uno qué hacer para que te ilusiones por algo, te lo digo en serio.

La palabra «serio» ha quedado clavada en mi memoria como adjetivadora de aquel momento, porque de pronto, alertada por un ruido casi imperceptible, me sequé los ojos y los fijé en la puerta. Se había abierto despacito y en el quicio estaba Encarna descalza y en camisón, mirándonos con los ojos muy abiertos, completamente inmóvil. Aquel verano llevaba trenzas.

—¿Por qué estás llorando mamá? —preguntó sin el menor asomo de encogimiento, en un tono más bien fiscalizador.

Su padre, que estaba de espaldas a la puerta, se volvió muy incomodado, mientras yo trataba de recomponer aquel gesto de amargura que había dado pie a la discusión.

—No estoy llorando, bonita. Sólo estoy un poco nerviosa.

—Sí, estás llorando, te hace llorar él —insistió.

—No digas esas cosas. Papá es muy bueno.

Eduardo perdió los estribos.

—¡Pues vaya un comienzo de veraneo! —explotó—. ¿Te quieres ir a la cama y dejarnos en paz?

Los dos habíamos llegado a la puerta. Yo me puse en cuclillas y la abracé.

—Anda, preciosa, es muy tarde, ¿cómo no te has dormido todavía? Creí que te habías dormido.

—No puedo, tengo miedo. Anda gente en el jardín.

—Que no, boba, es la lluvia.

—No. Pasa otra cosa. ¿Sabes lo que pasa?

Se agarró a mi cuello e intentó hablarme al oído, pero su padre nos separó sin contemplaciones. Desde que nació Amelia, estaba bastante claro que Encarna tenía celos y que reclamaba hacia sí misma una atención que hasta entonces nunca le había sido robada por nadie. Su hermano nunca le hizo sombra ni provocó en ella una reacción de envidia. Al contrario, deseos maternales de protección. Seguramente porque cuando aprendió a hablar, ya formaba parte aquel «Zenzo» de los elementos con que empezó a enriquecer su lenguaje, o porque, a pesar de ser varón, siempre se plegó a sus mangoneos; sumisión que, según Amelia, no ha desaparecido aún del todo. Lo cierto es que desde muy pequeñita llamó la atención por su desparpajo, capacidad de iniciativa y claridad de juicio. Por eso mismo resultaba más raro que de repente, cuando ya hablaba inglés, leía de corrido y era un líder en su colegio, se hubiera infantilizado tanto, especialmente en su relación afectiva conmigo. Eduardo sostenía, y posiblemente con razón, que yo estaba colaborando en aquel retroceso, porque la tenía demasiado consentida.

—Anda, vamos —le dije—, te acompaño a dormir y me cuentas lo que sea.

—No tiene por qué contarte nada que no pueda oír yo —dijo Eduardo muy irritado—. Ya está bien, Encarna, de mimos y caprichos sin fuste. Tienes ocho años.

—¿Y qué? —dijo ella—. Los mayores también tenéis secretos.

Y noté que le estaba costando tanto trabajo como a mí contener el llanto. Su padre la cogió de la mano.

—¡Basta! —dijo, autoritario—. A la cama te acompaño yo. O te vas sola. Como prefieras.

Ella se soltó de la mano de su padre y bajó los ojos.

—Prefiero sola —dijo—. Buenas noches.

Y se marchó con gesto rencoroso.

Cuando nos quedamos solos, se intensificó el ruido de la lluvia sobre los árboles del jardín. Yo tenía un nudo en la garganta y aguzaba el oído, por si acaso el llanto de Encarna en el cuarto contiguo me daba un pretexto para ir a verla. Pero no se oía nada, solamente el viento azotando las ramas de los árboles y el ruido de la lluvia. Tal vez hubiera escondido la cabeza debajo de las sábanas para llorar, lo mismo que hacía yo de pequeña. Y de nuevo la cuchillada del pasado enturbió mi capacidad para entregarme al presente y entenderlo. Lo mismo no, era distinto. Yo no me sentía casi nunca respaldada por mi madre. Pero de pronto me quedé pensativa. ¿Estaba tan segura de que fuera distinto? ¿Sabía yo acaso con seguridad lo que estaba necesitando Encarna de mí en aquel momento? Sí, lo sabía, claro: un cariño incondicional. Pero existían los otros también, no podía prescindir de las responsabilidades a que me obligaba mi maternidad múltiple, ni de Eduardo, ni de los criterios de Eduardo, y menos que nada de mis deseos secretos de soledad. Se trataba de mantener un equilibrio armónico entre fuerzas encontradas: en eso consistía el quid de la cuestión. Y una repentina lucidez me hizo entender que hablar con Eduardo de esa cuestión —o cuestiones— cuya prioridad se me antojaba evidente, supondría un paso hacia mi madurez, y que no debía demorar por más tiempo la búsqueda de un tono de buena voluntad para iniciar el análisis conjunto de aquellos asuntos pendientes. Aquel momento se prestaba, ¿por qué esperar a otro?

Y de pronto, me pareció completamente fuera de lugar que él rompiera el silencio para reanudar la conversación que estábamos teniendo antes de que la niña apareciera en la puerta, como si sus palabras se las hubiera llevado el viento huracanado de la noche, sin dejar rastro.

—¿Quién te ha tratado mal, di? ¿Te han recibido mal en esta casa?

Le dije que no, que lo olvidara, que ahora aquello daba igual. Pero a él no le daba igual, era lo único que le obsesionaba. Me senté en la cama con los ojos bajos y sumida nuevamente en la apatía. Él siguió insistiendo y acabó por soltar lo que más le había dolido: mi desaire a su hermana. Según él, yo no había estado lo suficientemente expresiva en mostrar satisfacción y gratitud, en maravillarme de la belleza de la casa y en alabar las dotes incomparables de Desi para la decoración de interiores.

A lo largo de aquel verano, se intensificó la alianza de Eduardo con su hermana, a quien siempre ha admirado sin límites, y cuyas capacidades de organización y convivencia doméstica no se cansa de ensalzar: el remango de Desi, el punto que logra dar a los guisos, lo bien que entiende al marido, su tacto social, su altruismo. Si estaban juntos y llegaba yo, se callaban bruscamente. Pero me daba igual, ni siquiera curiosidad me producía. Por otra parte, me sentía igualmente excluida de las conversaciones que mantenían en mi presencia y en las que no siempre me esforzaba por participar. Versaban sobre proyectos de excursión por la zona, sobre gastronomía, sobre marcas de coches y, más que nada, sobre el buen negocio que había supuesto la adquisición del chalet, aprovechando las estrecheces económicas de una familia en la actualidad desintegrada.

—Ya se sabe —comentaba Desi—, padre jornalero, hijo caballero, nieto pordiosero.

Higinio encendía un habano y aspiraba sus efluvios con evidente satisfacción.

—¡Quién nos lo iba a decir! ¡Si levantara la cabeza mi padre que en gloria esté! —decía, mirando desde la terraza, donde una doncella nos servía el café, las frondas oscuras del jardín.

Era un jardín muy triste, ensombrecido —pensaba yo— más que por aquellos árboles tupidos y corpulentos, por la presencia impalpable de las personas que lo habían habitado antes que nosotros y que no parecían haber dejado en el aire demasiadas vibraciones de felicidad.

A Encarna tampoco le parecía alegre aquel jardín ni le gustaba jugar en él. Pero me confesó que todas las historias que inventaba antes de dormirse entraban por la ventana desde el jardín y se le metían juntas y sin terminar en la cabeza. Y le daba gusto, pero también miedo, porque no las estaba inventando ella sola, y algunas veces no las entendía.

—Me pasa como con los libros —dijo—, que la historia se me sale de lo que pone allí.

—Ya. Pero esas historias del jardín, ¿quién las inventa?

Puso una voz de confidencia, no sin antes mirar en torno cautelosamente, aunque estábamos las dos solas. Precisamente en el jardín. Sentadas bajo el magnolio. Lorenzo se había ido a jugar al fútbol con unos amigos. Amelia dormía la siesta en su cuna y los demás habían emprendido una de aquellas largas excursiones en coche proyectadas detalladamente la víspera y a las que yo no siempre los acompañaba. Hacía una tarde muy fresquita y cantaban los pájaros. Me tiró de la manga para que me inclinara un poco.

—Hay unos hombres pequeños que se posan en las copas de los árboles —dijo, mirando recelosamente hacia arriba—. Te lo cuento sólo a ti. Es un secreto. ¿Verdad que no se lo vas a decir a nadie?

—No, no, estáte tranquila.

—Es muy bonito tener secretos, ¿verdad?

—Sí, muy bonito. Pero, dime, ¿los has visto tú?

—Nadie los ve, porque sólo vienen cuando se ha ido el sol y empieza a estar oscuro. Y no siempre, algunas noches no vienen, tiene que ser cuando quieren ellos. Ni tampoco son los mismos todos los días, depende del tiempo que haga.

Me miró. Yo guardaba silencio. Hice un gesto alentándola a seguir. Los niños saben muy bien cuándo alguien los está creyendo. Mi infancia no estaba tan lejos como para haber olvidado eso.

—Ellos son los que cuentan las historias —continuó—, y las soplan para que entren en mi cuarto y me suban a la cabeza, trepando por el oído arriba. Pero como es un camino estrecho, se empujan unas a otras y me entran a cachitos sueltos, porque los hombres ésos hablan mucho y se interrumpen unos a otros, como la tía Desi y el tío Higinio, sobre todo en días nublados. Y luego, claro, soy yo la que tengo que colocar bien en la cabeza lo que se me ha metido; cuando leo un libro de muchos personajes me pasa igual, hacerle sitio a lo que dicen, ¿sabes?, para poder entenderlo, porque en la cabeza no caben todas las historias a la vez, son muchas, tiras de una y se te rompen, ¿a ti no te pasa?

Le dije que sí, que me pasaba exactamente igual, igualito, aunque a los hombres del jardín no los oía. Y que cuando no podía entender las cosas por orden, se me ponía delante de los ojos como una nube que me tapaba el sol, me había pasado siempre, desde pequeña. Y para volver a ver la luz tenía que inventarme una historia que explicara las otras.

—Pero esa historia —le dije—, si no se la cuentas a alguien o no la escribes, también se olvida y luego sale rota cuando la quieres recordar. O sea que todo se rompe siempre un poco y hay que pegarlo otra vez; qué se le va a hacer, un cachito de aquí y otro de allá, todo son cachitos.

Encarna se echó a reír. Se inclinó a coger un periódico que se había caído al suelo, arrancó una hoja y se puso a romperla y a dispersar los fragmentos por el aire, mientras canturreaba:

—¡Todo cachitos! ¡Todo son cachitos!

Yo también me reía de verla. Luego, cuando se volvió a sentar en el banco a mi lado, me dio un beso y me dijo:

—Lo entiendes todo tan bien. Me da mucho gusto que a ti tampoco te entren todas las cosas a la vez en la cabeza. Porque es que no caben, ¿verdad?

—¡Qué van a caber! Ni mucho menos.

Luego, me estuvo explicando que ella cuando más notaba eso era cuando veía pintados los países en un mapa con tantísimos ríos y montañas y fronteras. Si se ponía a pensar que existían de verdad todos al mismo tiempo y con gente moviéndose y animales y campos de trigo, se mareaba. Igual que después de mirar mucho rato las estrellas por la noche. Eso era peor todavía, con lo pequeñas que se veían y lo grandes que debían ser, hasta esas que parecen sólo polvo finito. Y cientos de millones, y en todas a lo mejor pasando algo que no sabemos. Se sentía pequeña como un grano de arena o una hormiga, y le entraba miedo y cuando se dormía soñaba con universos.

Me dio un vuelco el corazón y nos miramos en silencio, tanteando la posible certeza de estar compartiendo una emoción rara y preciosa. Sus ojos me interrogaban brillantes, casi al borde de las lágrimas.

—No me pidas que te lo explique mejor —dijo—. Es muy difícil de explicar, pero se pasa mucho miedo.

—Calla, a ver si lo acierto. Sueñas que te precipitas desde muy arriba y nunca acabas de caer y vas chocando con los planetas y nunca se ve el suelo ni sabes dónde vas a caer, ¿es eso?

—Sí, eso. Pero el miedo peor es porque también estás viendo cómo caes, igual que cuando ves que se cae una estrella, yo me miro caer desde abajo, es horrible.

—Bueno, todas las pesadillas son un poco horribles y tratan de eso, de que te caes.

—A mí me encantaría volar, como Peter Pan, aunque sólo fuera en sueños, ¿tú de pequeña cómo te figurabas a Peter Pan?

Se nos pasó la hora de la merienda, sin darnos cuenta, hablando de Peter Pan, de Sherezade y de muchos otros amigos comunes. Y fue como si aquel día los narradores de los árboles hubieran madrugado y se fueran descolgando de las ramas para sentarse a nuestro alrededor a medida que los íbamos nombrando: Andersen, Lewis Carrol, Stevenson, Collodi, Elena Fortún, Daniel Defoe, Perrault, Julio Verne, Salgari. Y al final sacamos la conclusión de que también a veces en aquel jardín se podía pasar muy bien y hacer agradables tertulias.

—Bueno, sí —reconoció Encarna—, pero con tal de que no vinieran nunca los mayores.

Aquella tarde se inició nuestra intensa complicidad veraniega, solamente comparable a la que, celestineada también por la literatura, se había establecido entre Mariana y yo años atrás, a raíz de que don Pedro Larroque nos leyera en clase las coplas de Jorge Manrique. Y al revivir el precoz sobresalto ante el precipicio del tiempo que Manrique me hizo atisbar por vez primera, surgía ahora del mismo abismo un premio inesperado. Aquella deidad del tiempo, enigmática y mutable, imprimía un brusco parón a los giros vertiginosos de su ruleta. Y lo que me estaba brindando mediante aquella tregua no eran, como otras veces, los restos embalsamados de una infancia perdida, sino una nueva infancia: la que mi hija me invitaba a compartir.

Y en días sucesivos yo le hablé de Mariana. Y de Noc. Aquel verano revivió Noc. Decidimos que sin duda era él el jefe de aquella bandada de hombrecillos que se aposentaban de noche en el jardín y se lanzaban de árbol a árbol serpentinas de cuentos, que cambiaban de color a tenor de las mudanzas atmosféricas. Pero entendíamos también —cada una a su manera— que la alianza que Noc estaba estableciendo entre nosotras crecía amenazada por una serie de circunstancias que la condenaban no sólo a ser fugaz sino también clandestina.

Lorenzo aquel verano prescindió casi por completo de su hermana, y alentado por Higinio y Eduardo, que mostraban clara predilección por él y coincidían en que debía emanciparse de tutelas femeninas, encontró una pandilla de chicos simplones, deportistas y algo mayores que él, de cuya amistad se sentía orgulloso. Encarna, en cambio, no hizo buenas migas con nadie y se dedicó preferentemente a leer todo lo que caía en sus manos y a esperar la ocasión propicia para comentarlo conmigo con tiempo por delante y sin que nadie nos interrumpiera. Encontrar aquellas ocasiones no resultaba siempre fácil, sobre todo para mí, aunque el aliciente de buscarlas fuera un lenitivo para mis agobios y melancolías. De hecho me volví más complaciente con los demás, y a veces, cuando estábamos en grupo y alguna de las frases que se decían rozaba nuestro código de sobreentendidos, la mirada risueña y cómplice que intercambiábamos mi hija y yo me pagaba de otras fatigas. Me consideraba una privilegiada con respecto a quienes no disfrutaban de semejante talismán, y esa consideración me inclinaba a compadecerlos y tratarlos mejor. Pero aquel talismán era una moneda que, como todas, tenía dos caras, y a veces salía cruz.

Encarna y yo habíamos llegado, mediante un acuerdo tácito, a la conclusión de que nuestra intimidad no convenía exhibirla sino esconderla, y era eso precisamente lo que le confería el punto de emoción que caracteriza a los amores contrariados. Sin embargo, en nuestro caso había un inconveniente añadido, que restaba veracidad y alegría a mi rejuvenecimiento. La recuperación de mi infancia se convertía en un espejismo, al tenerla que compaginar con unas tribulaciones que pertenecían de lleno a mi irremediable compromiso con el mundo de los adultos, y de las que era imposible hacer partícipe a Encarna. Así por ejemplo, cuando ella, en nuestros ratos de charla a solas, se refería a los «mayores», excluyéndome a mí de ese grupo, mi sonrisa se veía enturbiada por una fatal conciencia de doblez. Y lo mismo cuando me preguntaba que en qué estaba pensando y se trataba de algo que yo no le podía decir, casi siempre cuestiones relacionadas con su padre. A veces me parecía descubrir en sus ojos la misma aversión hacia él que en mí iba tomando cada vez más cuerpo. Pero, caso de que fuera un sentimiento compartido, cosa que nunca me atreví a indagar, la sospecha de estar en lo cierto no me unía a ella sino que, por el contrario, proyectaba sobre nuestros juegos y bromas una sombra espesa que nos separaba.

Recuerdo una mañana en la playa, pocos días antes de nuestro regreso a Madrid. Eduardo y yo arrastrábamos la resaca de una riña nocturna con dosis considerable de acritud, pero nada escandalosa, porque a lo largo de nuestra estancia en Suances habíamos hecho notables progresos en controlar el diapasón de la voz, aunque su contenido llevara dinamita. Los motivos de la discusión se me han borrado casi por completo, aunque incluía quejas sobre lo maleducada y rebelde que se estaba volviendo Encarna, de cuya existencia y crecimiento yo parezco ser la única responsable. (Por cierto, ni entonces ni en tiempos más recientes se ha dignado discutir conmigo acerca de la educación de Lorenzo, como si considerara que tanto sus aciertos como sus fallos son de su exclusiva incumbencia. Creo que, en el fondo, es por el único de nuestros hijos que se siente defraudado.) Nada quedó zanjado aquella noche ni se llegó al más mínimo acuerdo, como es habitual en este tipo de contiendas, alimentadas más que por su propio argumento por un choque de humores entre las partes en litigio. Porque el humor, ya se sabe, está sometido a fluctuaciones imprevisibles, como elemento gaseoso que es y de índole caprichosa, igual que las nubes. Y de la misma manera que ni el pintor más experto logrará nunca captar los sucesivos dibujos de las nubes, tampoco podemos prever nosotros cuándo se nos va a hinchar tanto el alma como para invadir el espacio acotado de otra, y menos recordar al cabo del tiempo la causa fortuita de aquella colisión, los perfiles que adquirió o las burbujas en que se deshizo. Lo que sí pasa, cuando quieres mucho a alguien, es que barruntas sus nublados y a veces logras encoger los tuyos para que no entren en conflicto. Pero yo de las nubes de Eduardo siempre he sabido muy poco, no me ha interesado parar mientes en ellas. Aunque las tendrá, quién lo duda. Lo que sí recuerdo es que aquella noche se disiparon sin llegar a descargar tormenta. Le venció el cansancio antes que a mí, y yo aproveché tan oportuna coyuntura para hacerme la dormida, ficción que puede ser un arma de dos filos, como he aprendido con creces a lo largo de nuestra convivencia. Porque, ante el temor de que el otro también esté fingiendo dormir, no se atreve uno a moverse ni a encender la luz para no dar pie a que se avive el rescoldo de los agravios.

Total, que cuando empezó a rayar el día en el jardín, coincidiendo con los primeros gorjeos y manotazos contra la cuna que anunciaban el despertar de Amelia, yo no había pegado ojo y les había estado dando vueltas a obsesiones ingratas, de las que acentúan esa difusa conciencia de culpa que tantas veces me nubla la alegría, me incapacita para soñar y vuelve opaco lo que miro, como un dolor sordo y persistente, aunque ilocalizable. Me levanté con la moral por los suelos, en la disposición menos apropiada del mundo para comentar con Encarna, como le había prometido, *Veinte mil leguas de viaje submarino*. Lo único que me apetecía era dormir muchas horas seguidas, a poder ser escondida como polizón en aquel submarino de Julio Verne, y despertar entre desconocidos.

En cambio Desi, con quien coincidí en la cocina, estaba de un humor excelente aquella mañana, entregada con verdadero entusiasmo a preparar croquetas, emparedados y otra serie de apetitosas viandas propias de picnic. Me acordé de que habíamos quedado en pasar todo el día en la playa, con otro matrimonio que también tenía niños, uno de ellos de la pandilla de Lorenzo y bastante amigo suyo, creo recordar. En cuanto le di la papilla a Amelia y la cambié, me sentí obligada a echar una mano a Desi y a hacerle un poco de caso, esfuerzo supletorio que agotó ya definitivamente mis reservas, hasta el punto de que en un momento determinado noté que me mareaba y tuve que sentarme. Ella misma me dijo que tenía mala cara y me preguntó que si no volvería a estar embarazada.

Durante el desayuno ponderó la suerte que teníamos con que hubiera amanecido tan buen tiempo para poder despedirnos de las delicias de la playa, disfrute que la lluvia había venido entorpeciendo a lo largo de varios días. También dispuso la forma en que íbamos a repartirnos en los distintos coches, dio diversas órdenes a la criada y se manifestó ilusionadísima ante la idea de captarnos a todos en el objetivo de su nueva Leika, porque entre sus muchos hobbies estaba el de la fotografía.

—Por fin hoy —anunció— vamos a poder hacer fotos para tener un recuerdo como Dios manda del verano. Porque, entre unas cosas y otras, no ha habido manera de pillaros a todos juntos.

Encarna, que estaba sentada enfrente de mí, no hacía más que buscar mi mirada, mientras que yo en cambio trataba de rehuir la suya. No abrió la boca en todo el desayuno. La tarde anterior, al final de una charla que Desi interrumpió y que versaba sobre submarinos, su gesto de contrariedad fue tan exagerado como las promesas que siempre trataba de arrancarme, antes de que la abandonara para dedicarme a otros quehaceres. Y me di cuenta, con una pesadumbre que se prolongó toda la noche y contribuyó a envenenar mi insomnio, de que tenía que poner coto a las exigencias de aquel cariño. Simplemente porque, aunque era mi mayor fuente de luz y de energía, no podía corresponder a él con el mismo grado de exclusividad; porque, como ella misma había intuido cuando «soñaba con universos», habría que tener mil vidas y mil corazones y mil cabezas para atender cabalmente y por orden a todas las imágenes y sentimientos náufragos que nos piden asilo al mismo tiempo.

—¿Qué te pasa, mamá? —me preguntó luego, en un aparte, cuando salíamos hacia los coches.

Le dije que nada y que además procurara estar más simpática con la tía Desi, que a veces ponía una cara que parecía que la estaban matando. Le hablaba en un tono impaciente y algo cortante.

—Pues tú igual —dijo ella—, sólo que yo te digo lo que me pasa siempre que me lo preguntas y tú a mí no.

—¿Y qué te pasa, vamos a ver?

—Que no quiero que se ponga a hacernos fotos a todos en montón, y a decir que nos riamos, yo no tengo ganas de reírme a lo tonto porque ella me lo mande.

La sesión de fotos de aquella jornada fue realmente exhaustiva, sobre todo porque a Desi no le gustaba hacerlas todas seguidas, sino cuando la luz y la combinación del grupo le resultaban apropiados. Tenía recientes las enseñanzas de un cursillo de fotografía que había seguido por correo, y la sentía uno omnipresente, acechando todas nuestras idas y venidas, con la sonrisa súbita de quien pretende dar una sorpresa, pero al mismo tiempo pide colaboración para ello, sin molestarse en investigar si la sorpresa es o no del gusto de quien la recibe.

—¡No os mováis, por favor!, quedaros como estabais —se le oía decir en el momento más inesperado—. ¡Qué foto tenéis en este momento! Lorenzo, no sueltes la raqueta, así, sin hacerle sombra a tu hermana... No, Sofía, tú un poco más a la derecha, como estabas antes.

—Es que no sé cómo estaba antes.

Era tal mi desmadejamiento, que cualquier «antes» remitía a una pesquisa que me arrebataba peligrosamente en su espiral, alejándome más todavía de la participación en el presente. La compañía de aquellos señores —hoy totalmente difuminados y sin relieve— que vinieron con nosotros al picnic la recuerdo con gratitud, porque hablaban mucho y no sólo me eximían de intervenir, sino que ayudaron a descargar las tensiones que hubieran podido surgir entre Eduardo y yo. Hablaron mucho del problema de la vivienda, porque creo que él invertía en negocios de construcción, y Eduardo manifestó que había decidido comprar una casa más amplia, porque, en cuanto creciera Amelia, en el piso de Donoso Cortés ya no cabíamos. Aunque casi no me miraba al decirlo, las intervenciones de Higinio y Desi me hicieron entender que más de una vez había hablado de ese propósito con ellos, y que a mí me daban por enterada. Yo me limité a declarar que me horrorizaban las obras y las mudanzas.

—Creí que ibas a dar una opinión más original —dijo Eduardo—. Eso ya lo sabemos, mujer.

Yo no contesté nada.

Un poco antes de que llamaran a los chicos para comer, me escabullí y me fui a dar un paseo por el borde de la playa hasta las rocas. Me senté en una que tenía un hueco en forma de cueva y me quedé inerte y ensimismada viendo cómo subía la marea. Pensar en la vuelta a Madrid se me hacía aún más agobiante con el peso extra de aquellos proyectos de Eduardo, que nunca había formulado delante de mí de modo tan perentorio. Y al imaginar el crecimiento de los niños y la instalación en esta casa (entonces una nebulosa sin localizar y hoy ya tan precisa e ineludible como cargada de recuerdos), las lágrimas empezaron a nublarme los ojos. Encarna, que me había seguido, vino despacito a tapármelos por detrás en el momento en que una ola estallaba a nuestros pies y nos salpicaba la cara.

—¡Soy Simbad el marino! —dijo

—¡Qué susto me has dado, hija! Tenemos que volver, está subiendo la marea. Anda, vamos.

Se me quedó mirando.

—¿Estás llorando o son las gotas del mar? —me preguntó.

—Son las gotas del mar.

Se abrazó a mi cuello.

—¿Sabes para lo que tengo ganas de ser mayor? —me dijo al oído.

—No sé. Siempre dices que no quieres ser mayor.

—Para tener una casa y llevarte a vivir conmigo. Una casa pequeña, con balcones, y delante el mar. Y tú no tendrías que hacer nada, sólo contar cuentos. A Noc lo dejaríamos venir por las noches.

—¿Y de qué íbamos a vivir?

—De contar cuentos, en muchos sitios pagan por contar cuentos, me lo has dicho tú.

296

Me eché a reír y le di un beso. Por unos momentos había logrado que la casa de Donoso Cortés y ésta desde donde ahora rememoro aquel sueño olvidado, se convirtieran en otra pequeñita cuyos balcones se asomaban al mar.

—¿Verdad que me quieres mucho? —preguntó.

—Mucho, claro, ya lo sabes.

—Y vamos a estar siempre juntas, ¿verdad?, pase lo que pase, siempre; los demás no nos importan.

—Oye, que está subiendo mucho la marea.

—No tengas miedo, yo voy delante y te doy la mano. No te resbales. Soy tu capitán.

Apareció Desi de improviso y nos disparó la última foto del carrete cuando estábamos iniciando el descenso, cogidas de la mano y de espaldas al mar, que acababa de salpicarnos con otra de sus olas, ahora mucho más brava. No nos habíamos fijado en ella hasta que dijo:

—Os venía a buscar para comer. ¡Ésta sí que tiene que haber quedado bonita!

Y no se equivocaba. Precisamente es la foto que andaba buscando anoche.

Todas las sensaciones dormidas de aquel verano, tan borroso como si nunca hubiera existido, fueron despertando de su anestesia mientras buscaba, cada vez más afanosamente, los dos sobres amarillos donde vi metidas por última vez esas fotografías, entre las que destaca, con la luz inconfundible de los tesoros, aquella sonrisa protectora de Encarna niña, cuando acababa de inventar, a modo de guarida para nuestro futuro, una casa de cuento que se llevó la marea, como se lleva implacable los nombres atravesados por una flecha que dibujan en la arena los enamorados.

Me prometí a mí misma que, si la encontraba, la mandaría ampliar y la pondría en un marco de plata. Pero tal promesa se quebró, al estrellarse intempestivamente contra otra sonrisa mucho más sarcástica de la Encarna de ahora cuando ridículiza ciertas casas de la alta burguesía, donde es imposible apoyar en mesita alguna «libro, copa, cenicero, ni aun triste codo», por culpa de la multitud de fotos familiares enmarcadas en plata y carey que las atiborran y reducen a mero adorno.

Y el recuerdo de esa frase de Encarna arrastró consigo el de la fiesta en casa de Gregorio Termes y el regreso silencioso en el coche con Eduardo, que desde aquella noche no sólo no ha vuelto a salir conmigo, sino que las frases que hemos cruzado no alcanzarían a llenar tres páginas de este cuaderno. Y esa constatación se me presentó de forma tan descarnada que me hizo aterrizar bruscamente en la realidad. Son como dos aviones enemigos el de la quimera y el de lo cotidiano y siempre hay uno que derriba al otro. Los efectos de la caída se materializan antes que nada en ese ajuste de cuentas con el tiempo a que me vengo refiriendo sin tregua desde que me he puesto a escribir. Mi primer cuaderno, el que se inicia con el collage de la liebre entre trocitos de espejo, lo estrené en el Ateneo el uno de mayo, o sea al día siguiente de la fiesta de Gregorio. «Diecinueve días —reflexionaba yo antes—, ¡qué raro es el tiempo de la escritura!» Pero en lo que no suelo pensar es en que por raíles paralelos al de esa dedicación que me ha metido en un tiempo ficticio, discurre otro tiempo real, cuyos episodios no he reseñado más que tangencialmente, y eso cuando no los he silenciado de manera absoluta. Las famosas «vivencias de irrealidad» de que me habló hace años el psiquiatra. Está claro que me resulta menos gravoso hurgar en los acontecimientos del pasado que preguntarme por las causas de lo que está ocurriendo a mi alrededor, mientras me sumerjo en la tarea de llenar páginas y releerlas.

Por ejemplo, he consignado en algún sitio de estos cuadernos que Eduardo y yo ya no dormimos en el mismo cuarto y que tengo pendiente la iniciativa —ya que él no la toma— de abordar alguna conversación capaz de abrir brecha en el muro que nos aísla. Pero lo que no he dicho es que tanto él como yo conocemos la causa concreta del silencio que se inició al volver de la fiesta de Gregorio Termes y que desde ese día no ha hecho más que espesarse. Cuando salí al recinto de la piscina aquella noche para recibir sola el mes de mayo y me quedé mirando la luna, oí el ruido de alguien que se escabullía entre los arbustos, no con tanta presteza como para que yo no reconociera los movimientos de Eduardo y sus anchas espaldas que a duras penas trataban de ocultar el fulgor rojizo del pelo de su compañera. He apartado deliberadamente esta escena de mi memoria, he tratado de abolirla, y cuando reaparece, tengo que reconocer que las lágrimas que me la volvieron borrosa e incierta no eran de celos, sino de añoranza por la juventud perdida. De hecho, al día siguiente, me desperté cantando el «Submarino amarillo», y decidí emprender en serio el rescate literario de una parte de mi juventud. En resumidas cuentas, sigo siendo víctima de esa obstinación por pedirle asilo al pasado que tantas veces me reprocha Encarna, la que mejor me conoce de mis tres hijos, aunque ya no sueñe con edificar una casita con balcones al mar donde poder vivir juntas.

«Tengo que hablar con Encarna —pensé, mientras seguía buscando la foto de la playa—, con la Encarna de ahora.»

Y al pensar esto, miraba alrededor, porque ya hacía rato que la búsqueda de la foto me había desplazado fatalmente a su antigua habitación, hoy convertida en trastero, y hasta en el olor del recinto me llegaban efluvios de su presencia fugitiva e indescifrable. Palpaba recodos, estantes y escondrijos, como quien juega a la gallina ciega, pero casi segura de que no era aquella infancia añorada lo que me iba a salir al encuentro.

«Tengo que hablar con ella, pedirle que me sacuda, que me eche en cara mi cobardía, que vuelva a servirme de capitán. Necesito hacerme a la mar de las mudanzas, embarcarme "desnuda de equipaje" hacia puertos desconocidos.»

Y ya divorciada casi por completo del motivo que me había llevado al trastero, seguí echando cuentas de lo que ha pasado fuera de mí mientras llenaba cuadernos a lo largo de estos diecinueve días. Tampoco he vuelto a ver a Lorenzo ni a Encarna, sólo alguna vez han llamado por teléfono, o Consuelo me ha dicho que los ha visto y que están bien. Pero necesito verlos en persona, en su propia salsa, apearme de mis quimeras, presentarme en el refu.

¿Y Mariana, de la que tanto hablo en mis cuadernos? ¿Dónde estará la Mariana de carne y hueso, qué le habrá pasado? Aquella noche fronteriza entre abril y mayo, mientras yo escuchaba las confidencias deshilvanadas de una paciente suya, ella —aunque he tardado en saberlo— me estaba escribiendo una carta muy larga donde me anima a seguir haciendo deberes, antes de salir de viaje con rumbo desconocido. Pero ¿dónde está de verdad ahora, qué aire respira fuera del que yo le insuflo al evocarla? La volví a llamar hace tres días y se puso directamente la doctora que la suple, esa tal Josefina Carreras. Me dijo que está muy preocupada porque Mariana no ha vuelto a dar señales de vida ni nadie sabe dónde para. La encontré tan alterada que no me parecía la misma que me habló la primera vez; se ve que los psiquiatras tampoco son de corcho. Me pidió por favor que si yo era amiga suya y recibía alguna noticia se lo comunicara inmediatamente. Insistía en indagar el tipo de amistad que nos une, y eso ya me hizo menos gracia. Le dije que sí, que éramos muy amigas, pero no quise decirle desde cuándo ni cómo me llamo, aunque me lo preguntó con una avidez perentoria y bastante desagradable. «Eso no hace al caso», dije. Y colgué. De pronto, no sé por qué, me siento más cerca de Mariana que nadie y celadora de algún secreto suyo. Llevo varios días mirando el buzón con una ilusión especial. Pero sin angustia. Estoy segura de dos cosas: de que a Mariana no le pasa nada, y de que acabará por escribirme o llamarme desde donde sea, antes que a nadie. La doctora Carreras no sabe por qué se ha ido de Madrid, pero yo sí. Huyendo de los problemas de ese amigo que intentó suicidarse. Me lo dice al final de la única carta suya que he recibido: «Algún día te llamaré para vernos, pero por ahora no. Necesito encontrarme mejor. No sé cómo me tengo en pie. Es posible que me vaya una semana fuera de Madrid.» Claro que ya ha pasado más de una semana.

Bueno, ¡y qué más da el tiempo que haya pasado! Yo he

escrito dos cuadernos y medio, ¿no? Pues ya está. A ver si vuelve a tomar vuelo ese avión de papel que me alza por encima de la realidad y me deja contemplarla mejor. En cuanto me pongo a sacar la cuenta de las fechas reales y a intentar casarlas con las imaginarias, nada coincide y pierdo la aguja de marear. También ella parecía tenerla perdida cuando se fue. No es un oficio muy grato el suyo, pobrecita. Pues vaya una esclavitud, atender a tanto demente. Yo no puedo dejar de escribir, es lo único que me cura, y además le tengo que llevar los cuadernos. El día que sea. Los escribo para ella, por gusto y porque le pueden ayudar a entender cosas que a las dos nos atañen. Y, si no me vuelvo loca, podré atender a sus problemas con más clarividencia, y a los de los chicos, y a los de Eduardo. También a los de Eduardo, ¿por qué no? Le pediré que me hable de la pelirroja si eso le desahoga; pero, hombre, todos nos cansamos unos de otros, viene en las novelas y además pasa en las mejores familias, lo peor es mentirse, le haré entender que no son los celos lo que me impide sacar esta conversación, que sólo es la pereza, el miedo a las mudanzas, porque separarnos llevaría aparejado tener que pensar en nuevos traslados, en obras, en facturas, en una nueva remesa de papeles que guardar. Ésa es la verdad sin aderezos. No me voy a hacer la magnífica ni la romántica a estas alturas. Aunque quizá le ofenda oírme hablar así. Tal vez preferiría creer que me hace daño.

Estaba tan absorta en estas divagaciones que me sobrecogí al verlo allí parado a contraluz en la puerta del trastero de Encarna.

—¿Qué hora es? —le pregunté.

—No sé, las doce, creo.

—¿Tan tarde?

—Sí. Vengo roto. ¿Tú que estás haciendo?

—Estaba buscando unos papeles que necesita Encarna —mentí.

Y aquella mentira tan inútil me hizo entender fugazmente que es mucho más difícil de lo que parece ir con la verdad por delante, y que mal arreglo tienen ciertas cosas.

—¿Qué es de ellos? —preguntó distraído, como por cumplir—. Parece que se los ha tragado la tierra.

—Están bien. Lorenzo sigue trabajando en el estudio de ese arquitecto. Y Encarna escribe, ya sabes.

Había vuelto a mentir, porque Lorenzo ya hace bastante que no trabaja en el estudio de ese arquitecto, y además no ha terminado la carrera, cosa que no se atreve a confesarle a su padre.

—En fin, no te creas, que yo tampoco los veo mucho —añadí—. Si quieres cenar algo, hay cosas en la nevera.

—No, vengo de una cena de negocios. Y tengo un sueño que me caigo.

—Pues nada, buenas noches. Ah, te ha llamado Desi.

—¿Qué quería?

—No sé, no me lo ha dicho.

—Ya la llamaré mañana. Buenas noches.

Ya iba a marcharse, pero se volvió. Hablaba ahora con una voz irritada.

—Oye, y da una luz mejor. Con esa bombilla desnuda colgando del techo y ahí agachada, pareces un fantasma. Me horroriza este cuarto, te lo he dicho mil veces.

La agresividad de su voz, delatora de tantas cosas como nos separan, al dirigirse al trastero de Encarna me pareció que se estrellaba ciegamente contra Encarna misma, contra toda su ternura, su idealismo y su afán siempre insaciado de sinceridad.

—Pues nada —dije secamente—. Cuando quieras, llamamos a Gregorio Termes, y que lo convierta en una sauna.

Arrugó el ceño y desapareció sin decir nada. La conversación pendiente quedaba diferida una vez más, pero ya no la sentía como un peso, ni conseguía despertarme remordimiento alguno.

No encontré las fotos del verano en Suances, como era de esperar, pero en cambio apareció un cuaderno rayado con tapas de hule que me llamó la atención. «Cuentos sombríos», leí en la primera página. Tenía escritas muy pocas, del puño y letra de Encarna; ella siempre empieza los cuadernos y nunca los termina. Por la fecha que había debajo del título, en mayúsculas y subrayado, calculé que lo había empezado en su primer curso de Letras, es decir más o menos a la edad que tenía yo cuando conocí a Guillermo. Así como ella misma me ha dado ocasión sobrada de contrastar nuestras respectivas infancias e incluso de repescarlas con la misma red, pocos elementos de juicio tengo, en cambio, para comparar su adolescencia con la mía, basándome en datos distintos de los que me proporciona mi propia interpretación de la realidad, poco fiable y rigurosa.

No soy amiga de fisgar en papeles ajenos, pero la reciente evocación del verano en Suances me había dejado tal sed por asomarme a las transformaciones operadas desde entonces en el alma de Encarna, que absolví a mi curiosidad de toda culpa, argumentando que al fin y al cabo se trataba de una composición literaria, no de un diario. Cogí, pues, el cuaderno de tapas de hule, apagué la luz del trastero, crucé el pasillo con pasos furtivos y me fui a tumbar vestida encima de la cama turca de Amelia, no sin haber cerrado antes la puerta cuidadosamente, y dispuesta a devorarme aquel cuento sombrío. Porque resultó ser sólo uno. Y, aunque no tenía más de quince páginas, con ser uno sobraba.

No lo digo por su calidad literaria, realmente asombrosa, sino por el estremecimiento que me produjo comparar mis poemas de esa edad, traspasados por la añoranza de un amor ideal, con el tono descarnado y siniestro de «Exilio sin retorno», el único cuento sombrío y posiblemente incompleto que aparece escrito con letra rápida y pocas tachaduras en el cuaderno de tapas de hule. Eloy, un muchacho de catorce años, viaja con sus padres, a través de un paisaje yermo y deshabitado, en un coche lujoso que conduce su padre, pero que va adornado con coronas de crisantemos, como si se tratara de una carroza fúnebre. Desde el asiento trasero, donde va tumbado y haciéndose el dormido, el adolescente, a quien se describe como Ícaro con las alas rotas, imagina un accidente mortal del cual él saliera ileso. La descripción detallada del ficticio accidente, acompañada del testimonio que, al levantamiento de los cadáveres, el juez requiere del único superviviente, se alterna con el diálogo real que el padre y la madre mantienen en el asiento delantero. A la quinta página, era tal la opresión que sentía en el pecho que me quité las gafas y tuve que descansar un rato. Al hilo de esa conversación matrimonial, tan inútil, embotada y cruel como todas las que yo mantengo con Eduardo, Encarna —desdoblada en Ícaro sin alas— reflexiona sobre las tendencias antagónicas que se albergan en su cerebro: por una parte, el deseo de examinarlo y entenderlo todo, y por otra la adhesión a creencias caducas cuyo abandono supondría el abandono del paraíso. Confiesa su temprana indignación ante la cobardía y duplicidad de sus padres, su incapacidad para seguir idealizándolos y su protesta por haber nacido en un mundo cuyas leyes se han dictado sin su aquiescencia. Si reincide en la tentación de un idilio con la madre, Eloy no volverá a tener nada propio que contar, salvo la exploración de su alma a través de los datos retorcidos y falseados que ella misma le muestra. Aun a sabiendas de que liberarse de los lazos familiares significará emprender un exilio sin retorno, decide renunciar a la mentira. De pronto, un resplandor muy fuerte le obliga a abrir los ojos. Cuando se incorpora, el coche fúnebre está rodeado por las llamas de un incendio devastador. Apenas tiene tiempo para escapar reptando.

Salí de la lectura de «Exilio sin retorno» como quien se despierta de una pesadilla, y aunque al mirar a mi alrededor no vi ningún incendio, mi alma estaba en llamas.

La necesidad de ver a Encarna inmediatamente coincidía con el deseo fogoso y repentino de escapar de casa, de rebelarme contra la mentira, de romper amarras. «Tengo que hablar con Encarna, contarle todo lo que me pasa y lo que siento ahora, no puedo demorarlo ni un minuto más; de las personas que tengo cerca ella es la única que me entiende.» Y el refu se me presentó de repente como aquella casita con balcones al mar que su imaginación infantil edificara para brindarme asilo. «Tú no tendrías que hacer nada —me había dicho—, sólo contar cuentos.» Pues eso es precisamente lo que necesitaba. Y además ella misma acababa de demostrarme que los cuentos pueden ser sombríos, que no tienen por qué acabar siempre bien, pero que también ésos hace falta contarlos con detalle y acierto, aunque no tengan final feliz, y hasta más falta, si bien se mira. Pero, claro, es muy difícil saber cómo y cuándo acabarlos, atinar con el final no feliz. ¿Qué me está pasando a mí, si no, desde que empecé estos cuadernos? No me salen más que cuentos incompletos, todos son cachitos, y los voy uniendo como puedo, pero quedan cachitos para dar y tomar, vivos y coleando, empujándose para entrar en el argumento. Ahí es nada, toda una vida, a la que han afluido y siguen afluyendo muchas más y cada cual cantando su canción, cuántas aguas mezcladas, cuánto poso; y sin salir de casa, cada cajón que abro, cada nube que miro pasar por delante de mi ventana, cada palabra que oigo y cada libro que me pongo a leer estalla en mil añicos donde se espejan nuevos fragmentos de vida: historias despedazadas. El único final un poco feliz de estos cuentos incompletos será el de podérselos entregar algún día a alguien que sonría entre lágrimas al recibirlos.

Miré el reloj. Eran las doce y media. Metí el cuaderno de tapas de hule en un cajón, me puse la chaqueta, cogí dinero y llaves y, cuando ya estaba a punto de salir de casa, retrocedí sobre mis pasos y entré en la cocina. Era más sensato llamar al refu antes de ir, para saber si estaba Encarna o había salido. No tenía yo el cuerpo para viajes en balde.

Nada más descolgar el teléfono, me di cuenta de que había interrumpido una conversación que Eduardo, desde el dormitorio, estaba manteniendo con alguien.

—Por favor, Magdalena, no me pongas las cosas más difíciles; sólo te pido un poco de paciencia, yo también lo paso muy mal —le oí decir en voz sofocada y tensa.

Solté el teléfono y lo deposité cuidadosamente en la mesita auxiliar del office, como quien se desprende con sigilo y aprensión de un insecto que puede ser dañino. Me alejé unos pasos, sin saber qué partido tomar. Colgar en ese momento alertaría a Eduardo y podría hacerle pensar que fiscalizo sus efusiones sentimentales. Pero dejarlo para más tarde planteaba dos problemas que procedían de la misma incógnita: la duración imprevisible de aquella conversación. Yo no tenía los nervios como para aguantar allí hasta que acabara, pero es que además alcanzar la pericia de hacer coincidir exactamente mi «clic» con el del dormitorio me condenaba a acechar cé por bé los altibajos de aquel coloquio. Dejar descolgado el teléfono del office y desentenderme de él, que finalmente fue la solución que elegí como menos mala, presentaba el inconveniente de que, si Eduardo quería volver a llamar, cosa muy probable, descubriría de todas formas, al encontrarse con que no tenía línea, que yo había oído parte de la conversación.

«Pero al menos —pensé con alivio— no me encontrará en casa para pedirme explicaciones ni sentirse obligado a dármelas.» Había además otra ventaja: mi huida repentina a aquellas horas de la noche ya no se prestaba a ser juzgada como un arranque incomprensible o caprichoso; podía resultar incluso coherente. O sea, que aquel argumento subsidiario, surgido como liebre en el erial, no sólo hizo más urgente y avasallador mi deseo de largarme de casa, sino que le otorgó de paso una justificación muy oportuna.

Arranqué una hoja del bloc de los recados y escribí: «Me voy a dormir a casa de una amiga. No la conoces tú ni tiene teléfono. Pero no te preocupes, porque no estoy de psiquiatra ni pienso tirarme por el viaducto. Mañana o pasado te llamaré al despacho y hablaremos. Ahora no tengo ganas. Y no pienso volver a hacer en mi vida nada sin tener ganas. Buenas noches, S.»

En el transcurso de todas mis cavilaciones, y sobre todo mientras escribía la nota y la colocaba luego con precaución debajo del auricular para que Eduardo no tuviera más remedio que encontrarla, no pude evitar que una serie de añicos de aquella historia descabalada me entraran por el oído, intentando engrosar el caudal, ya desbordante, de todos los cuentos y cuentas pendientes. Aquella Magdalena, a quien identifiqué —no sé si equivocadamente— con la chica pelirroja, planteaba quejas y exigencias, y él trataba de aplacarla, asegurándole que todo se arreglaría y salpicando sus promesas de apelativos mimosos como «darling» o «cielo». Pero lo que más me dejó de piedra fue una frase que oí ya al final con toda claridad, porque sonó justamente cuando yo levantaba el auricular para meter la nota debajo.

—¿Paciencia? —estaba diciendo ella con una voz rabiosa pero entrecortada por las lágrimas—. ¿Te parece que he tenido poca? Pues, para que te enteres, Desi dice que no sabe cómo aguanto esta situación, pregúntaselo a Desi.

Abandoné la cocina, enfilé el pasillo y me largué a la calle.

XVI. PETICIÓN DE SOCORRO

Acabo de llamar por teléfono a tu casa y no estabas. Además no saben dónde estás. Se ha puesto una mujer con voz juvenil, le pregunté que si era hija tuya, y me ha contestado que no, que ella es Consuelo. Me dejó aturdida y sin reacción, porque precisamente «Necesito consuelo» era la primera frase que se me estaba viniendo a la boca según marcaba tu número, así, sin más rodeos, como un S.O.S. Y subía tan incontenible y cargada de metralla que ni siquiera estaba segura de haber podido llegar a terminarla sin estallar en llanto.

Consuelo habla muy deprisa y bastante embarullado, aludiendo a personas y situaciones de las que me supone al tanto. Lo que más le interesaba saber era si tengo teléfono o llamaba desde una cabina. Por lo visto, tu marido ha estado intentando sonsacarle el nombre de alguna amiga tuya que no tenga teléfono para enterarse de dónde has pasado la noche. Pero a ella todo esto le parece muy raro, dice que amigas a ti se te conocen pocas, y menos sin teléfono, «¿Quién no tiene teléfono hoy en día?»; más fácil ve ella que lo hayas dicho para despistar.

Yo al principio la escuchaba impaciente, y luego con un desconcierto que poco a poco se fue mudando en curiosidad y en una especie de energía subterránea que trasvasaba a tu alma las zozobras de la mía. Haberte llamado en petición de ayuda se convertía en querer ayudarte y saber que podía hacerlo. No sé si te ha pasado alguna vez estar muy mal y llegar a casa de amigos sin ganas de nada más que de decir: «Vengo aquí a caerme muerta, a que me recojáis con pala», y encontrarte con que ellos en ese mismo momento están metidos en un conflicto que puede ser más grave o más leve que tu pena, eso da igual, lo que importa es que lo entiendes mejor porque lo miras desde fuera, y eso te espabila, te distrae de lo tuyo y te devuelve la voluntad de poner a funcionar la neurona atrofiada, o sea de vivir, porque las ganas de vivir siempre resucitan un poco cuando te sientes útil y con facultades para echar una mano.

Pero me costaba trabajo concentrarme, porque me he pasado la noche en blanco, hasta las primeras luces del amanecer, merodeando por callejones sin salida, dudando entre las opciones de quedarme aquí, seguir huyendo o volver a Madrid, que las tres se me antojan igual de equivocadas, precisamente porque cuando se te mete en la cabeza eso, que qué pinta uno en ninguna parte ni quién, como no sea algún pelmazo, te puede echar de menos, es cuando se te quitan las ganas de vivir. Estuve escribiendo a ratos y otros exhumando letra muerta de ese cementerio de cuitas amorosas propias y ajenas, a cuyo pie se han secado las flores de cuantos juraron no olvidar un momento único en que brotó el «para siempre», con el resumen añadido de mis fichas sobre el erotismo, tan asépticas y obedientes a su epígrafe, que nunca hasta hoy habían destilado veneno o mal olor ni se habían desbordado de su casillero. Palabras encubiertas, mentiras disfrazadas de verdad, que se mezclan y abrazan describiendo giros caprichosos, transitando las calles de mi cerebro, pisoteándolo bulliciosamente, como en un baile de Carnaval donde la diversión consiste en no preguntarle a nadie cómo se llama, en qué barrio vive ni qué enfermedad le aqueja, y del que sólo van a quedar telas rasgadas, amnesia y vidrios rotos. Daba igual apagar la luz o incluso taparme la cabeza con la almohada: la mesita supletoria —recordatorio lacerante de la que me espera llena de correspondencia atrasada y asuntos pendientes en mi despacho de Madrid— seguía emitiendo, desde su rincón provisional, esa extraña fosforescencia propia de los cadáveres y los fantasmas. Y sabía que ahí, en ese montón de papeles apilados, reside el foco del conflicto. Aunque también, quizá, su posible esclarecimiento.

Esta última sospecha debe haber sido la que se opuso anoche a mis impulsos de destrucción y me detuvo la mano cada vez que me acometía el furor de ponerme a rasgar papeles indiscriminadamente. Todos, al fin, se han beneficiado del indulto. Por tres veces los metí de mala manera en el fondo de la maleta, y otras tantas los volví a desenterrar de las capas de ropa arrugada que había echado encima para cubrirlos, la tercera vez cuando ya empezaba a clarear el día, claridad que, por cierto, también ciega, aunque parezca raro. «Nunca pensé/que de un resplandor/brotara la oscuridad»; ya lo dice un *slow* de Alberto Pérez.

Y canturreándolo, agotada de darle vueltas a tanta cavilación inútil, caí en la butaca y me venció el sueño. Soñé que iba andando por esta playa en dirección al pueblo para recoger unos papeles que había olvidado en el mesón de la gaviota tuerta, fundamentales para entender la actitud de Manolo Reina conmigo, y también comprometedores para él. Los tenía guardados el camarero del tic nervioso, pero resultaba arriesgado llegar hasta allí para rescatarlos, porque aquello era sólo un episodio de otra confusa historia de espionaje, en la que tú, Sofía, también estabas implicada. Estaba amaneciendo, yo tenía miedo, y miraba cautelosamente a todos lados, a medida que avanzaba por la orilla del mar con los brazos colgando a lo largo del cuerpo, como si fueran de plomo. Y de pronto divisé una figura que venía hacia mí desde el extremo opuesto y se iba haciendo progresivamente más perceptible y cercana. Y entonces vi que era una mujer: tú. Agitaste unos papeles que traías en la mano y reconocí tu sonrisa, antes de que las dos echáramos a correr una hacia otra y nos abrazáramos llorando de alegría y sin decir una palabra, allí en mitad de la playa desierta.

Me he despertado cuando el sol iba tomando altura sobre el mar, me he levantado de la butaca y me he ido derecha a mirar tu teléfono, que busqué en Madrid por la guía de calles y lo tengo apuntado en la agenda, en la U de Urgencias, aunque nunca hasta hoy lo haya usado. Había comprendido de manera fulminante que no puedo esperar más para oír tu voz, ni un minuto más, que es imbécil seguir reprimiendo una apetencia tan indiscutible y espontánea, en nombre de tiquismiquis de amor propio. No es sólo que no me importe mostrarme ante ti hecha un guiñapo, es que lo necesito, me urge llorar para que me consueles, contarte lo mal que ha acabado todo, lo estúpida que soy.

Por eso, adaptarme sin transición a los tonos agudos de esa otra voz extraña, emitida además desde un espacio que no tengo datos para imaginar, requería un esfuerzo adicional de tiento y cautela parecido al que hay que hacer para orientarse a oscuras en una habitación desconocida. La única ventaja es que Consuelo no parece exigir contestación inmediata a nada de lo que va soltando un poco «a perdigonadas», ya sabes; y así, aunque me costara más seguir lo que decía, también me daba respiro para irme tragando los sollozos. Y por otra parte, ya que no el consuelo de oírte, sí he recibido, por lo menos, el de tener noticias tuyas recientes, de anoche mismo; no sólo nos hemos abrazado en el sueño. Ahora sé que, mientras yo rumiaba mis penas con los ojos abiertos como un búho, tú también estabas despierta y probablemente ávida de palabras amigas, porque nunca es el sopor sino la necesidad de desahogo lo que nos echa de casa a horas intempestivas y nos lleva a buscar asilo en otra cama, a la orilla del mar o entre las cuatro paredes de una taberna. Y menos en tu caso, que, según esa chica, se puede llamar raro porque sales muy poco.

Aunque más raro todavía que el haberte pasado la noche fuera de casa se le hace a ella que tu marido se preocupe tanto. Qué más le dará a él que duermas en otra casa o en el cuarto de Amelia, total para el caso que te hace, «porque eso de que no se acuestan juntos —recalcó— ya lo sabrá usted por poco amigas que sean». Y añadió que bien tonta serías en volver y que todos los tíos son iguales, cuando dejan de tenerte disponible es cuando se antojan de una. Ella cree que estás en el refugio, pero a tu marido no se lo ha dicho ni se lo piensa decir, porque si le has mentido será para que no te pillen, siempre mentimos por lo mismo. Y ella no va a chivarse, porque no quiere que te encuentren, faltaría más. Ni a ti ni a nadie que ande huyendo de lo que sea y por la causa que sea; al fin y al cabo razones para estar rabiando por escapar nos sobran a todos, así que se pone uno de parte del fugitivo, a ver, lo natural. La prueba está en que a ningún niño le gusta hacer de guardia cuando se juega a guardias y ladrones, menos a los niños repelentes, claro, que también los hay. Y lo mismo en las películas: es raro que no te dé pena cuando atrapan al ladrón. Aparte de que son comparaciones tontas —seguía su monólogo—, porque tú no tienes más culpa, como yo bien sabré, que la de estar harta de que no te hagan caso. Total que, bien pensado, aunque yo fuera esa amiga tan íntima y supiera dónde te has metido, haría más que bien en callarme. Ahora, eso sí, le da mucho gusto enterarse de que tienes amigas, pero como si no se hubiera enterado, puedo estar tranquila, ella es una tumba para los secretos.

Y ahí es donde ya me preguntó mi nombre, si no era indiscreción. Le dije que Mariana, y que estaba segura de que no te había pasado nada. Se lo dije en parte para tranquilizarla, pero también un poco porque era como si de verdad te hubiera dado asilo anoche en mi cuarto de tanto pedírtelo, de tanto dirigirme a ti en voz alta, «¿Qué hago, Sofía?, dime tú qué se hace cuando se pierden las ganas de vivir, mis recetas a los demás no me sirven para nada, como no me sirve haber analizado mil veces el fenómeno de los celos y llegar a la conclusión de que son irracionales y contraproducentes; escúchame, necesito consuelo, me veo en un callejón sin salida», como si realmente pudieras oírme desde la cama de la lado.

Consuelo dijo que ella tampoco está nada preocupada por ti y que lo único que pide es que te diviertas y le saques partido a la vida, porque a ella la has tratado siempre mejor que su propia madre, y por eso te quiere y también porque eres una cachonda mental. Dijo que nadie como tú para inventar letras de canciones cuando te despiertas de buen humor, que te salen volando y sólo con que te dedicaras a eso en serio, ya podrías ganar más pasta que tu marido sin tener que andar metiéndote en abogados y esos rollos, con la falta que están haciendo letras con marcha, que hasta cantantes como Ramoncín se agotan porque es que no encuentran quien les haga letras. Dijo que lo que más te pega es haberte ido al refugio, aunque tampoco piensa indagar si estás allí o conmigo, eso se queda para los polis.

No le pregunté qué refugio es ése, porque ya a estas alturas de la caótica información aquella historia me sonaba tan irreal como la de la carta al cliente de la 204. Y precisamente por eso, porque se parecía un poco a las que invento yo cuando me pongo a divagar, la iba colocando y rectificando a mi manera sobre los datos de aquel guión disparatado. No sólo consiguió sacarme momentáneamente de mis agobios, sino que logré compartir la emoción y los riesgos de tu escapatoria nocturna y relacionarlos con la confusa historia de espionaje que se había insinuado en mi sueño. Nos veía a las dos corriendo por callejuelas estrechas, cogidas de la mano, en busca de ese refugio inconcreto donde posiblemente nos hemos escondido juntas anoche. Y me aliviaba aplacar tu sobresalto en brazos del mío, saber que ya no es a mí sola a quien persiguen y que, juntando tu capacidad de inventiva con mis facultades para el disimulo, lograremos despistar al detective de más inquietante aspecto y más fino olfato.

Me he limitado a decirle a Consuelo, cuando me ha dejado meter baza, que no estoy en Madrid ni te he visto últimamente, con lo cual sube muchos puntos la conjetura del refugio. Pero que, por favor, en cuanto aparezcas, te dé el recado de que me llames, que es urgente. Le he dejado el teléfono de este hotel, y me he asegurado de que lo apuntaba correctamente, así como el prefijo de Cádiz y el número de mi habitación. También le he encargado que te lo diga a ti personalmente y a nadie más. Ella ha repetido que es una tumba y nos hemos despedido.

Como consecuencia de esta conversación, he deshecho definitivamente la maleta, porque ya tengo una razón para quedarme aquí: la de esperar tu llamada. Y he comprobado una vez más que atender a un asunto ajeno es remedio eficacísimo contra la parálisis. Ya llevo varias horas escribiendo en plan «ejercicio de redacción», lo mismo que te receté a ti. Y eso ha traído como consecuencia que ordene los papeles de la mesa, rompa muchos que son innecesarios y encuentre otros que creía haber perdido. Ya me dan menos grima que anoche.

Pero es porque tú existes, Sofía, escondida, buscando hueco en un refugio del que quiero rescatarte; por eso lo que escribo se vuelve como un túnel excavado a ciegas, y yo un topo avanzando por esa galería subterránea de palabras sin más guía que el deseo de dar contigo para pedirte socorro y ofrecértelo; y otras veces dejo de arañar la tierra porque hay que salir a la superficie, aunque entrañe más riesgo, y trepo por los árboles, y mis palabras me llevan a saltar de rama en rama, a escalar muros o atravesar a nado fosos verdinegros, siempre furtivamente, orientada tan sólo por la fe que se crece ante el obstáculo, como en las películas de cautivos a punto de perecer, donde el libertador, que siempre llega en el momento álgido, también va a verse liberado él mismo de oscuras amenazas nada más rescatar al prisionero, y por eso se multiplican su ingenio y su destreza; así mi necesidad de que oigas mis señales y de esperar las tuyas se convierte de agobio en incentivo que anima y colorea no sólo estas palabras que abren brecha hacia tu incierto refugio, sino también las que salen enhebradas con ellas, todas las que te vengo dedicando desde que cogí el tren para Puerto Real, sembradas a voleo igual que avena loca, y que ahora, resucitando del papel donde yacían, vienen en ayuda de las otras, en pos de ellas, como la retaguardia de un ejército que al toque de clarín ha saltado al caballo.

Escribo tonterías, ya lo sé, que cualquier broza u hojarasca es buena para aguantar el frío de la espera, para avivar el fuego de la historia que te quiero contar antes de reingresar en la mazmorra del sentido común, antes de que mis lágrimas se enfríen y el guardián me susurre: «No era para tanto, al fin y al cabo no era para tanto, ya has hecho suficientes cabriolas, no te ha pasado nada, vuelve en ti», no, no me da la gana todavía de tomar esa pócima, me resisto a ponerme en manos de la doctora Jekyll, que me devuelve a un mundo de miserias reales a cuyo cargo estoy, me rebelo contra la idea de ser tratada y apaciguada por la doctora Jekyll León, que me transmuta en ella, quiero escapar, Sofía, deformada en espejos grotescos, te llamo, soy Mariana, quiero llorar contigo a rienda suelta una pena de amor tal vez irrelevante, pero que arrastra muchas anteriores, lágrimas y suspiros abortados desde los años de universidad, cuando me planteé que había que elegir entre atender a los sentimientos ajenos o dar coba a los propios y supe que si no era capaz de arreglármelas sola y sin pedir auxilio, de poco auxilio iba a servirle a nadie, fue una decisión indolora entonces y que incluso me embellecía, sonrisa distante de Ninotchka, de Lauren Bacall, refrena tus instintos. Pero Manolo dijo que no, que era mentira, que yo lo que llevaba era fuego en las venas, menos mal que no iba a morirme sin saberlo, eso fue hace tres años, mejor tarde que nunca, se llama Manuel Reina, creo que te lo he dicho en otras cartas, pero ya no me quiere. Aunque la culpa es mía, lo perdí yo porque me dio la gana, porque volví a la cárcel del sentido común de la que llevo años queriéndome escapar y ya no puedo, igual que llevo muchos, muchos más, sabiendo que es a ti, a mi amiga del alma, a quien quiero llamar para que me consuele, que es la única que sabe, aunque negándome a reconocerlo; necesito llorar, desahogarme contigo, me niego a que me trate la doctora León, «que no sabe decirme lo que quiero». Ojalá te llegaran estas palabras locas y afiladas a arañar los cristales de ese refugio raro en el que te acurrucas, y reconocieras mis lágrimas en las gotas de lluvia que azotan la ventana, porque al menos aquí ha empezado a llover, quién pudiera tener delante y copiarlo para ti aquel pasaje de *Cumbres borrascosas* que tanto te gustaba, está casi al principio, cuando el rostro de Catherine niña se asoma en una noche de tormenta al cuarto abuhardillado que fue suyo y donde se ha quedado a dormir Lockwood, y a través del cristal súbitamente roto él aferra sus dedos fantasmales y comprende aterrado que, aunque tal vez en sueños, ha rozado una historia de la que ya jamás se podrá desprender, la que luego investiga por conducto de la señora Dean y nos cuenta a nosotros, pero sobre todo a ti. Copiar para ti, Sofía, incorporados al jeroglífico general de nuestras vidas presentes y pasadas, trozos de esta novela que aún alumbra tus sueños, sería otro canal abierto entre tú y yo, tal como somos hoy, puente aéreo tendido entre nuestros recuerdos, miedos y decepciones, conjuro para convocar la respuesta que con tanto afán espero: ¿Me has llamado, Mariana? ¿Qué querías?

Si no sospechara, con vehemencias de certeza, que dentro de un rato (o mañana, como muy tarde) me va a llegar tu voz sobrevolando ríos y montañas para decirme eso, para saber qué ocurre, qué me pasa, por qué estoy refugiada en este hotel de la costa de la Luz, sola, paralizada, tu voz diciendo que no tienes prisa, que por favor no llore, prendería fuego a todos los conatos de strep-tease solitario, donde se merodea en espirales huecas e indecisas una historia de amor sin *happy end*, que no pudo tenerlo; y te voy a contar lo que menos rodeo necesita, lo que sólo nos duele cuando cesa, que estoy enamorada de quien ya no me quiere, y voy a hablarte de él, de cómo es y de la voz que tiene, porque la voz no cambia, es terrible, Sofía, tiene la misma voz y las manos también, las mueve igual, es que no te imaginas lo que es oír ahora esa voz pronunciando: «¿Y a ti qué tal te va? Tienes muy buen aspecto, Marianilla», un diminutivo como distanciador que nunca había empleado, y yo «Pues bien, ya ves, que me tira esta tierra, preparando un trabajo, ando un poco cansada», sin dejar de mirar hipnotizada, igual que si las viera dentro de un cuadro, esas manos que sacan un mechero y lo encienden y me alargan la llama distraídas, sin temblar; poder contarte lo que eran esa voz y esas manos que algún incomprensible maleficio convierte ante mis ojos en las mismas, y no sé si creer o no creer, investigar o no, abandonarme a la alucinación o escapar del peligro, contártelo, Sofía, a borbollón, como me salga, como me hablan mis pacientes a mí de ilusiones perdidas para siempre, entrecortadamente, desde el sobresalto que acarrea tener que revivir fulgores apagados y buscar a la sombra lo que tan sólo al sol pudo tenerse, cuando el entendimiento, cegado y deslumbrado por la luz del verano fugitivo que ahuyenta las preguntas, se abría simplemente a lo que era un regalo sin mañana, un acontecimiento gozoso y natural; preguntarte, Sofía, dónde voy a meter ahora las imágenes fragmentarias y descabaladas, pero aún rebullendo, de este hombre que ahora ya no se inmuta ni sobresalta al verme, dónde las meto, di, qué voy a hacer con ellas, de la misma manera que cuando algún objeto valioso se ha roto en mil pedazos, no sabes si guardarlos o tirarlos, y en tu perplejidad anida sobre todo el descubrimiento de que hasta aquel instante no te habías dado cuenta de lo valioso que era; si no estuviera segura —digo— de que me vas a escuchar te cuente las cosas como te las cuente, aunque sea tergiversando una historia que sólo tu atención logrará redimir de la trivialidad, y no imaginara que vas a decirme: «No llores, Mariana, por favor, no llores», si no fuera por eso, le tendría la misma alergia que anoche al montón de papeles que estoy incrementando febrilmente, ya ves, por puro vicio ahora, mientras espero el milagro de tu llamada.

Aunque, mirada desde otro ángulo, toda esta perorata también puede tomarse como un caso de desdoblamiento de personalidad añadido a los muchos que anota la doctora León, repartidos por fichas, papeles y cuadernos que ya empachan de tan manoseados, dejados por imposible y releídos. ¿Para qué —digo yo— querrá tantos ejemplos? Pues ya ves, todos le vienen bien, según parece, de todos saca algo y los exprime, no siendo que se pierda un jugo salutífero para abonar sus tesis, un engrudo especial de marca nueva con que pegar ese montón de añicos clasificados por tamaños. Y total para qué, vuelvo yo a preguntar, si una vez primorosamente encolados, tanto que a veces ni la juntura se nota, las historias resultantes de esa componenda son, mirándolo bien, tan parecidas todas y siempre sin final, abiertas de par en par al vendaval del desamparo.

Ahí quedan restañadas, cobradas y archivadas, hasta que vuelve a reproducirse el trastorno que avisa de otra posible desintegración. Y entonces se presenta de nuevo esa señora de media edad, generalmente elegante, delgada y de manos nudosas que avanza hacia el diván. Josefina Carreras suele haberme pasado antes la ficha para que pueda pronunciar un nombre de mujer que, si no, habría olvidado o confundido con el de otra, todas tienen un vago sentido artístico que no saben cómo canalizar, que no les aporta consuelo, pero en lo que más se parecen es precisamente en su afán de excepción, de presentar su caso como distinto de cualquiera y en cierto rictus de los labios que delata un adiós a la esperanza de volver a ser besados con pasión, y yo digo su nombre, ¿qué la trae por aquí?, pues nada, lo de siempre pero un poco peor, son como las apariciones reincidentes de la señora Acosta en el umbral de tu casa, baje conmigo y lo verá, cuestión de tuberías, lo de siempre.

Entre mis carpetas de la mesa supletoria, la que lleva el letrero de «Soledad femenina» es la que más abulta, y a la que acaban yendo a parar casi todos los apuntes de clasificación dudosa.

Ayer por la tarde, antes de bajar al chiringuito de la playa donde había citado a Manolo, estuve repasando algunos de ellos, como cuando te preparas para un examen, intentando luego retener las conclusiones fundamentales mientras me duchaba, y era como ponerse sin demasiada fe una vacuna contra la enfermedad que ya está una incubando. A través de las líneas mecanografiadas pulcramente o quebradas, como ahora, por una caligrafía desigual, fluyen intempestivas las aguas de mil ríos que antes fueron arroyos y regueros oriundos de distinto manantial, que se abrieron camino entre troncos y piedras por vertientes abruptas, fueron creciendo luego cada cual por su lado, remansándose, cantando la canción que los diferenciaba y orientaba su ruta, hasta venir un día sin saber cómo a dar irremisiblemente en el mar de fondo de la soledad, esa fosa común donde impera un fragor unánime, donde todas las aguas que hallaron a su paso un eco rumoso se vienen a juntar, más solas por más juntas, por más indistinta su queja, una queja uniforme que pretende sonar, seguir sonando, como algo excepcional. Me aburren los demás, no me comprenden, no me escuchan, siempre se están quejando de lo mismo, haciendo una montaña de tonterías, doctora, si tuvieran que pasar lo que yo estoy pasando; y lo malo es que no encuentro con quién hablar, créame, cada día es más difícil, la gente va a lo suyo, nada más que a lo suyo.

Cuánto has pensado, Mariana, en ese asunto —le decía ayer por la tarde a la que me miraba desde dentro del espejo un poco empañado del cuarto de baño—, cuántas vueltas y consejos y conferencias has dado sobre él, ¿no eres ya a estas alturas una experta en el tema?, pues para algo te tiene que servir, aplícate el cuento, hermana, concéntrate a ver lo que sacas en limpio. Y me gustaba ver volar las puntas de mi pelo a impulsos de una corriente tibia de aire que no soplaba desde el secador de mano, como a primera vista pudiera parecer, sino rizando el mar desde Levante, ondulando campos de girasoles, inflando velas, agitando las ropas colgadas a orear en azoteas de pueblos blancos y encaramados de repente, ante mis ojos atónitos, en la sorpresa misma de sus nombres, Arcos de la Frontera, Vejer, Ubrique, Zahara de los Atunes, Ronda, Alcalá de Guadaira, Lebrija, Medinasidonia, Osuna, Jimena, Antequera, y el marco del espejo se convertía en la ventanilla abierta de un Fiat Uno con la sierra de Grazalema al fondo y nubes de nácar despeñándose hacia el Sur, camino de Tarifa a cruzar el Estrecho. Esas nubes, pueblos, montañas y playas vieron tus ojos deslumbrados, Mariana, todo eso vieron, mujer, recuérdalo, rescátalo de las profundidades donde duerme, de la roca firme en que tu soledad se asienta, vuelve a tejerlo para abrigarte el corazón ahora, lo viste, fue verdad, lo sigue siendo, no lo dejes morir como mentira sin prestarle asistencia, todo consiste en una voluntad de transformación, lo has dicho muchas veces, en el arte de manipular el material que a cada uno nos tocara en suerte. La soledad también puede ser objeto de artesanía y manipulación, que se lo pregunten si no a los poetas, consiste en no vivirla como condena ni mendigar nada desde el hondón de ese agujero negro, simplemente explorarlo. «Más vale ver negro que no ver», ya lo decía Machado, o sea que es precisamente la pertinacia de nuestra mirada lo que acaba arrancando destellos diamantinos del fondo de las minas de carbón y nos permite pintar un cuadro no necesariamente tan sombrío ni uniforme, ¿o es que el negro no tiene sus matices?; tarda uno en distinguirlos, sí, hasta que se hace la vista a lo oscuro, pasa lo mismo con cualquier color, tampoco las nubes son fáciles de pintar, Manolo decía que lo más difícil, que lleva horas el mirarlas. Todo lo que vale la pena tarda uno en verlo y requiere sudores para sacarlo a pulso, pero nadie tiene por qué notar si ha costado mucho o poco el rescate; tú aguanta quieta, impávida, ya te digo, lo que haya de ser será, no te pongas nerviosa. Consiste en eso, en no echar los pies por alto, en la alquimia que permite destilar de nuestro reino de las sombras una mirada soñadora y ausente, rozando lo inmaterial, justo como ésa que asciende de tus recuerdos y te devuelve el espejo ahora, un gesto impenetrable y sólo tuyo, que aflora casi sin aflorar, que ahuyenta los excesos e invita a ser descifrado, a ver si eres capaz de mantenerlo toda la tarde, Mariana.

Pero mientras ensayaba aquella sonrisa controlada y remota, más atenta a imaginar el efecto que le produciría a Manolo que a dotarla de un discurso interior que se compaginase con ella, me daba cuenta de que el mismo hecho de estarme entregando a esas maquinaciones era un reflejo de mi inseguridad. Sobre todo porque otras veces, cuando habíamos quedado para vernos, me miraba al espejo, claro, eso sí, pero no para ensayar mohínes artificiales ni para comprobar nada de lo que no estuviera de antemano convencida, un ligero toque de *rouge* en los labios, salir pitando y ya, era un examen que se aprobaba enseguida y con nota. Lo importante era no hacerle esperar mucho porque se impacientaba. Siempre le parecía un milagro, decía, volverme a ver.

El pelo me quedó bien, suelto y un poco rizado por las

puntas, como a él le gustaba, sobre todo cuando íbamos en aquel coche suyo que llegó a ser también un poco mío, y yo asomaba la cabeza por la ventanilla abierta y me embebía de paisaje, de olores encontrados, de vértigo y de luz, sin dejar de notar al mismo tiempo que él estaba mirando de reojo cómo el aire me despeinaba.

—No se te ocurra recogértelo, que tu pelo está hecho para que el viento juegue con él y lo alborote, déjalo siempre vivo y a su aire, que es ése: el aire libre.

Ahora lo llevo un poco más corto que aquel verano, no sé si le va a gustar —pensaba— que me lo haya cortado, y tampoco sé que habrá sido de Centauro, aquel Fiat Uno azul metalizado con el que recorrimos tantos pueblos, desde el que vimos ponerse el sol y salir la luna tantas veces y al que llegué a tomar cariño como a una casa, el nombre se lo puse yo por la marca de los cuadernos que suelo usar siempre con tapas de ese mismo azul, tú también los conocerás, Centauro, de anillas. Tenía dos abolladuras en el flanco derecho y otra en el maletero, que garantizaban, según Manolo, su supervivencia, ¿quién nos lo iba a quitar?, siempre lo dejaba abierto.

—No hay ladrón que lo quiera —decía—, pero si está de Dios que nos lo roben, no pasa nada, tú tranquila, así aprendemos para otra vez.

Lo decía en plural, como si fuera de los dos.

—Pues claro que es de los dos. Yo le echo gasolina y lo llevo y si hay un pinchazo le cambio la rueda que sea, pero la madrina eres tú, ¿no?, que lo has bautizado. Y luego que te estaba esperando, que yo no lo había usado tanto tiempo seguido con la misma persona.

—Anda ya, mentiroso.

—Que no, de verdad, estas excursiones por caminos vecinales las hago siempre solo.

Y yo sonreía.

—Espero desaparecer antes de que te hartes. A mí no me gusta que me echen de más, siempre de menos.

—¿Qué dices? Contigo no se harta uno de Centauro ni de nada. Y no me amenaces con despedidas, que estamos empezando, mi alma, para que te enteres. ¡Anda que no nos quedan paseos por dar, vasos de vino por beber, coplas por cantar y viajes por hacer!

—¿Y secretos por contar no?

—Eso no, los secretos que tengas tú conmigo se irán conmigo a la tumba, pero los que tengamos cada uno, eso es harina de otro costal, cada cual por libre, ¿vale?, así nos veremos siempre como por primera vez, sin lastre.

—«Siempre» es mucho decir, ¿no crees?

—Pues da igual, yo lo digo, que soy quien manda en este contrato sin firma, ni lacres, ni notario. Yo te lo juro y basta, siempre será así. Siempre que te vea sentiré lo mismo por primera vez y querré estar contigo ese día y al día siguiente y al otro.

Y yo sabía que no, que aquello era imposible. Y casi tenía ganas de que terminara de una vez para volver a mis cauces, a mi refugio de sensatez, ¡qué verano, Dios mío!

Dos horas antes de la cita, cuando ya le había dado el visto bueno a mi aspecto físico, me puse a inventar un diálogo ideal con Manolo, para entretener la espera y no ponerme nerviosa. Me salía tan bien que lo memoricé a trozos e incluso llegué a apuntar alguna de mis respuestas más inspiradas y divertidas en un Centauro de bolsillo tamaño libreta, porque tenía miedo de que se me olvidaran. Pero, de pronto, me salió de entre las hojas del cuadernito la foto reciente de Manolo que había guardado allí, recortada del periódico, y le vi bailar en los ojos una lucecita de burla, como cuando me decía: «Venga ya, no me expliques tanto mi propia alma, que no la entiendo yo mismo»; y entonces caí en la cuenta de que mi parlamento estaba omitiendo más que nunca el suyo, de que no me iba a enfrentar con un fantasma y menos con un paciente débil y disminuido cuya ficha acaba de pasarte Josefina Carreras, sino con un hombre del que ahora lo ignoro casi todo y que además ni siquiera me había confirmado por teléfono que pensara venir al chiringuito de la playa, pero que, caso de venir, traería su propia composición de lugar, ¡pues bueno era él para dejarse mangonear por nadie!, y desde luego no iba a formularme las preguntas ansiosas y apasionadas implícitas en mi cuestionario y que le iban dejando a mi merced, sino otras improvisadas al calor de la situación, sabe Dios cuáles, o tal vez ninguna. De tal manera que mis frases felices, al perder el sustento que les daba pie, naufragaron estrepitosamente, vinieron a diluirse como terrones de azúcar en el agua y me quedé a cuerpo limpio, sin armadura.

Calibré también otra circunstancia adversa que rebajaba notablemente mis capacidades de iniciativa frente a alguien que, además, era siempre el primero en tomarla: me refiero a mi falta de entrenamiento. Me di cuenta de que el tiempo empleado en cultivar mi ego y en excluirme voluntariamente del trato con la gente mermaba la agilidad verbal que ese ejercicio proporciona, lo cual significaba un tanto —o más de uno— en contra mía. Llevaba demasiados días sin hablar con nadie, casi desde que salí de Madrid (porque mi encuentro con Silvia no había propiciado un diálogo digno de tal nombre, simplemente había contribuido a encastillarme más), y el organismo, claro, empezaba a acusar, como no podía ser por menos, esa grave carencia vitamínica. Me estaba quedando sin defensas, mejor reconocerlo, eran ya muchos días los que habían pasado desde que me escapé de casa de Raimundo abrazada al ramo de lilas, ¿dónde estaba ya aquel aroma de nostalgia por una compañía reciente?, muchos días sin telefonear a nadie, sin reírme con nadie, sin mirar a nadie a los ojos, muchos días huyendo de los demás, mirándolos como a través de un cristal ahumado que los alejaba, paseando sola, comiendo sola, tomando sola absurdas decisiones, hablando sola, y por supuesto durmiendo sola; a ratos idealizando esa soledad y otros abominando de ella, pero sin poner coto a su invasión tenaz y progresiva, inventando comienzos para una novela epistolar dirigida a un destinatario del que también se ignora casi todo, que se habrá ido labrando entretanto sus propios surcos, mero soporte de una retahíla egocéntrica sin otra finalidad que la de explorar un proceso de deterioro gradual que solamente concierne a quien lo está en parte padeciendo y en parte provocando, que sólo a él se le antoja novelesco y digno de ser seguido con interés por el presunto lector de esas cartas, una persona desdibujada cuyo nombre, Sofía, coincide con el tuyo, soñada y recordada en nebulosa hasta esta mañana en que el relato deshilvanado de una tal Consuelo, al imponerse sobre el mío y anularlo, te ha liberado del embrujo a que yo te estaba sometiendo, y te ha arrancado los atributos de soporte de escayola para convertirte en una amiga de carne y hueso que inventa letras de canciones y también duerme sola, tal vez necesitada, sin que yo lo supiera, de mi voz y mi ayuda a lo largo de estos días de duración indefinida, mientras iba haciendo presa en mi organismo el virus de sintomatología inequívoca que tantas veces he explorado a través del microscopio.

Y me di cuenta, por fin, de que no se trataba, en el caso presente, de aconsejar paciencia, decisión, astucia o serenidad a una de esas mujeres opacas y de nombre disecado que, aquejadas del mal indefinible, vienen a mi consulta, y a quienes me he esforzado por dotar engañosamente de la luz que no tenían, sino que se trataba de aceptar algo tan molesto como evidente: que en aquel momento, las cuatro de la tarde de ayer, sentada en la terracita de un albergue eventual con el pelo recién lavado, mirando destrenzarse sobre el mar las nubes caprichosas de una tarde inquietante, en espera de la aparición hipotética de un enamorado no menos hipotético, me parecía bastante a cualquiera de ellas.

No aguantaba en mi cuarto y me largué a la playa. Bajé por las escaleras del fondo de la piscina y eché a andar hacia la izquierda, en dirección opuesta al chiringuito, con la moral por los suelos y una sensación agudísima de abandono, de que daba igual cualquier cosa. Como decía aquel viejo profesor cascarrabias que nos dio francés en quinto, monsieur Dupoint, ¿te acuerdas?, «encore un peu de patience et tout finira mal». En todo caso, yo había dejado de llevar la batuta de los acontecimientos.

La marea estaba baja y caminaba maquinalmente, mirando

a lo lejos, como si esperara ver perfilarse alguna señal o presencia maravillosa de las que orientan en los cuentos de hadas los pasos perdidos de quienes se equivocaron de ruta. Esta escena —lo entiendo ahora— es la que ha podido dar pábulo a la confusa historia de espionaje que hoy al amanecer se coló en el sueño rematado por tu aparición, el que ha motivado mi llamada a Madrid en petición de auxilio.

Era una sensación de extravío y desvalimiento, como cuando te parece, momentos antes de un examen, que no te acuerdas de nada y que además probablemente el tema que va a tocar ni siquiera venía en los apuntes que has estado repasando febrilmente, ya verás como sale una lección rara, una de aquellas de principios de curso, ¿de qué trataba?, tal vez de una batalla o de un concilio, algo de fecha antigua desde luego, seguro que toca ésa; y es como un engrudo de certeza y olvido entremezclados lo que atraganta la respiración y te impide pensar en otra cosa.

Aquella angustia, añadida a la provocada por las conjeturas de si Manolo vendría o no a la cita, se aglutinaba ahora en torno a la imagen borrosa de Raimundo hablando por teléfono en voz baja para que yo no lo pudiera oír y al recuerdo de mi escapatoria con el ramo de lilas, secuencias medio enterradas que, al revivir, habían venido a enredar más la madeja de la situación presente. Acerca de ese tema me consideraba incapaz de contestar nada a derechas, no tenía ni idea, ¿Raimundo?, ¿qué Raimundo?, suspenso, estaba en blanco. ¿Lloró usted hace días por causa de Raimundo?, ¿cuántos días?, Ercilla de apellido, algo recordará, ¿yacieron juntos?, ¿y con qué intenciones? Háblenos de las promesas que intercambió con él, de sus sueños de novia dispuesta a consagrar el resto de su vida al ser amado. Mariana León Jimeno, ¿os otorgáis como esposa a Raimundo Ercilla del Río, lo recibís como legítimo dueño y marido en la dicha y en la tribulación, en la salud y en la enfermedad, hasta que la muerte os separe? Esperad un momento, reverendo señor, no sé quién es Raimundo, no me acuerdo siquiera de su voz, dadme un plazo para pensarlo, para saber, al menos, si estoy soñando o no. ¿Qué te pasa, Mariana, cariño?, te has puesto pálida, supongo que se debe a la emoción; así terminan, te lo recuerdo, las novelas de amor con *happy end* ocultas en los repliegues de tu subconsciente, ¿y no era éste el final que ambicionabas?, ¿no deseabas tenerme para siempre contigo, cosidito a tu almohada, para siempre apartado de amistades peligrosas y ambiguas?, yo te doy estas arras y este ramo de lilas en señal de matrimonio; junten los contrayentes sus manos. Ya lo sabes, Mariana, te lo acaba de decir el reverendo, juntos en la dicha y en la calamidad, y también en el tedio, eso se le ha olvidado mencionarlo, juntos en Covarrubias hasta que la muerte nos separe, hasta que me den tentaciones, si tú no lo remedias, de volverme a suicidar, pero vas a remediarlo, ¿verdad que sí?, confío en tu abnegación y vigilancia. En el nombre del Padre y del Hijo y del Espíritu Santo, yo os declaro marido y mujer. Rezad un rosario de rodillas junto al regazo de la señora Dean, en la calle de la Amargura, y, tras la letanía, prestad oído a sus sabias advertencias: «Si alguno de los contrayentes acudiera, de hoy en adelante, a cita clandestina con pintor andaluz recreado en Manhattan, incurrirá en pecado de adulterio, *ora pro nobis*.»

Sentí que me mareaba, que me flaqueaban las rodillas, y tuve que interrumpir mi paseo para tomar asiento sobre un montículo que luego identifiqué como los residuos de un gran castillo de arena almenado, con foso y pasadizos. Los posibles artífices de la construcción, unos niños que ahora gritaban y corrían descalzos por la orilla del mar, habían abandonado junto al foso un rastrillo de plástico naranja. Lo cogí y me puse a dibujar con él espirales y rayas que se cruzaban sobre la arena, mientras tarareaba una canción antigua de Gracia de Triana, grabada en una cinta de las que más le gustaba poner a Manolo cuando viajábamos en el Fiat Centauro de gozosa memoria, inmune al robo:

> Tengo un castillo de arena
> hecho con mis pensamientos,
> las torres son de suspiros,
> son de celos los cimientos.

¡Ay, castillos del querer
que toíto el mundo levanta
para dejarlos caer!

Me quedé un rato dejándome mecer por aquel sonsonete
que desalojaba de mi cerebro aturdido el nombre de Raimundo, lo vi salir culebreando con su cabezota de erre seguida por cuatro vocales y tres consonantes, rodando por la
arena ante mis ojos; llegaba entero a la orilla del mar y luego
se lo iban tragando las olas letra por letra hasta su total desintegración, Aimundo, Imundo, Mundo, Undo, Ndo, Do, O. Y
a la «o», antes de zambullirse, le salía una hache que se agitaba
a modo de banderita, llamándote, ¡Oh Sofía, nuestros juegos
de infancia!, quién jugara contigo a inventar cuentos a la orilla
del mar, a deshojar palabras como margaritas, a darles alas
para cazarlas y soltarlas luego, como en aquel dibujo del cazamariposas, ¿te acuerdas?, «no deje usted nunca de jugar con las
palabras, señorita Montalvo», sí, tenía razón don Pedro Larroque, es el único juego que divierte y consuela. A mí también,
ya ves, ojalá estuvieras aquí a mi lado, frente al mar inmenso,
para jugar contigo a juegos de palabras.

Me había olvidado del tiempo y de mí misma, invadida
por un extraño sopor. De vez en cuando levantaba la vista del
jeroglífico que indolentemente iba dejando marcado en la
arena y miraba recortarse contra el cielo, nimbadas de espuma, las siluetas de los pequeños arquitectos del castillo de-
rruido. Se entrecruzaban, se zambullían, agitaban los brazos
llamándose unos a otros por nombres que algún día se habría
de llevar la implacable y redentora marea del olvido. No pensaba en nada. Hubiera querido tumbarme a dormir allí sobre
las ruinas del castillo de arena, acunada por el rumor de aquellas voces distantes y alegres.

En un determinado momento me fijé en que las nubes que
se habían estado persiguiendo y deshilachando sobre el mar,
detenían el paso, se remansaban y empezaban a teñirse del color favorito de Manolo para reflejar en sus acuarelas de antes
la fugaz emoción del atardecer, un cóctel de marfil, ceniza y

327

malva, color de despedida lo llamaba, que a veces se te sube a la cabeza. Me levanté, me sacudí la arena de la falda y volví sobre mis pasos, camino del chiringuito.

El chiringuito está pasado el hotel, al final de la playa por esa parte. Más allá sólo hay un promontorio de rocas abruptas sobre el cual se asienta el faro.

A medida que me acercaba, se renovaba la sensación de miedo a lo desconocido que mis ensoñaciones habían anestesiado y convertido en plataforma de levitación, de tal manera que ahora cada paso hacia adelante eran dos de retroceso por la cuesta abajo de mis obsesiones iniciales, una senda resbaladiza y estrecha. «Por ahí no, Mariana, agárrate a donde puedas y si no hay agarradero te lo inventas, pero por ahí no, te lo pido por favor, no caigas de nuevo en la caverna, sal afuera. La sorpresa es una liebre, desafía la luz de lo imprevisto. ¿No te acuerdas de cuando querías ser mayor?, pues ya lo eres, vive lo de ahora, que no se te indigeste la vida, mujer», parecía decirme desde lejos, desde las nubes color despedida, una voz atenuada e ingrávida, tal vez la misma que en tiempos, frente a un ocaso parecido, quiso dulcificar mis dolorosas ansias de crecimiento y enseñarme a gustar el zumo de instante presente, la caricia del aire «lleno de ángeles» que se colaba por la ventanilla abierta de un tren.

Pero no venías conmigo, Sofía, como al regreso de aquella excursión a Ávila, y tu consejo se volvía inoperante. No había sabido desatrancar de basura las tuberías por donde fluyó nuestra amistad, sigo sin saber hacerlo, y tus palabras, claro, al encontrar cerrado el conducto de acceso a mi guarida-bunker, repartían su energía luminosa por el aire y se iban columpiando sobre el mar, fertilizando la belleza del ocaso, «la energía no se crea ni se destruye, no hace más que transformarse», ofrenda de luz desdibujándose mientras yo seguía retrocediendo, aunque fingía caminar, rechazando obcecada la mano que me tendías: «Pero si es muy bonito lo que te va a pasar, Mariana, un reencuentro, ¿te acuerdas de cuanto nos gustaban las historias de reencuentros, aunque fueran para cantar "lo que pudo haber sido y no fue"?, conviértelo en aventura romántica, depende de ti, vas hacia lo imprevisto y lo imprevisto es lo más divertido.» Divertido, ivertido, vertido, rtido, tido, ido, do... Y la última o se infló fugazmente como un globo y luego se diluyó en la cola de una nube gris perla.

El chiringuito no está a ras de playa, sino un poco en alto, separado de ella por treinta escalones toscamente excavados en espiral, los conté el otro día. Manolo estaba arriba hablando con Rafa, el camarero. Aunque de lejos no veo muy bien sin gafas, divisé inmediatamente su silueta inconfundible y el corazón me dio un brinco al comprender que la mía también acababa de entrar en su campo visual. Si conservaba su vista de lince y aquella capacidad de no perder detalle, aunque pareciera que no se estaba fijando en nada, calibraría enseguida lo que en mi avance había de merodeo indeciso y podría adivinar incluso mis ganas de tirar la toalla y echarme a correr. Jugaba con ventaja, como las tropas atrincheradas en un castillo desde el que se otea la aparición de las huestes enemigas; me da vergüenza transcribir esta metáfora bélica, pero tengo que reconocer que acudió a mi mente de forma inmediata, ¡qué habrían dicho, de saberlo, mis pacientes, en quienes siempre trato de descastar la noción que vincula lides de amor con estrategias de guerra!, de ahí vienen todos los males; y darme cuenta de que había caído en esa perniciosa retórica me amilanó más todavía. De todas maneras, nada en su actitud daba a entender —como pude comprobar según avanzaba— que estuviera avizorando ni con ansia ni sin ella una posible invasión de su territorio, y en vista de que no se producía gesto alguno dirigido a mí ni despliegue de pañuelo, decidí clavar mis ojos en el suelo por donde iba pisando, atenta simplemente a controlar mi respiración y a no meter los pies en ningún hoyo. Pillarlo desprevenido, caso de que su indiferencia no fuera fingida, ¿de qué me podía servir, si llegaba indefensa, batiéndome de antemano en retirada?

Cuando coroné la escalera, cuyo ascenso había significado el tramo más penoso, no tuve más remedio que levantar la mirada. Y lo que es peor, seguir avanzando. No estaban más que ellos dos en el chiringuito, y no era de extrañar, porque la tarde se había puesto muy fresca. Aquella comprobación repentina coincidió con un escalofrío que me incomodó bastante, al recordarme otro de mis fallos. En mi huida apresurada del hotel, no había tenido la previsión de coger alguna prenda de más abrigo, y allí arriba soplaba mucho el viento y no había donde guarecerse. Pero a ellos no parecía hacerles mella el frío. Estaban sentados en una de las mesas del fondo, junto a la barandilla, Manolo de espaldas, en mangas de camisa y con la chaqueta colgada en el respaldo de la silla de tijera, y charlaban animadamente ante unas bebidas que consumían sin prisa, como si no estuvieran esperando a nadie. Ya cuando subía los escalones con los ojos bajos, me habían llegado sus risas y la voz predominante de Manolo que se me clavó como la primera saeta envenenada. Estaban hablando de Nueva York.

Fue Rafa el primero que me vio y avisó con un gesto a su compañero. O sea, que Manolo le había estado diciendo que yo iba a venir. ¿Pero con qué palabras? ¿En qué términos habría aludido a esa mujer que le ha dado una cita, después de tanto tiempo sin verse y de haber sido ella la que rechazó una relación más profunda y duradera? ¿Qué pretendería ahora?, a las mujeres, Rafa, no hay quien las entienda. Comprendí que yo sola me lo estaba diciendo todo y en aquellos breves segundos, consciente de mi incapacidad para adivinar el estado de ánimo con que Manolo esperaba mi presencia, noté que un gesto de malhumor debía estar ensombreciéndome el rostro, mientras mis empalagosas conjeturas se desteñían y me embadurnaban con su pringue inútil.

Manolo se volvió y se puso de pie cuando ya estaba casi junto a ellos, decidida a mostrarme natural, pero más muerta que viva. Y de pronto él me estaba besando:

—¡Hombre, Marianilla, dichosos los ojos!

Fueron los míos los que resbalaron vencidos, temerosos de investigar con qué cara decía aquella frase tan banal. Yo, que le había citado allí para invitarle a una sesión de mirada, ya supe desde ese instante que el experimento no iba a tener lugar, que era yo misma quien decidía suspenderlo. Por miedo, y por la rabia que me daba sentir ese miedo, mientras aspiraba durante aquel primer abrazo fugaz la fragancia artificial que emanaba de su cuerpo y de su cara, Herrera for men, la reconocí porque es la colonia que usa últimamente Raimundo. Estaba tan aturdida que besé también a Rafa, aunque nunca lo había hecho antes, como si quisiera pedirle que se quedara con nosotros, implicarle en los incidentes de aquella ceremonia abocada al fracaso.

De hecho, se quedó bastante rato haciéndonos compañía, porque Manolo le animó a ello, y ante sus protestas de que nosotros tendríamos que hablar de nuestras cosas, yo hice un gesto trivial con la mano, mirando al mar.

—También vosotros estaríais hablando de las vuestras —dije.

—Hombre, ahí tienes, ésa es la respuesta de una tía legal —aprobó Rafa, evidentemente satisfecho.

Tras aquel comentario, la conversación que mi llegada había interrumpido se reanudó. Versaba sobre unos compatriotas de Chiclana, amigos de ambos, que habían abierto un bar andaluz en la parte sur de Manhattan, gente emprendedora, Manolo caía por allí con frecuencia y aseguraba que les iba muy bien.

—Ya, porque llevarían pasta para el local —intervenía Rafa desde la barra, donde había ido a preparar un gin-tonic para mí—, o porque tendrían la suerte de encontrarse con alguien influyente, como ha sido tu caso. El que tiene padrinos se bautiza, pero si no, ya me dirás.

—Tampoco es eso, Rafa, a la suerte hay que tentarla. Además Sheila no es que sea influyente por su familia, ¿entiendes?, lo que pasa es que se arriesga, y el que no se arriesga no pasa la mar.

—Hombre, yo por lo que has dicho antes de ella... —se encogió de hombros Rafa.

Es decir, que antes de llegar yo ya habían estado mencionando a aquella persona de cuyo nombre no quería acordarme y que, sin embargo, irrumpió desde ese instante como un estribillo de rock duro, Sheila-Sheila-Sheila, y por más esfuerzos que hacía para desintegrarlo, «eila, ila, la, lalalá, lalalá, lalalá», la última vocal no se ahogaba en el mar ni se la tragaban las nubes, resurgía, se agarraba a la cola de la S inicial y vuelta a desplegarse entero el nombre aquél, como una bandera negra con la calavera en medio, agitada a impulsos de una música ensordecedora y trepidante, habría sido preciso hablar a gritos para acallar su estruendo.

... «Es inútil callarla, es imposible callarla», recitaba Manolo bajito a mi oído una noche que estuvimos en la Venta de Vargas escuchando a un gitano amigo suyo que celebraba el cumpleaños de no sé quién y tocaba la guitarra de maravilla, «llora monótona como llora el agua, como llora el viento...», y luego ya de madrugada, volviendo los dos en el Fiat Centauro, borrachos de manzanilla y de luna llena, seguía recitando a García Lorca: «Se rompen las copas de la madrugada», y paró el coche en no sé qué playa y bajamos abrazados por una cuesta hasta la orilla del mar y me decía: «¡Qué ganas tenía de besarte!, hay veces, cuando vamos juntos a los sitios, que me estorba todo el mundo, ¿a ti no?», y yo extrañada, porque en aquella fiesta me había hecho más bien poco caso, estuvo encantador con todo el mundo, cantó, desapareció de mi vista largos ratos y no parecía haberle importado que yo siguiera su ejemplo, que es una de las cosas que más me gustaban de él, Sofía, que nunca sabías por dónde iba a salir. Así que, claro, yo ayer, al calor de ese recuerdo súbito, me pregunté casi sin querer si no iría ahora a pasar lo mismo, si no estaría dándole carrete a Rafa para luego disfrutar más cuando nos lo quitáramos de encima, y ya la imaginación desbocada, «a saber los planes que tendrá para esta noche, queda mucha noche, no ha empezado siquiera todavía, y él sabe que a mí me gustan los preliminares, tal vez ir a bailar boleros al hotel». Pero no me atrevía, a pesar de todo, a levantar los ojos para mirarle porque nada de lo que estaba diciendo me daba pie, simplemente que había tenido razón al informarle de que Nueva York era una ciudad fascinante. Y yo, aunque no me acordaba de haberle dado aquellos informes abstractos, ni cuándo, me apresuré a asentir, le pregunté que si había visto el Chrysler Building por dentro y comenté que no hay nada como la arquitectura de los años veinte, limitándome a comprobar, mientras tanto, que respiraba mejor y que el repiqueteo de aquel odioso estribillo de rock duro se iba debilitando, acallado por el llanto de la guitarra y las copas rotas de una madrugada inolvidable a la orilla del mar; y Rafa dirigiéndose a mí desde la barra, cada vez más eufórico, que si tenía predilección por alguna ginebra en particular, que había que brindar por los éxitos de Manolo en la ciudad de los rascacielos, los gastos corrían de su cuenta, y yo que sí, que Gordon's. De repente, me tuteaba.

—Me ha estado contando antes Manolo que eres psiquiatra. Me he quedado de piedra. No te pega nada.

—¿Ah, no? ¿Pues qué me pega?

—Artista de cine.

Manolo se echó a reír, mientras levantaba su vaso y lo hacía chocar con los nuestros. Hablaba como si acabáramos de vernos el día anterior, con un desparpajo incluso excesivo.

—¡Anda ya! Si la conocieras mejor, no dirías eso. Las actrices de cine son todas unas histéricas. Mariana no, ella sabe siempre lo que quiere, y como te descuides, adivina lo que quieres tú y hasta lo que estás pensando, muy sensata la tía, domina la situación. ¡Venga, Rafa, coño, siéntate, te digo!

¡De qué buen humor estaban! Y nos pusimos a hablar de psiquiatría, de cómo el paciente influye en el médico y del valor que hay que echarle, decía Rafa, para estar todo el día entre locos sin volverse como ellos; y Manolo, señalándome con el dedo: «Pues ahí tienes a uno con la cabeza siempre en su sitio, como está mandado.» Y yo sonriendo a la fuerza, con los ojos fijos en el vaso mientras el viento me despeinaba, con ganas de llorar, de recordarle que era precisamente él quien se las había arreglado no sé cómo para convencerme de lo contrario, quien se jactaba de haberme enseñado a desmandarme de lo mandado y de haber descubierto, tras mi aparente sensatez, el pozo oculto de una sed insaciable por beber y por dar de beber, pero era muy hondo el pozo y había que echar soga larga, los cortos de vista se asomaban y creían que estaba seco;

se le ocurrían unas cosas tan bonitas, Sofía, de esas que sólo a una amiga como tú se le pueden contar. «No, cielo, sensata no, perdona que te contradiga, eres totalmente insensata, caballo sin freno, y menos mal que se ha enterado alguien», y que él era el primer hombre que me había elegido en vez de dejarse elegir, a ver qué pasaba echando una tea ardiendo sobre mi geometría de cartón piedra, él se había atrevido a hacerlo sin pedir permiso, «porque a ti, guapa, no hay que andarte pidiendo permiso, basta con dártelo para que hagas lo que te dé la gana, encenderte la gana, y también meterte marcha, no digo mucha, pero, según los días, te va un poco de marcha, ¿a que sí?» Y mientras seguíamos hablando de nuestros respectivos trabajos y viajes ante un Rafa cada vez más cordial y admirativo, yo me sentía como uno de aquellos trocitos de hielo que bailaban dentro de mi gin-tonic y me parecía imposible que Manolo no se diera cuenta de que en aquel momento necesitaba toda la marcha del mundo, porque me había quedado sin cuerda, como un juguete viejo que se puede tirar a la basura, él tenía la llave de mi marcha guardada en el bolsillo y bastaba con acertar a darle media vuelta. Cualquier cosa habría servido, con tal que me llegara a calentar el corazón o los instintos, piropo, insulto, aullido, desafío, suspiro, reproche o hasta bofetada, algo, en fin, que rasgara la niebla de los lugares comunes y me diera pie para replicarle, plantarle cara y resucitar de aquella rara inopia, para soltar el freno que me impedía buscar sus ojos y preguntarle si se acordaba de aquello del pozo y de la sed y de la tea ardiendo, que, si no, me iba a volver loca, me iba a creer que lo había inventado yo sola como la carta al cliente de la 204, por favor, era vital que me lo dijera, porque sin el concurso de aquel ajeno recordar, me perdía en el mío como en un sueño laberíntico del que te despiertas aterida. Y casi tiritaba de frío cuando, recién acabado mi gin-tonic, Rafa se levantó para prepararme otro y para atender a una pandilla de jóvenes que acababa de llegar.

—Estás rara, Mariana, ¿qué te pasa?

—Nada. Tengo frío. ¿Tú no notas frío?

—Yo no. Ponte mi chaqueta si quieres.

Se levantó, la descolgó del respaldo de su silla y se acercó a ponérmela por los hombros. Volví a notar fugazmente el aroma de Herrera for men. Cuando quise darme cuenta, ya estaba sentado de nuevo enfrente.

—¿Mejor? —sonrió.

—Sí, mucho mejor, gracias —contesté, mientras me metía las mangas—. Es que antes fui a dar un paseo y se me olvidó coger algo de abrigo.

Era una chaqueta en tonos beiges, de mezclilla. Era suya, olía a él y me consolaba tenerla puesta. Las nubes se habían oscurecido.

—¿Te quedas mucho tiempo por aquí? —preguntó, tras una breve pausa.

—No mucho. Quizá me vaya mañana mismo. En realidad he venido a visitar a una paciente mía que vive en Puerto Real, y luego se me ocurrió quedarme aquí, de esas decisiones sobre la marcha, porque estoy preparando unas conferencias, y también para descansar. En Madrid no tengo tiempo de nada, no paro.

—Ya, ya me acuerdo —dijo.

Lo había dicho con voz que pretendía ser neutra, pero por primera vez rozaba nuestro código de sobreentendidos, como cuando se acaricia una piel furtivamente. Se había quedado pensativo, mirando las nubes amoratadas que se ensombrecían sobre el mar. Había en el remate de la escalera un adorno circular que enmarcaba su pelo. No se podía resistir por más tiempo el silencio.

—Manuel.

—Dime.

—¿Por qué has dicho «ya me acuerdo»? ¿De qué te acuerdas?

—Del poco caso que me hiciste en Madrid cuando estuve a verte aquel otoño, del mal rollo que fue para mí. Nunca me suelo arrepentir de nada, pero de aquel viaje sí me arrepiento. Me sale en las pesadillas. Ya me habías advertido que no fuera, que lo nuestro no podía durar, me porté como un adolescente, como un verdadero estúpido.

335

Volvió Rafa, pero no se sentó. Yo bebí un trago largo de mi nuevo gin-tonic y me levanté para ir al servicio. La confusión de mis sentimientos era tan grande que necesitaba estar un rato sola. El diminuto espejo colgado en aquel cuartucho me devolvió el rostro contraído de una doctora León que ni siquiera alargaba la mano para sacarme del atolladero, porque no podía, porque ella también estaba implicada en aquel juicio de faltas. Me acusaba de la selección tramposa que suelo hacer de mis recuerdos, del vicio que me arrastra siempre a omitir todos aquellos en que mi figura no queda magnificada, a rasgarlos como hacen las artistas maduras con las fotos donde no han salido favorecidas; y me impuse la penitencia de sostener aquella mirada fría y severa, hasta que las lágrimas brotaron de sus ojos. No era un llanto que me embelleciera, porque tampoco el recuerdo que lo motivaba era nada bello: una conversación con Josefina Carreras durante la breve estancia de Manolo en Madrid aquel otoño, ya tan lejano. Estábamos las dos en mi despacho y yo me puse a hablarle de él —que acababa de tenerme un cuarto de hora al teléfono— como de una visita inoportuna que me estaba quitando mucho tiempo y me exigía demasiada atención. Los comentarios entre compasivos y oficiosos de una Josefina dispuesta incondicionalmente a protegerme, en cuanto le daba pie para tomar cartas en algún asunto mío, ya me provocaron entonces una repugnancia inmediata, como la que debió sentir San Pedro cuando negó a Jesucristo antes del canto del gallo, y enterré la escena en el baúl de los remordimientos inconfesables. Aquellas frases intercambiadas entre la doctora Carreras y la doctora León, borradas de mi memoria durante dos años y medio, resucitaban ahora de forma descarnada ante el azogue barato de un espejito redondo para descabalgarme de mis intentos de hacer pasar a la realidad por el aro de una fantasía deformante. Me costaba trabajo desilusionarme, salirme de la mentira.

Los enamorados, ya se sabe, amparan y fomentan las inexactitudes mutuas, son cómplices de ese malentendido perpetuo que segrega la confesión del amor. Se refugian en el fluir de un diálogo nunca manchado por la realidad, pero luego, al llevar adelante cada uno el discurso por su cuenta y descubrir las propias carencias, la mentira levantada entre ambos se hace mayor, y más perniciosos los garfios con que atrapa. Pero nos gusta olvidar estas cosas.

Me lavé un poco la cara. Mi rostro había perdido toda posibilidad de resultar tentador o sugerente, ahuyentaba la expectativa del momento extraordinario. Cuando salí, el sol acababa de hundirse. Manolo seguía mirando el mar y Rafa ya no estaba con él. Di otro sorbo largo a mi gin-tonic, sin sentarme.

—¿Nos vamos? —pregunté.

Manolo apuró su vaso y se levantó.

—Como quieras. La verdad es que ha refrescado bastante. Yo creo que el cielo se está poniendo como para llover.

Nos despedimos de Rafa en la barra, y Manolo le prometió que volvería. No nos quiso cobrar. Yo no le prometí nada, pero le di un beso.

—Que os divirtáis, parejita. Me he alegrado mucho de volver a veros juntos por aquí.

Salimos por la puerta delantera, la que baja al camino que lleva también al hotel. Íbamos uno al lado de otro, pero no demasiado cerca. Y además callados. Él miró el reloj, un reloj plano, muy moderno, que antes no tenía.

—¿Qué hacemos? —dijo—. Yo tengo allí mi coche. Había pensado que te vinieras a cenar a Cádiz con nosotros. Sheila tiene ganas de conocerte.

—Gracias, pero no me apetece. Espero que lo comprendas.

—No lo comprendo muy bien, pero da igual.

Habíamos llegado junto a un coche rojo bastante lujoso. No era Centauro. Me quité la chaqueta y se la di.

—Adiós, Manolo, que tengas suerte.

—Pero bueno, sube. Te acompaño al hotel.

—Está a quinientos metros.

—Ya, pero tienes frío, ¿no?

Subí, y aquel trayecto tan breve como silencioso se me hizo eterno. En cuanto paró, antes de que dijera nada, le di un beso.

—Adiós, Manolo.

—¡Qué prisa tienes de repente por perderme de vista, mujer!

—Sí. Yo también me arrepiento de pocas cosas en la vida, ¿sabes? Pero de haberte escrito anteayer me arrepiento mucho. Estamos empatados.

Me acarició el pelo.

—Pero no nos hemos mirado todavía a los ojos —dijo con repentina dulzura.

Yo había inclinado la cabeza, y notaba desesperada que ya no podía contener por más tiempo el llanto. Trató de levantarme la barbilla para obligarme a mirarle, pero escondí el rostro contra su hombro y estallé en sollozos.

—¡No, por favor, no! ¡Déjalo, por favor! ¡Déjalo!

Me pasó un brazo por los hombros y me apretó contra su pecho.

—Vamos, Mariana, ¿pero qué te pasa? Cálmate, mujer, anda.

—¿Cómo se te ocurre pedirme que la vaya a conocer? ¿Cómo se te puede ocurrir pedirme eso? —repetía yo entrecortadamente—. Pídeme lo que quieras. ¡Lo que quieras, menos eso!

—Bueno, pues no te pido eso. ¿Qué quieres que te pida? Di. Pero no llores. ¿Aparco un poco más allá?

—No, déjalo, da igual. Si ya me voy.

La presión de su brazo se había aflojado. Me tendió un kleenex que sacó de la guantera. Se le notaba algo violento.

—Sécate los ojos, anda. ¿Qué quieres que te pida?

Aspiré por última vez el olor que impregnaba su camisa y me aparté de él.

—¡Nada! No necesito que me pidas nada, ni tú tampoco. ¡Tienes de sobra a quién pedírselo!

Al otro lado de la ventanilla, vi pasar al recepcionista de la sonrisa Profidén, que salía con unos clientes. Noté que nos miraba con curiosidad, pero enseguida desvió la vista. Se me representó, en un relámpago vivísimo que la iluminaba con todos sus detalles, la riña de novios en el mesón de la gaviota tuerta. Me sequé los ojos con rabia e hice ademán de bajarme del coche. Estaba temblando.

338

—Adiós, Manolo —dije con la voz más entera que pude—. Y perdóname, ¿vale?

—¡Qué bobadas dices! No te vayas todavía, ¿cómo te vas a ir así? ¡Si estás temblando! Llamo a Sheila que llego más tarde, y subo un rato contigo a tu cuarto, hasta que te tranquilices.

—¡No me nombres a Sheila! —grité completamente fuera de mí—. ¡No me la vuelvas a nombrar! ¿Entendido? ¡Nunca!, ¡nunca en la vida!

Me bajé del coche, cerré enérgicamente la portezuela y salí corriendo hacia el hotel sin mirar para atrás.

P.D. Son las doce de la noche, Sofía. Ya llevarás un buen rato en el tren que te trae hacia el Sur, tumbada en tu litera o cenando en el coche restaurante, tal vez escribiendo algo, porque afortunadamente, según parece, no has perdido tan saludable costumbre. De lo que estoy segura es de que estarás mirando la luna, como yo.

Se reanuda el hilo. Cuando te enseñe mis cartas sin enviar —que acabo de estar poniendo en orden dentro de una carpeta—, verás que la primera es fruto de un insomnio en ese mismo tren, mientras los efluvios de Noc se colaban por la ventanilla. Forman un montón considerable, más de cien folios. Me doy cuenta de que no he hecho otra cosa desde que salí de Madrid más que escribirte, que gracias a eso me he mantenido en vida y no puedo dar por perdido un viaje tan absurdo. Pero mi mayor alegría en este momento es saber que tú tampoco has abandonado tus «deberes» y que me traes el regalo de varios cuadernos. Puede ser un intercambio precioso éste de tus cuadernos y mis cartas, ¿no te parece? Porque además, ahora que lo pienso, seguro que hablamos de las mismas cosas en más de una ocasión y con un tratamiento diferente. No sé si verías *Rashomon*, aquella película japonesa que contaba la misma historia desde el punto de vista de tres testigos, interesantísimo este asunto de las versiones múltiples. Y me pongo a pensar que igual entre lo que traigas tú y lo que tengo yo salía una novela estupenda a poco que la ordenáramos, o incluso sin ordenar. ¡Qué ganas de verte, de leer tus cuadernos y saber lo que opinas de esta idea que se me acaba de ocurrir! De lo escrito por ti respondo desde ahora, aunque no lo haya leído, para muestra basta el botón de los problemas de fontanería. Pero es que mis cartas también tienen lo suyo, por lo menos a mí me gustan cuando las releo, creo que me tendrías que ayudar a podarlas, porque tal vez me repito más de la cuenta, bueno, no sé, tú verás, también quizá prefieras que cambiemos los nombres. Es una idea que me enardece la de añadirlas a lo tuyo y trabajar el conjunto entre las dos, prevaleciendo tu criterio, desde luego. ¿A que no es ningún disparate? Igual dejábamos yo la psiquiatría y tú a tu marido. Y, fíjate si estaré loca, hasta me he puesto a acordarme de que cuando vivía en Barcelona conocí a alguno de los editores que ahora están pegando, por ejemplo Jorge Herralde, que tiene fama de descubrir a gente nueva y atreverse a lanzarla, entonces estudiaba para ingeniero, creo recordar, era más o menos de mi pandilla. Y me he tenido que dar consejos de signo totalmente opuesto a los de ayer por la tarde, o sea, no para animarme y tener confianza en mí misma, sino al contrario, para apaciguar un entusiasmo que raya en desvarío. Estoy tan excitada desde que me has dicho que vienes que se me ha espabilado completamente el sueño que empezaba a vencerme cuando llamaste, era lógico, ¿no?, sin tomar nada sólido en todo el día, con el desgaste de la noche en vela, la rabieta amorosa y luego la preocupación de esperar que sonara el teléfono y saber lo que te había pasado, que, por cierto, no me lo has dicho más que por encima. Conque, ya ves, en vez de acostarme le sigo dando a la pluma, y por si fuera poco, ahora con veleidades de ser para ti lo que fue Ramalho Ortigão para Eça de Queiroz en aquello de *El misterio de la carretera de Sintra*. Total, que la posdata amenaza con ser más larga que la carta, como decía mi padre de las visitas que no se sabían despedir.

¡Cuánto te quiero, Sofía! Me parece imposible que no falten más que unas horas para verte. Lo que más me admira de ti es cómo te montas en marcha, es que se te dice con voz desalentada: «Soy incapaz de tomar ninguna decisión. Me encantaría tenerte aquí conmigo, sería mi único consuelo», y saltas tú: «¿A qué hora sale el primer tren? Supongo que no habrá problemas para el billete, sal a Cádiz a buscarme. Si no vuelvo a llamar, es que he cogido ése, el de la noche..., sí, no te preocupes, seguro que me da tiempo... Bueno, bueno, ya me contarás lo que sea, también yo tengo muchas cosas que contarte, te cuelgo, no te enrolles. Hasta mañana.» Y desde medianoche, ese mañana es ya hoy, ¡te voy a ver hoy mismo! ¿Cómo quieres que me duerma?

Pero es que además, Sofía, al poco rato de colgarte el teléfono a ti, no habría pasado ni media hora, llamaron de recepción. Pensé que serías tú otra vez para contarme que no habías conseguido billete o algún inconveniente por parte de tu marido, qué sé yo, y cuál no sería mi sorpresa cuando me dice el Profidén que han dejado un paquete para mí, que si me lo sube el botones, y yo que no, que prefería bajar, aunque me advirtió que era grande. Bajé a toda mecha, ya te lo puedes imaginar, serían las seis o por ahí, más o menos pasadas veinticuatro horas de mi cita con Manolo, no sé si lo habrá hecho a propósito, porque es capaz, y yo mirando alrededor por si lo veía, y le digo al Profidén, que me estaba alargando un paquete plano envuelto en papel de embalaje color garbanzo: «¿Pero esto quién lo ha traído? ¿No han dejado tarjeta o algo?», y él: «No señora, me ha dicho que la tarjeta va dentro», y yo: «¿Pero se lo ha dicho, quién? (ya con una voz descaradamente ansiosa) ¿Quién ha traído este paquete? ¿Era un hombre joven, moreno, bastante alto?» Y entonces él se inclinó un poco sobre el mostrador y, con una sonrisa de asentimiento y complicidad mucho más simpática que la que le ha valido su apodo, me dice en tono confidencial: «Creo, señora, si no lo considera una indiscreción, que era el mismo caballero de quien se estaba usted despidiendo anoche dentro de un Volkswagen rojo. Me ha preguntado que si seguía usted en el hotel. Parece que tenía prisa.» Me dieron ganas de decirle que, dentro de mi novela, acababa de pasar de personaje accesorio a figura relevante, pero me limité a devolverle la sonrisa y a alargarle la mano que él estrechó efusivamente. Era incapaz de ocultar la felicidad que me invadía de repente, necesitaba compartirla con alguien: «No, por favor, no es ninguna indiscreción, muchas gracias, Arturo, se llama usted Arturo, ¿verdad?» «Sí —dijo—, para servirla. Y de nada, señora. Ya era hora de que viniera algo para usted, con tanto como lo ha estado esperando.» Y, una vez en mi cuarto, abro nerviosa el paquete, que ya había notado por el tamaño y la forma que era un cuadro, y bueno... ¡qué maravilla!, ahora mientras te estoy escribiendo, levanto de vez en cuando la cabeza y lo veo colgado enfrente de mí, ha desplazado al horrible grabado de los icebergs, que por fin ha ido a parar al maletero. Nada que ver, Sofía, con los huevos fritos estrellados contra los lienzos de Gregorio Termes. Es una acuarela de 55 por 40 y se titula «Nubes de despedida». La tenía Manolo colgada en su estudio, nunca la había expuesto porque no quería venderla, y yo le dije muchas veces que me daban ganas de robársela, que era lo que más me gustaba de todo lo que había visto suyo. «A mí también —contestaba—. Pídeme lo que quieras menos esa acuarela.» Representa unas nubes de atardecer sobre el mar, y a lo lejos un barco y una figura femenina desvaída que le dice adiós desde un acantilado, una preciosidad, ya lo verás luego. Me lo ha mandado tal como estaba allí, con el mismo marco, y hasta un poco de polvo trae. Está claro que le dio el repente de ir a su estudio antiguo —si lo conserva—, descolgarla sin más, hacer el envoltorio y salir pitando a traérmela. Todo a escondidas y en secreto, de eso no me cabe duda, como un asunto de amor que es. Manolo nunca me había visto llorar, me doy cuenta ahora, y le debió impresionar mucho verme desencajada y sin careta, aunque no supiera reaccionar de momento. Tal vez empezara a rumiar el plan cuando volvía él solo camino de Cádiz, ya con la noche encima, se tuvo que acordar de muchas cosas en ese trayecto, seguro que no ha dejado de pensar en mí desde entonces, durante todo el tiempo que llevo encerrada aquí sintiéndome vil gusano; y también ha tenido que pensar, claro, en el pretexto que le pondría a Sheila para escaparse esta tarde sin que se notara que era un caso de urgencia lo que le apartaba de su lado. Posiblemente ella no conocerá la acuarela de la enamorada diciendo adiós ni sabría apreciarla aunque la hubiera visto, siendo como es madrina de los chafarrinones que ahora convierten a Manuel Reina en un vanguardista de Lexington Avenue. Y menos todavía podría entender por qué me la regala. *Private business*, amiguita, esta historia entre tu *boyfriend* y yo no te concierne; hoy te ha mentido, hoy no te ha dicho adónde iba, *sorry*, estás completamente excluida de esta novela de amor con final agridulce. No necesito bajar a preguntarle a Arturo si el caballero del Volkswagen rojo venía solo o con una chica. Dentro del paquete, pegada al marco con çinta adhesiva, había una tarjeta con esta breve leyenda: «Ya tenemos un huerto regado a medias y sólo nuestro: el de la añoranza. No me lo descuides.»

Me está entrando sueño, Sofía, y nos espera un día intenso. Acabo de poner el despertador a las siete, porque a y cuarto viene el taxi que me va a llevar a buscarte a Cádiz. No parezco ni hermana de la de ayer, es increíble que pueda sentirme tan feliz. Pero estoy rota. Voy a ver si duermo unas horitas para recibirte en forma.

Hasta luego, mi buen Per Abat. Tu amiga

Mariana

XVII. PERSISTENCIA DE LA MEMORIA

Me he despertado contra la madrugada, con mucho dolor de cabeza, escalofríos y la boca seca. Creo que es la sed, una sed rabiosa, lo que me ha despertado. No tenía a nadie conmigo ni sabía dónde estaba, pero un residuo de intuición, tal vez epílogo de un sueño obturado, me inducía a pensar, cuando me tiré a oscuras de la cama, que pisaba terreno no enemigo. Pero no, no es de una cama de donde he saltado, sino desde una barca en la que me habían metido a la fuerza —es agradable, a pesar de la sensación de peligro, haber aprendido a nadar de repente con tanta precisión y sin hacer ruido alguno—, era de noche, estoy empapada y tirito de frío al llegar a esta orilla confusa. Nadaba con la cabeza dentro del agua, pero oía el «chop chop» del largo remo que entraba y salía acompasadamente impulsando a la barca, alejándola de mí, una barca sólida y cuadrada con su remero de pie en la proa, hierático, vestido de oscuro, y las ropas toscas a modo de sayal. No me ha oído escapar o ha fingido que no se daba cuenta.

Palpo las paredes, avanzo con cautela y me tropiezo con una superficie vagamente familiar, tacto de madera, barrotes torneados con pirulís de remate, no llega al suelo, contiene libros, papeles que sobresalen y otros objetos de naturaleza dispar aglomerados delante, casi al filo del vacío. Uno de ellos acaba de caerse al pasar yo la mano y se ha estrellado contra las baldosas, ruido de frasco roto, tal vez un tintero, ¿habré despertado a alguien? No encuentro el interruptor de la luz, no lo hay, ¡qué raro!, o por lo menos no está donde yo lo busco, un gesto automático, orientado por la experiencia de infinitas repeticiones.

Salgo al pasillo a oscuras. Cuento los pasos hasta la puerta siguiente, luego desde ésa hasta la otra, y hasta la otra. Las distancias coinciden con la geografía de tanteo aproximativo que se va dibujando en mi interior, como un mapa de rectificaciones superpuestas. Pero falla lo que se tenía por infalible, lo primero que inventó Dios al hacer el mundo para que se pudieran ver las cosas que tenía pensado inventar luego: *fiat lux.* A veces me preguntaba, siendo niña, si esa orden divina iría acompañada del gesto maquinal que ahora ensayo en vano, es decir si habría interruptores o cosa similar en la época del Génesis, aquí evidentemente no los hay, aunque nada puede ser evidente del todo cuando no se ve. ¿Me habré equivocado de casa?

Después de la tercera puerta ya no se puede seguir, hay un muro. Claro, eso es lo que se tapió para partir en dos el piso, con lo cual volvió a su antiguo ser, el que ya tuvo en vida de mis suegros, si bien con ciertos cambios de fisonomía, un ser dividido en derecha e izquierda. «Como todos, mamá, no hay que darle vueltas, mejor aceptar esa división elemental que volverse uno esquizofrénico», bromeaba mi hijo Santi, que gracias a Dios hace tiempo dio de lado a su sarampión comunista. El fue quien vino de Houston a la muerte de su padre y se encargó de todo (¿para qué quería yo ahora un piso tan grande?), quien dirigió las obras de reforma y volvió a dar vida a aquellas habitaciones medio condenadas, separadas del resto por una gruesa cortina. Era bastante sitio el que había desaprovechado —unos noventa metros cuadrados, dijo Santi—, foco de cucarachas y de almacenar trastos: la cocina vieja de chapa con una especie de office, la carbonera, la despensa y un baño con bañera de patas, como de película de terror, donde él a veces, de joven, revelaba fotografías. «El reino de los murdos» lo llamaba su hermana siendo niña, y se encogía de hombros cuando le preguntábamos su padre o yo quiénes eran los murdos aquéllos; hacía un gesto hacia arriba, hacia los desconchados del techo, como si los dedos le volaran. «Pues se acabó el reino de los murdos, mamá, sale un apartamento precioso, ya lo verás, todo lo que era antes el cuarto izquierda según los planos, y además tú no te tienes que ocupar de nada, déjalo de mi cuenta, te lo quitarán de las manos», y yo que lo consultara con su hermana. Pero a ella le daba igual. «Quitar y poner, en eso consiste todo, ¡qué afanes tan inútiles! —dijo con aquella sonrisa suya como distante, como separada de las cosas del mundo—, nos pasamos la vida quitando y poniendo, y total para qué.» Y sus hijos, buena gana de pedirles parecer a sus hijos. Estaban en la edad de la protesta, sobre todo los dos mayores, de soñar aventuras contra corriente, de rechazar la sociedad de consumo, y encima con un padre que empezaba a ganar dinero a espuertas, y que no se metió en nada, ésa es la verdad, ¿un piso por Lagasca?, allá penas. «Además, mamá —dijo Santi—, no teniendo hijos como yo no tengo, ni los pienso tener, porque bueno está el mundo, pues luego el día de mañana con el cuarto derecha tú haces lo que se te antoje, se lo dejas en el testamento a los hijos de Sofía y en paz. Pero el cuarto izquierda corre de mi cuenta.» Y él se ocupó de todo, de modernizar el reino de los murdos, el despacho, la alcoba grande y el salón del biombo, de volver a levantar el muro que antaño separaba las dos casas, de vender bien la de la izquierda y de colocarme el dinero en condiciones ventajosas para que yo tuviera desahogo económico. «Aunque, mientras yo viva, mamá, tú nunca pasarás apuros, faltaría más —me seguía escribiendo luego en las cartas que llegaban desde América—, te pago el pasaje cuando quieras venirme a ver.» Pero yo siempre he sido perezosa, lo iba demorando de un año para otro. «No quiero que te mueras sin conocer América», lo dejé con las ganas, ¿qué se me había perdido en América a mí? «Si te casas, bueno, entonces te prometo ir a la boda», le decía por carta o por teléfono. Porque ya al final hasta resignada estaba a que se casara con una yanqui aunque fuera rusa o judía. Y él siempre contestaba que mi viaje qué tenía que ver, que eso era hacer chantaje. A saber si se habrá casado ahora, con aquel carrerón de biólogo, reclamado por las mejores universidades, siempre becas y tan buena planta, hay cosas que no entiendo.

Lo de dividir la casa y vender la otra parte lo sentí sobre todo por el salón del biombo, «¿Pero para qué lo hubieras querido si ahora no recibes a nadie?», y en eso llevaban razón, y también en que todo estaba más a mano y era más fácil de limpiar. Pero no sé, le tenía cariño al salón del biombo, era la habitación más luminosa, me gustaba atisbar a la gente pasando por la calle, con sus penas, con sus paquetes, con su frío y sus prisas, y yo a salvo de asuntos que no iban a salpicarme ni a meterme en líos, como cuando vas al teatro, sentada a la camilla, cosiendo junto al mirador. Nunca fui sociable como mi marido. Los amigos a casa los trajeron Santi y él, los hombres; ella, menos. No sé si porque en el fondo se parecía a mí más de lo que cree o porque tenía miedo de que yo fiscalizara sus amistades, cosa que, conociéndome, era natural, sólo venía aquella chica tan guapa del doctor León, pero luego riñeron, no me acuerdo por qué. Y tampoco dio tiempo a que cambiáramos ni ella ni yo, a que se rompiera el hielo entre nosotras, se casó tan pronto, demasiado pronto. Claro, como pasó lo que pasó. Y luego en la educación de los chicos tampoco andábamos de acuerdo, que eso lo hablaba yo con su marido, los dejaba demasiada libertad.

De ese muro para allá no sé nada, ni me importa. Nunca quise conocer a los vecinos que compraron el apartamento, extranjeros con un niño, me los encontraba a veces en el ascensor y los saludaba con sequedad, sin darles pie a la confianza, nunca me ha gustado dar confianza a los desconocidos. «Claro que así ¿cómo vas a conocer a nadie? —me decía ella—, te pasarás la vida entre desconocidos.» Nos compraron también algunos muebles, puede que ya no estén los mismos, que hayan revendido el piso, me trae sin cuidado. Lo que no me da igual es irme sin saber quién vive aquí ahora, en esta parte de la derecha.

Palpo el muro, doy la vuelta y sigo por el otro lado, como cuando se cambia de acera para explorar los escaparates de enfrente. Un pequeño entrante y un dato inconfundible: la puerta de dos hojas que se abre sin pestillo, simplemente empujando con el pie, y da acceso a las dependencias del reino que tuve por mío de forma más contundente, tal vez porque entre todos fomentaron en mí esa convicción: el reino de la cocina y sus aledaños. Paso de largo con cierto sabor de ceniza en la boca, me amarga todo aquello, ¿quién me lo iba a decir?, me amarga mucho. Se me despeñan en alud inconcreto Navidades, cumpleaños, primeras comuniones, comidas dominicales y meriendas-cena para algún compromiso de él, de aquellas que no sabías si servirlas en el comedor con mantel de encaje y la vajilla buena, en plan de sentarse, o siguiendo el estilo más informal, que progresivamente se fue imponiendo, de que cada cual se sirviera lo que le diera la gana, y luego lo tomaran sentados o de pie, según; en el fondo, a mí eso me daba más trabajo, lo controlaba peor. «Pues como prefieras —me decía él, últimamente cada vez más distraído, más ajeno a mis dificultades de adaptación social—, de todas maneras te saldrá bien, eso a tu gusto, Encarna», como dando por hecho que yo ponía algún gusto o ilusión en pasarme un día entero en la cocina y vestirme luego con el tiempo justo para salir a sonreír a matrimonios borrosos y a darles las gracias si traían una botella o una caja de bombones, y enfrentarme sin remisión posible, mientras seguía pendiente de pasar bandejas y rellenar copas, a aquellas mujeres con las que había que conversar a la fuerza sobre temas sin fuste, mientras ellos discutían de sus negocios, mujeres que no dejaban huella, igual que no la dejaría yo cuando iba a sus casas con mi botella o mi caja de bombones, y por las que nunca sentí simpatía, piedad ni curiosidad alguna, como no las sentía tampoco por mí misma, tan idéntica a ellas, tan resentida, tan sola. Una vez, hablando con mi nieta mayor del egoísmo, me dijo ella que lo peor del egoísta es que no se quiere nada a él mismo, aunque se haya venido diciendo siempre lo contrario, y es por eso incapaz de querer a los otros, porque de donde no hay no se puede sacar. Me trajo algunos libros de psicología que trataban de esas cuestiones, pero a mí me gustaba mucho más que me las explicara ella de palabra, me entraba mejor todo, ya me lo decía Adela: «Es su ojito derecho, señora», y cómo no lo iba a ser. Jamás me ha dado nadie tan buena conversación, con aquella voz dulce, persuasiva y sincera que te llegaba directamente al alma, y mira que es difícil a mí llegarme al alma, mirándole a uno siempre a los ojos; a nadie he querido tanto como a Encarnita, ni siquiera a mis hijos, y la echaba de menos cuando tardaba en venir a verme, en venir espontáneamente, me refiero, sin avisar, porque pasaba cerca y le apetecía subir a echar un párrafo conmigo, no forzada por aquellas exigencias del calendario de las que luego a veces me quejaba. «Pero esa lealtad al calendario eres tú la primera en exigirla, yaya, y en hacérnosla respetar como una ley, no me digas que no. ¿A que si un domingo nos saltamos Amelia, Lorenzo o yo la famosa comida de los domingos te lo tomas a mal?» Y tenía que darle la razón, no podía por menos, y hasta a Sartre, con lo poco que me gustó a mí siempre todo lo que llegaba de Francia y menos el existencialismo. Pero aquello que tanto repetía Encarnita de que «somos semivíctimas y semicómplices de lo que nos pasa» era, por lo visto, una frase de Sartre y yo me la aprendí de memoria, porque en eso, hay que reconocerlo, tenía más razón que un santo, por muy bizco y ateo y antipático que fuera, vamos, que no era precisamente santo de mi devoción, amigos él y su querida de Sofía Montalvo bis, la primita de marras, menuda pájara, Dios la tenga en su gloria, que no creo, yo nunca la tragué. Pues sí, semicómplice, pero no lo podía remediar. A medida que fueron pasando los años, con aquello de las comidas del domingo los traía mártires a todos, pero mucho más a ella que a sus hijos, porque se siguió defendiendo siempre mal de mis controles, aunque operaran a distancia. Era yo, con mis suspiros y mis impertinentes miradas al reloj, quien la hacía sentirse culpable de que tardaran en venir los chicos, o de que llegaran sin apetito porque habían estado tomando tapas por ahí con los amigos, o de que llamaran a última hora poniendo un pretexto, lo natural, porque venían forzados, deseando escapar, sin esperar a veces ni siquiera al café, y estaban aburridos de mis quejas monótonas, que se pasa el arroz, eso se avisa con tiempo, ¿no?, ¡dichosos amigos!, ¿qué os darán los amigos?, ni que viniérais al patíbulo, y aburrida ella más que ninguno de templar gaitas, de tener que sacar la cara por ellos, de sentirse acusada, de cargar con mi sempiterna amargura, con mi servidumbre al reloj y a las fechas, era la que más sufría. Yo me daba cuenta y ella notaba que me daba cuenta, y mentía y trataba de sonreír y hasta echaba mano de la hojarasca de los tópicos que odió desde pequeña ferozmente, de los comentarios de emergencia sobre el tiempo, algún suceso del periódico o problemas domésticos, de fontanería sobre todo, a la pobre la traían frita los fontaneros, tapaderas de vacío, frases que daba igual decir que no decir. Y a mí se me clavaba, al mirarla, una especie de remordimiento que me negaba a analizar, porque se mezclaba con el gusto de tenerla en un puño, y yo sabía que en eso estaba el freno que me impedía ofrecerle refugio en mis brazos, fundir el hielo de los viejos rencores, tal vez era ya tarde para eso. Y ella, la verdad, tampoco ponía nada de su parte, ni daba un solo paso para acortar distancias, se le había ido poniendo una cara tan mala en los últimos tiempos, siempre tensa, distraída, a la defensiva, incapaz de disimular su sensación de fracaso, menos la última vez que la vi, recién llegada de Londres ella, aquella tarde estaba muy guapa y como rejuvenecida.

Siguen las puertas, tres más hasta la principal, forrada de damasco, la primera que me encuentro cerrada, porque las demás estaban abiertas o entreabiertas, menos la de dos hojas, claro, que ésa es de vaivén. Y me he dicho al pasar: tiene que vivir gente aquí, y son de los que no cierran las puertas, como decía mi abuelo, «se ve que no os habéis educado en colegio de frailes», una frase trasnochada que ya a nadie le haría gracia, ni a nosotros siquiera entonces nos la hacía, de esas que ríe de entrada el adulto que las pronuncia y luego le siguen la corriente sin convicción los niños, por puro contagio, por cumplir. Y sin embargo, se te quedan clavadas de por vida y hasta más allá de la vida, se te agarran a los sesos como una lapa, perviven dando vueltas dentro de tu calavera. Me gustaría barrer todas esas frases banales, inútil hojarasca de noviembre, cargarlas amontonadas en un camión y echarlas al fuego, aunque la mitad de mi propia historia se quemara con ellas, pero es imposible. Hasta la puerta del baño entreabierta, ¿a quién se le ocurre?, desde luego no se han educado en colegio de frailes. Me he parado en el quicio de alguna de ellas, aguzando el oído, venteando el aire y con ganas de entrar, pero no me he decidido, me detiene un encogimiento, una especie de resquemor, igual me encuentro con algo que no me gusta. «No te gusta porque es desconocido, distinto, y para ti lo distinto siempre es malo o peor, mamá, te has pasado la vida poniéndote en lo peor, cargada de razón, sin fiarte de nadie que no pensara exactamente igual que tú.» Pues sí, ésa es la pura verdad, y también que me he resistido a las nuevas amistades y a dar ningún paso para recuperar las que iba perdiendo, así llegué al final, más sola que la una, y ahora lo siento, hija, pero son maneras de ser. En este momento sólo querría que pudieras oírme, no tanto para que me disculparas como para que, al mirarte en este espejo ya sin lustre, decidieras firmemente hacer lo que sea para no acabar como yo, porque con los años uno se va pareciendo sin querer a sus padres, más todavía en los defectos que en las cosas buenas. Pero lo que más me gustaría de todo sería borrarte los remordimientos, si es que te quedó alguno.

Tengo ganas de irme, de volver a la barca, porque no entiendo lo que pinto aquí, ni qué tiene que ver conmigo ya nada de esto. Pero en fin, de todas maneras no deja de ser raro que todas las puertas me las haya encontrado abiertas o entreabiertas, siendo de noche como parece ser. Estaré obsesionada, pero no me gustaría irme sin adivinar algo, huele raro, un olor fuerte que casi marea, y también por otro lado a poca limpieza, como a pensión de provincias. De una de las habitaciones, creo que de la del gabinete, he oído salir un cuchicheo de voces que no conozco, de hombre las dos me ha parecido, y suspiros ahogados. Lo mejor sería irme sin más.

Me detengo en el vestíbulo, aplico el oído al damasco de la puerta, está ya un poco ajado, no me acuerdo de cómo se llamaba el tapicero aquél que la forró, pero en mi agenda verde debe estar, si no la habéis tirado, en la T de «Tapicero», vendrán también las señas, vivía por Legazpi. No lo puedo remediar, ya me estoy metiendo donde no me llaman, qué más dará que dure más o menos una tapicería o se ensucie, parece mentira que siga sin entrarme aquello de *pulvis eris*, y mira que me lo repetía siempre en los funerales, que a unos pocos asistí: «No vuelvas a tomarte, Encarna, tan a pecho lo de planchar y sacar brillo y quitar manchas, ¿no ves cómo termina luego todo?», pero era una meditación fugaz, lo que duraban el *dies irae*, los sones del órgano y el desfile delante de los familiares para dar el pésame. Claro que menos mal, porque también si se pasara una todo el día machacando en lo de *pulvis eris*, ni una paella se podría comer a gusto.

Agarro el cerrojo con intenciones de descorrerlo y escapar escaleras abajo, pero desisto porque he creido oír el ascensor, que ahora suena distinto, más metálico, desde que suprimieron la cabina aquélla de caoba y cristales esmerilados con su banquito de terciopelo rojo, no vaya a venir alguien a este piso y me encuentren aquí como un fantasma, que es lo que soy, y no sepa qué explicación dar. Claro que igual no me veían, porque los fantasmas pueden ver pero a ellos no se les ve, por lo menos en las películas. Me acuerdo de una muy divertida de Myrna Loy y William Powell, *La pareja invisible*, en blanco y negro, aunque no sé si hacían propiamente de fantasmas, desde luego trabajaban muy bien, qué modernos me parecían, creo que ya los dos se deben haber muerto. Si es que todos acabamos igual, es tontería andar pensando lo contrario, ilusionándose con la idea de que a lo mejor va a constituir uno la excepción y quedarse aquí para simiente de rábanos, además que sería aburridísimo, ya sin conocer a nadie y estorbando en todas partes.

Doy la vuelta y regreso a tientas, pero ligera, al espacio de donde creo que partí. Sí, nuevamente la estantería con sus barrotes y pirulís de madera, tendré más cuidado esta vez, no vaya a volver a tirar algo. He cerrado la puerta y avanzo con las manos extendidas para no tropezar, como en el juego de la gallina ciega, porque aquí he entrado atraída por la certeza de que la clave de lo que ando rondando y no entiendo me va a salir al paso en esta habitación. Y voy pisando con pies de plomo, intentando recordar al mismo tiempo por qué estaba yo aquí antes, y en qué postura y por dónde entré.

Busco la pared, me pego a ella y enseguida las piernas topan con algo que me agacho a palpar. Es una superficie blanda, cama turca o sofá; subo los dedos para explorarla y, bajo una manta de tacto suave, hay un bulto humano que inmediatamente reconozco, un cuerpo hecho un ovillo, vuelto de cara a la pared, con un pie fuera y la cabeza casi tapada. Así dormía ella siempre, desde pequeña. «¡Qué calamidad! ¿Pero no ves que dejas el embozo de la sábana hecho un acordeón? ¡Qué artes de cama, hija!, más parece la de un gitano que la de una señorita», y ella que la dejara en paz, que por qué entraba en su cuarto sin avisar, que cada cual tiene su manera de dormir, ¿se metía ella con la mía?, y que estaba harta de aquello del gitano, que era un racismo, igual ellos dormían que daba gloria o por lo menos los dejaban dormir sus madres, contestaba refunfuñando, tapándose los ojos con el brazo como si la luz del sol fuera una flecha envenenada, «¡con el sueño tan bonito que tenía!». Y de pequeña hasta lloraba desconsolada, siempre le había estropeado algún sueño maravilloso, y a mí me extrañaba, porque daba la impresión de que lo decía en serio, de que para ella era como para mí que la asistenta me rompiera una copa de la cristalería buena, y la miraba como a un bicho raro. «Claro, no lo puedes entender, como tú nunca sueñas con nada.» Pero de lo que más protestaba era de que, con tantos años como llevábamos viviendo juntas, no hubiera aprendido a despertarla con dulzura, sino tipo cuartel, levantando de un solo golpe la persiana, hala, ¡ras!, sin más contemplaciones, y empezando a hablarle acto seguido de asuntos enojosos que pertenecen al despiadado mundo del día, para los que la mente de un dormido no está aún preparada —«acuérdate de que... acuérdate de que... acuérdate de que...», una lluvia de avisos sin la transición de una caricia, de una taza de café, de un rascadito de espalda previo, en fin, algo.

Me tropiezo con una serie de libros tirados en desorden

por el suelo junto a un almohadón y los zapatos. Es ella, no cabe duda. Recojo dos o tres que estaban abiertos, los cierro y trato de apoyarlos en algún estante, mesa o reborde. Encuentro una superficie fría, como de mármol, y al depositarlos allí palpo una lamparita de mesilla, busco esperanzada el interruptor, en el hilo no, en la base tampoco..., a ver tirando de esta cadenita, ¡vaya, menos mal!, *¡fiat lux!*, Es una luz tenue, pero, hija, qué alivio. Reconozco, aunque está muy cambiado, mi cuarto de costura. El armario de luna de tres cuerpos, por ejemplo, ha desaparecido como por arte de magia, no sé cómo se las arreglarían para desarmarlo, porque no era ningún grano de anís.

Lo que no me explico es lo que hace ella durmiendo aquí, y se diría que en plan provisional, porque sábanas no tiene, sin compañía de nadie. Me arrodillo en el suelo para remeterle la manta y taparle un pie, que le asoma desnudo por el borde de un pantalón de pana, y de pronto me doy cuenta de que no está sola. Hay un gato dormido a los pies del sofá-cama, porque es un sofá-cama. ¡Jesús, qué susto me ha dado! Gatos no hubo nunca en casa, éste parece mansito y casi recién nacido, es gris atigrado, muy mono, y ha ronroneado y cambiado de postura al tocarlo yo. En cambio ella no se ha movido ni cuando he dado la luz, ni al taparle el pie que se le estaba quedando frío, ni ahora que he dicho en voz alta «¡Ay madre, qué gato!», bueno, a mí me parece que lo he dicho en voz alta, pero vaya usted a saber.

Me siento en el suelo a su lado, dispuesta a hacer lo posible para que no tenga un mal despertar. La moqueta es la misma que había, rosa sucio, ¡y tan sucio!, ésta sí que está estropeada, hasta quemaduras de pitillo tiene; aquel tapicero de Legazpi moquetas creo que también ponía, y linóleum, bueno, ahora lo llaman sintasol. Apoyo la espalda contra el almohadón tirado por el suelo, que es grande y muy mullidito, respiro hondo. Lo que no veo por ninguna parte tampoco es la máquina de coser, una Singer de manivela que fue de mi madre, de las primeras, decía Santi que ésas ahora valen mucho. La habrán vendido en el Rastro.

—Sofía —digo dulcemente, mientras le acaricio como con miedo el pelo que le sobresale de la manta—. Sofía, hija, despierta. ¿Qué estás haciendo tú aquí? ¿Por qué duermes vestida? ¿Ha pasado algo malo?

Ahora emite un leve quejido, como de fiebre infantil, desplaza de una patada al gato, que se va a acurrucar en el cuenco de su vientre, y quedan los dos ovillados en semicírculo contra la pared.

En esta pared había muchos retratos familiares puestos en fila a diversas alturas, «el túnel del tiempo» lo llamaba Santi de broma, recuerdos de mi boda, de mi primera comunión, de ellos dos cuando niños jugando en el Retiro con aquella miss tan fea a quien Sofía bautizó «miss Nelly» por la que sale en *Celia lo que dice*, varias fotos, ya en color, de ella misma con sus hijos en distintas fases de crecimiento, de mi padre con uniforme militar, y otro retrato que ése sí sentiría que se hubiera perdido, muy romántico, me encantaba de vez en cuando mirarlo y verme con aquella cara de felicidad. Era una instantánea que me hizo el hermano de una amiga mía recién cumplidos los dieciséis años. Estoy contra una pared un poco desconchada, junto al quicio de una puerta, mirando a lo lejos, y a mi lado se ve un caballo. La puerta era de esas que hay en las cuadras de algunos pueblos, que se puede abrir sólo la hoja de arriba si se quiere. Pues bueno, por ese hueco abierto asomaba la cabeza blanca del caballo casi rozando la mía, yo peinada con raya al medio y de luto por la abuela Carmen. «Pobrecita, déjenla venir a pasar unos días con nosotros —le había pedido a mamá la madre de mi amiga—, a ver si se desimpresiona.» Porque a la abuela Carmen me la había encontrado yo muerta en su butaca, con la labor de ganchillo en el regazo, y hasta que le fui a dar un beso y noté aquel frío de la cara no me di cuenta de que estaba muerta, y salí gritando. Luego me puse malísima, no sé cuántos días con fiebre, y me vino la regla. Es el primer muerto que vi en mi vida, ahora ya ni las cuentas tengo ganas de sacar. Total, que en casa accedieron a la invitación. Mi amiga se llamaba Herminia y estábamos en una finca que tenían ellos en la provincia de Salamanca y a la

355

que habíamos llegado en un Buick negro antiguo muy alto con su chófer, gente de mucho dinero, el hermano de Herminia era mayor que nosotras, estudiaba para médico y estaba enamorado de mí. Nadie lo sabía, Herminia creo que tampoco, y ni siquiera recuerdo cómo me enteré yo, esas cosas entonces se adivinaban más que se sabían, yo lo adiviné en el momento de la foto. Era un atardecer de verano, iba a meterse el sol y yo apoyada en aquella pared blanca, quieta junto al caballo, sentía mucha emoción con los ojos fijos en la puesta de sol y pensando que dentro de un rato iban a arrancar a cantar los grillos y llegaría la noche. «No te muevas —me dijo él—, te voy a sacar una instantánea», y mi gesto soñador es de los que pone una de joven sabiendo que te embellecen y que alguien, al que ni siquiera miras, te está mirando a ti. Los hombres andaban en la trilla y se les oía cantar algo de surcos y gañanes, «si echas el surco derecho a mi ventana, labrador de mi padre serás mañana», y Lucas dijo, se llamaba Lucas, que esa canción se refería a que la hija del amo de la finca que fuera se había enamorado de un bracero, alguien de condición inferior a la suya; entonces salía mucho en el argumento de las coplas y de las novelas aquello de la desigualdad entre los enamorados, la señorita y el torero, la institutriz y el marqués, y era muy emocionante, porque la familia ponía obstáculos casi insalvables, luego se han perdido esos tabús casi por completo, la familia de Eduardo, sin ir más lejos, era gente de bien poco pelo, de un pueblo perdido de Teruel, y nadie dijo ni pío, claro que también, como pasó lo que pasó. El cielo estaba rojo, y luego salió la primera estrella, llevábamos un rato los dos solos, sin hablar nada, oyendo las canciones de trilla, y Lucas dijo: «Mira, Encarna, la primera estrella», y yo: «Ya la he visto, es el lucero de la tarde, hay que pedirle algo», «Bueno —dijo él—, pero algo para los dos», y el corazón me parecía que se me iba a salir por la boca. Me puse a decir bajito, como rezando: «Estrellita, la primera que en el cielo divisé, haz que sea verdadera la gran dicha que soñé.» Nadie más que yo se acuerda de aquel atardecer que no volvió ni volverá a repetirse nunca, me lo he llevado conmigo al reino de las sombras, ya ni la foto queda.

Ahora en esa pared tienen enmarcada con un *passe-partout* gris la reproducción en grande de un cuadro bastante feo. Bueno, según lo miro, me va pareciendo extravagante más que feo, y un poco sobrecogedor también. Pero lo cierto es que se me van los ojos y no logro apartarlos de esa escena, si escena puede llamarse, más bien naturaleza muerta, aunque tampoco. Al fondo hay una especie de montaña o acantilado cubista y en primer término, sobre fondo oscuro, una serie de relojes como derritiéndose, doblados y puestos a secar, uno en las ramas desnudas de un árbol, otro en el borde de una especie de mesa, otro encima de una caracola gigante, parecen moluscos, sólo hay uno más normal, con la tapa cerrada, ¿pero qué digo normal?, si después de que te fijas bien resulta que lo que parecían incrustaciones de pedrería adornando la tapa son hormigas, qué horror, es rarísimo. Me quedo un rato mirándolo y me inquieta tanto que me pongo de pie para verlo mejor. Debajo pone, en letras pequeñas, «Salvador Dalí, PERSISTENCIA DE LA MEMORIA, 1931, Museo de Arte Moderno, Nueva York». Me pregunto si será esa memoria tan anormal la que va a persistir, Sofía, ¿no se te ha ocurrido pensarlo?, ya no es la mía, ni la tuya siquiera, un invento del loco de Dalí, pero que algo querría decir con eso, tal vez que los relojes son un engaño, que no sirven para nada, sólo para medir el tiempo obligatorio y trivial de las gripes y las visitas y las comidas del domingo y la declaración de la renta, mi tiempo de dar órdenes, de esperar a que oscurezca para encender la luz, de planchar las sábanas que tú arrugabas y quejarme porque ha caído una mancha en la moqueta y de llamar al tapicero, pero que no tiene nada que ver con el tiempo de aquella tarde del verano en que murió la abuela Carmen; su transcurso, como el de esta noche, se rige sin duda por otras leyes; tal vez eso explica que se derritan los relojes. Si no se derritieran, si conservaran su énfasis inoxidable, no estaría sentada yo ahora aquí velando tu sueño y el de ese gatito gris, preguntándome lo que querría decir Dalí con eso de la persistencia de la memoria. ¿Te puedes imaginar, Sofía, ni remotamente, la clase de memoria que tendrán tus hijos cuando desaparezcas tú? Claro que no, no lo sabremos nunca, yo tampoco sé de lo que tú te acuerdas y de lo que no, ni cómo ordenas y te explicas esos recuerdos dentro de la cabeza, ni cuáles has tirado a la basura, no tengo ni idea. Pero mira, sólo te voy a decir una cosa: que no me imites a mí en ese tipo de inventarios, que lo que te haga sufrir lo descartes, hija.

Y me siento en el sofá y me abrazo al bulto de tu cuerpo y empiezo a acariciarte la cabeza llorando, y a acordarme no sé por qué de cuando te enseñaba a atarte los zapatos y a abrocharte tú sola los botones del abrigo y a cerrar y abrir un imperdible sin pincharte, y a atornillar la tapa de los botes de conserva y a cepillarte los dientes; y también de un día que tuviste fiebre alta y delirabas diciendo que estabas segura de que querías ser mala, que no podías parar de inventar cosas malas, por ejemplo dormir con un gitano sucio en una cama deshecha, todo lo que te prohibía yo, y también que querías desaparecer y olvidarte de esta casa para siempre, y de las ciudades y de la gente, echarte a volar y subir altísimo como las águilas, hasta regiones donde ya no hay aire y se muere uno de frío.

—Sofía —te llamo—, Sofía.

Y noto que me voy a desvanecer de un momento a otro, que se me está olvidando un recado que te quería dar, ya no sé lo que era.

—Sofía, dame un beso, yo también me voy a echar a volar como las águilas, y me imagino la casa desde arriba, dando vueltas en la oscuridad igual que un planeta ciego, a la deriva, era alguna pregunta sobre los relojes la que te quería hacer, ya no me acuerdo de dónde metí las joyas ni el papel en que dejé escrito cómo teníais que repartirlas, lo siento sobre todo por el reloj de papá, pero da igual, dime lo que te está pasando, porque eso es lo importante y no da tiempo a más, verme ya no vas a poder, me estoy deshaciendo, despierta, ¿me oyes? ¿Qué haces ahí con ese gato, con esos relojes blandos y despachurrados, con ese pie que has vuelto a sacar fuera?, ¿qué estás soñando?, ¿has tenido algún disgusto?

Y ahora ella rebulle y se queja, seguro que tiene una pesadilla, se vuelve hacia mí, agita un brazo, se destapa la cara, y, aunque todavía con los ojos cerrados, se pinta en ella una expresión contraída, de angustia, como si quisiera gritar y no le saliera el grito, la sacudo, pero ya casi no tengo fuerzas.

—Sofía, Sofía, estoy aquí contigo pero por poco tiempo, despierta, no tengas miedo, todo era un sueño, todo ha sido un sueño, un mal sueño, yo ya me voy, regreso a la barca. Sofía, no olvides lo que te he dicho, no vuelvas a sufrir más, nunca más, adiós Sofía.

* * *

—¿Qué pasa, por favor, qué pasa? ¿Qué hora es? ¿Dónde están los relojes?

Me he despertado sobresaltada, con mucho dolor de cabeza, escalofríos y la boca seca. Creo que es la sed, una sed rabiosa, lo que me ha despertado. Y también un sueño de relojes, mamá no se había muerto, estaba aquí mismo conmigo, yo era mamá. Estoy sentada en la cama, pero no sé qué cama es, el cuarto tardo en reconocerlo, aunque lo veo, porque me he debido dormir con la luz encendida.

Junto a la lamparita hay un vaso con agua. Me la bebo sin resuello. No está nada fresca y sabe raro. O será la boca lo que me sabe a mí raro. Luego, después de mucho aguzar la vista para orientarme, acabo por reconocer un mueble, la estantería de los pirulís de madera. Pero reconocerla no supone un grato aterrizaje en el tiempo, sino un tambaleo que me lleva a rechazar de un manotazo la manta que me cubría, echar pie a tierra y ponerme a dar vueltas por este espacio cerrado, breve viaje de exploración en busca de un armario grande de tres lunas que, evidentemente, no está.

Voy descalza. Me palpo el cuerpo, cubierto por un pantalón de pana y un jersey ligero. Me había dormido vestida, como aquella noche lluviosa de septiembre en la butaca de mamá. Una butaca muy pesada de orejas que también ha desaparecido, la llamábamos «el camfornio». Tal vez se la llevara Santi con otras antiguallas a su casa de América en uno de esos raptos febriles y disparatados que le dan de vez en cuando al término de un trance de nostalgia. La tenía arrimada ella al balcón, cerca del costurero y la mesita del teléfono. Su butaca de siempre, en la que leía el periódico, hacía labor y resolvía crucigramas, desde la que nos llamaba preguntando que si íbamos a venir a comer el domingo y miraba la calle con aquellos ojos acobardados y turbios de viuda, la butaca color mostaza donde le pilló, sin escapatoria posible, el rayo fulminante del infarto.

La tarde anterior vine a visitarla, recién llegada de Brighton. Estuvimos hablando durante rato y a gusto, porque yo traía ánimos para dar y tomar de aquel viaje como de novela, y precisamente me dijo ella que había que llamar a Tomás el tapicero, porque el terciopelo mostaza −comentó palpándolo− ya pasaba de castaño oscuro, y se rió del juego de palabras. Cuando las cosas rebasaban cierto límite o alguna situación tocaba fondo, ella lo traducía como que aquello estaba pasando de castaño oscuro, una frase que decía mucho su abuela, por lo visto, y nunca se olvidaba de mencionar la fuente, como quien pone una cita a pie de página. «Ya he comprado en Gancedo la tela nueva, ¿sabes?, al fin me decidí el otro día, me dije "De hoy no pasa", porque si no este asunto, hija, se va a quedar para el Valle de Josafat, cuando suenen las trompetas.» Y yo le pregunté que si aquello del Valle de Josafat también lo decía su abuela. «No, mujer, esa frase es de tu difunto tío Luciano, a cada cual lo suyo.» Y luego se levantó porque me quería enseñar la nueva tapicería para el camfornio, y también sonrió al decirlo, porque sólo le llamaba así a la butaca cuando estaba de buen humor, otras veces le parecía una ofensa. Sacó el paquete del armario, lo acercamos a la luz, y la ayudé a desenrollar la tela del cilindro de cartón que todavía traía, porque era fin de pieza, una tapicería estampada en tonos azules y rojos, y me pidió parecer, dijo que ella la encontraba más sufrida que la otra, aquel adjetivo era garantía de calidad para ella, tal vez por su arraigada tendencia a ensalzar el sacrificio. «Más sufrida no sé, creo que lo contrario, a mí me da la impresión de que mucho más alegre, ¿no?, y es de lo que se trata.» Se negó a entrar en aquella disquisición sobre el sufrimiento y la alegría que tal vez nos hubiera llevado demasiado lejos, cambió descaradamente de tema. «Entonces tú te encargas de llamar a Tomás, hija, si me haces el favor, porque como los dos estamos algo sordos, y Adela lo mismo, son conversaciones las nuestras que parecen de Arniches.» Y se volvió a reír, acordándose de lo gracioso que estaba Valeriano León en aquel papel de sordo, cuando le decían que tenía que oír una misa por no sé quién, y el contestaba, con la trompetilla en la oreja: «¿Oír una misa?, bueno, yo, si la dicen fuertecito.» Y que qué gloria la escena española cuando formaban compañía aquellas parejas eximias, Valeriano León y Aurora Redondo, Vico y la Carbonell, Loreto Prado y Perico Chicote, la López Heredia y Asquerino, tan elegantes, había que ver lo bien que se ponía los guantes Mariano Asquerino. En fin, que ya ibas al teatro sobre seguro, echaran lo que echaran, para verlos a ellos. «Bueno, mamá, los ídolos cambian, pero eso también pasa ahora.» Y ella hizo un mohín despectivo y tajante, que presagiaba tormenta: «Quita, mujer, por favor, ¡me querrás comparar!» Y me callé, porque sabía que a mamá muchas veces, no una ni dos, por culpa de una discusión tan tonta como ésa o más, se le podía torcer el naipe para toda la tarde o para dos días, y ya surgirle aquella veta de amargura contra el cosmos en masa que le nublaba el gesto y la incapacitaba para verles el lado placentero a las cosas que un minuto antes la estaban divirtiendo y haciendo reír, como cuando se funden los plomos; le daba un chasquido la capacidad de disfrute y ya no había forma humana de volverla a poner de buen humor, yo es que ni lo intentaba, a lo que sí había aprendido era a barruntar aquellos extraños nublados suyos, y a temerlos. Me arrodillé en el suelo para doblar la tapicería. «Ya mejor quitando el cilindro, ¿no te parece, mamá?, abulta menos», como tanteando a ver si se había puesto de malas. Se resistió un poco, que qué me estorbaba a mí el cilindro, que qué manía de tirarlo todo, «¡trae acá!», y lo apoyó refunfuñando contra un ángulo de la pared, ella era mucho de guardar cosas inútiles que luego no se acordaba dónde había puesto cuando al cabo del tiempo le venían a hacer falta, en eso como mi hija Encarna. Y me miró de plano a los ojos, de eso que decías ¡me pilló!, porque notabas que te estaba adivinando el pensamiento, y dijo: «Hay que ver, hija mía, lo distintas que somos, parece hasta mentira, lo nuestro es de libro», pero con una sonrisa de condescendencia, o sea que las nubes se habían disipado. Y sin transición ni que viniera a cuento añadió: «Y vienes guapa de Inglaterra, condenada, no se qué te habrán dado allí.» Y ahí ya tuve que mirar para otro lado porque noté que me estaba poniendo como un tomate. Pero ahora pienso que fui tonta, que tenía que haberle contado mi reciente aventura con Guillermo, aunque fuera quitándole lo más escabroso, simplemente a estilo novela rosa. Igual lo hubiera entendido, quién sabe. Además, luego he pensado que me lo pudo leer en la cara en aquellos instantes de penetrante mirada, la última de esa clase que clavó en mí y que no fui capaz de sostenerle. Desde luego, que me ponía colorada lo tuvo que notar de sobra, pero no dijo nada. Y volvimos a meter el paquete en el armario, un retal de dos metros y medio doble ancho; a mí me parecía que aunque el camfornio era mucho camfornio, había comprado demasiada cantidad. «Estaba muy rebajada —dijo ella—, mejor que sobre. Siempre se pueden hacer luego algunos almohadones.»

Sobraron enteritos los dos metros y medio. Creo que estaba buscando el teléfono de Tomás, o pensando en buscarlo, a la tarde siguiente, cuando llamó Adela, la vieja criada. Vine a toda prisa en un taxi con Encarna y Daría, que son las que en aquel momento estaban en casa, pero ya no llegamos a tiempo.

Mandó que no la movieran del cuarto de costura, había insistido mucho en aquello, según contó Adela, que la dejaran aquí, que tiene que ser donde a uno le pille la suerte, que a su abuela Carmen también la había pillado cosiendo, «No se os ocurra moverme de aquí». Por lo visto fue lo último que dijo. «Pero no se referiría a la capilla ardiente, mujer.» «Que sí,

362

señorita Sofía de mi alma, le aseguro que sí, precisamente eso, era su voluntad. Ya no podía hablar siquiera, sólo por señas, y me hizo un gesto así con la mano todo a lo largo, y la barbilla acompañando, y me miraba con los ojos perdidos, pero con angustia, como queriendo saber si me había enterado. Y cuando le dije que sí, que estuviera tranquila, ya expiró como una santa, y se le cayó la cabeza, se entendía de sobra lo que había querido decir.»

De manera que allí se la puso, en el cuarto de costura, que era éste, he tardado en darme cuenta, parecía más grande con los tres espejos del armario de luna. Yo me quedé velándola y me venció el sueño acurrucada en la butaca color mostaza, menudo camfornio, si es que cargó con él Santi en alguna de sus mudanzas barrocas al otro continente. El paquete de la tapicería estampada de Gancedo a saber dónde iría a parar, con el follón que se formó aquí poco después. No había vuelto a entrar en este cuarto ni sé por qué estoy en él ahora. Y me quedo absorta, con los ojos fijos en el centro de la estancia, donde se instaló el rectángulo negro rodeado de hachones, y ella acostada dentro, sobre un fondo de raso malva. La miraba desde mi butaca, mejor dicho, la suya, no directamente, sino reflejadas ella y yo en las tres lunas del armario ropero, que cogía casi toda la pared de enfrente. Una visión oblicua que distorsionaba la escena y fomentaba las ensoñaciones que me alejaban de ella y la volvían irreal, como cuando vas al teatro y te distraes pensando en cosas tuyas, porque lo que están diciendo allí no logra prenderte, no te lo crees, pues lo mismo. Veía la escena, pero no pensaba en mamá ni en lo que pasaría luego con el piso, ni en si Santi, que estaba en un congreso en Atlanta, llegaría o no a tiempo para acudir al entierro, ni a quién pertenecerían aquellas voces y pasos cuyo eco se colaba por la ranura de la puerta, ni quién se habría tomado el café cuyos posos quedaban en el fondo de una taza sobre la mesita, probablemente la última persona que me estuviera haciendo compañía, sí, alguien que me había puesto una manta sobre las piernas y me acarició la cabeza. «Dejarla un rato sola, pobrecita, ¿te apagamos la luz?», y yo que no, gracias, que estaba bien así. Me gustó notar que estaba empezando a llover. Y me quedé dormida.

Me había despertado de pronto aquí sola, en mitad de la noche, con ella de cuerpo presente, y la lluvia arreciando fuera. Y por encima del féretro abierto y de sus manos cruzadas e inmóviles sosteniendo un rosario, el espejo que había en la otra orilla me devolvía una sonrisa ensimismada y sensual, rastro de una evocación inconfesable pero redentora, blindada contra el óxido de la culpa. Más perversas y retorcidas eran aquellas historias del gitano andrajoso inventadas en mi adolescencia para hacer rabiar a mamá, lejanos rencores sin consumar, la de ahora no era fruto de ningún morboso caldo de cerebro, sino historia fresca, real e intempestiva, de liebre aparecida en el erial, y además sólo me separaba de ella una semana, por eso mi sonrisa, usufructuada aún por aquel reciente choque vitamínico, era al mismo tiempo inocente, audaz y secreta, y su huella en el espejo despedía el iris tornasolado de las penas de amor. Y revivía una y otra vez con todos sus detalles, en mitad de la capilla ardiente, una noche mucho más ardiente, la última que pasé con Guillermo en el cuarto de su pensión londinense también amueblada con un armario de luna que recogía el perfil cambiante de nuestros cuerpos entrelazados —todo es un infinito juego de espejos—, un cuarto empapelado de azul donde él me había pedido llorando que no lo volviera a abandonar, como si fuera yo y no su mujer quien lo hubiera abandonado, petición seguida por un denso silencio donde peleaban recuerdos e intenciones irreconciliables y que por fin rompí yo con mis palabras. «No, Guillermo. No quiero terminar como Anna Karenina», le había contestado con voz firme, pero sintiéndome tocada al mismo tiempo por la mano irreal de Greta Garbo que me convertía por unos instantes en la tentadora adúltera de Tolstói para hacerme abjurar enseguida de su sórdido destino, entre suspiros y lágrimas tan fantásticos como verdaderos, trasvasados de su ficción a la mía, «En este espejo no te mires —parecía decirme ella—, para eso te lo enseño», otro juego de espejos superpuestos; no, no me complacería en esa imagen de

ruina y fatalidad, como Anna Karenina no quería acabar.
Era sobre todo esa frase final de mi novela la que iluminaba
la embocadura del túnel de regreso a la realidad, un túnel
por el que tampoco me atrevía a meterme aún y que se adi-
vinaba interminable. Llovía, llovía sin parar, *¡oh, le chant de
la pluie!* Repasaba aquellas palabras con delectación, como
un texto que se conoce de memoria pero cuya relectura sigue
emocionando, sobrevolaban el cuarto a manera de pájaros de
fuego, se destrenzaban sobre el vientre ligeramente abultado
de mi madre, rebotaban fuera con la lluvia, no, como Anna
Karenina no, pero dicho entre besos, sinfonía de despedida
apasionada con acordes de eros y tánatos. Había sido un final
agridulce y perturbador, adiós a la aventura del lobo rubio
encanecido, a lo que pudo haber sido y no fue, hasta la eternidad te seguirá mi amor, un final de bolero.

* * *

Sigo teniendo mucha sed, muchísima. Oigo un leve mau-
llido y noto un roce suave junto a mis pies desnudos. Un gatito
gris se está frotando contra ellos, se me agarra al borde de los
pantalones y me mira pidiéndome permiso para trepar. Me agacho a acariciarlo, mientras busco los zapatos medio sepultados
por un almohadón, y él se pone a empujar con las patas un cilindro que rueda sobre la moqueta. Lo persigue dando saltos
muy graciosos. Es un tubo de pastillas vacío.

−¿De dónde sales tú, gatito precioso? Estáte quieto, anda.
¿Qué quieres?, ahora te hago caso, espera un momento, espera, ya. ¿Tienes hambre, ganas de jugar o las dos cosas?
Sueño no, por lo que veo. Yo tampoco, pero no me acuerdo
de lo que hago aquí. Ven conmigo. Así, ¡qué suavecito eres!
Vamos a ver qué pasa por el mundo, ¿te parece?, lo que sea de
uno que sea de los dos. Con alguna sorpresa nos encontra-
remos.

Ronronea, se deja coger en brazos entornando los ojos voluptuosamente, y salimos los dos juntos al pasillo en busca de

365

nuevas aventuras. Ojalá nos salga al paso alguna menos imaginaria, no sé si será mucho pedir.

Cuando entro en la cocina a beber, por de pronto, más agua y a mirar si hay un poco de comida para este amigo inesperado, voy pensando, mientras le rasco con mimo la cabeza, que ando yo muy falta de cariño y lo peor es que ya me he acostumbrado y no lo noto, tiene que aparecérseme un animalito como éste para que me dé cuenta. Desde que murió mamá, me he ido encerrando en mí misma cada vez más, como ella a quien yo tanto se lo reprochaba, «Pero llama a alguna amiga, por favor; claro, no las tienes porque no las llamas, si no riegas los tiestos también se te secan, ¿no?», y ella que la dejara en paz, que le daba pereza. Es malo aislarse así. Soledad me lo dijo el otro día hablando de su madre, que o se reconcome por no darle tres cuartos al pregonero de lo que le está pasando, o si no les suelta el veneno a los hijos. Y eso tampoco. No quiero acabar como esa señora ni como mamá, la pobre, más sola que la una, resentida, que antes la mataban que pedir auxilio o un mimo, hay que saber mantenerse una en su sitio —decía—, siempre esperando que la vinieran a buscar a ella, sin tener de quién echar mano cuando le entraran ganas de hacer confidencias o de pasarlo bien, pues no sé, con una amiga de la propia edad y gustos parecidos, porque los chicos en cuanto crecen ya radian en otra onda y hablan raro y no sabes lo que piensan de ti, y en cambio con las amigas puedes desahogarte y decir que la vida es un asco, pero también reírte y quitarle importancia a los disgustos de juventud, y recordar cosas de los veraneos y letras de canciones y películas, en fin, un intercambio, porque, si no, acabas loca, pierdes hasta el sentido del humor. Y enseguida, como es natural, se me viene a las mientes Mariana, su figura se abre paso entre la niebla de lo falaz, se dibuja contundente como el sol a mediodía, y quiero su calor, lo echo de menos con urgencia, con una *saudade* ya irresistible, portuguesa, claro, porque en otra lengua no se explica. No puedo esperar más, necesito dejarme en paz de tanto cuadernito y llevárselos a Mariana, porque escribir es un pretexto para volver a verla, quiero ver enseguida, mañana mismo si pudiera ser, a mi amiga Mariana León Jimeno. Se llamaba Jimeno de segundo apellido, me acabo de acordar al sacar una botella de agua mineral de la nevera, justo cuando estoy tratando de encontrar en la mesa de mármol un hueco libre para apoyarla. León Jimeno, háblenos de los artrópodos. Y sonrío.

En ese momento es cuando me doy cuenta de que alguien me está mirando. Es un chico flaco, con el pelo enmarañado y gafitas. Lleva un pendiente. Ha salido del servicio y se está subiendo la cremallera del pantalón vaquero.

—¡Ahivá, la Virgen! —dice—, ¡si estaba contigo Pussy! Ya lo podíamos buscar. Pues fíjate, lo dijo Raimundo, que igual habíais ligado, que te pegaba a ti ligar con gatos, ya ves. Para esas cosas tiene radar el tío. Ven conmigo, colegui, ¡y yo buscándote por el ropero! ¿Le has dado de comer algo?

El gato ha saltado de mis brazos a la mesa y sortea ágilmente los bultos dispares que configuran el relieve de su intrincada geografía. Se ha parado a explorar con el hocico un charquito blanco y arquea el lomo.

—¿De comer? Yo no. Si acabo de conocerlo ahora —digo, mientras busco infructuosamente un vaso limpio entre la montonera de cacharros con resto de comida, tazas pringosas y ceniceros sin vaciar que colman el fregadero y se desbordan por sus alrededores—. Se me ha aparecido, que lo diga él, en mitad de otra escena, como la Virgen de Lourdes. No venía en el guión.

Ahora el chico ha cogido a Pussy en brazos, pero permanece inmóvil, sin dar muestras de que vaya a tomar ninguna decisión, ni quitarme ojo.

—No venía en el guión... —repite con una risa absorta—, ¡qué pasada, tía! No te sigo.

—No importa. ¿Sabes dónde hay vasos? Limpios, me refiero.

—No sé si habrá alguno en el salón. Esta noche con la movida se han roto unos cuantos. Pero bebe a morro. Por cierto, ¿estás mejor?

Me siento en una banqueta. Luego, mientras él me sigue

mirando entre pasmado y risueño, desenrosco el tapón de la botella de plástico y bebo ávidamente hasta vaciarla.

—¿Mejor que cuándo? ¿Que antes de beber?

—Por ejemplo. Tu eres de las mías, ¿Para qué ir más atrás? Eso es lo malo de Raimundo a veces, que se remonta a los godos.

—Ya. Pues sí, mucho mejor. Y oye, cierra la puerta del retrete si no te importa, guapo, y apaga la luz, de paso, que tampoco son las cuevas del Drac lo que se ve. No te han educado en colegio de frailes, eso está claro.

Obedece, atragantándose de risa.

—¡En colegio de frailes! Yo es que flipo contigo —dice—, eres total.

—¿Tú crees? Pues no sé, chico, yo me veo más bien parcial. Por cierto, ¿cómo te llamas?

Dice que Antonio y es lo último que se le entiende claro, porque luego se ríe de forma tan convulsa que le da un ataque de tos. Repite, reforzando su estribillo con un gesto de la mano, que de eso nada, que lo mío es total, absolutamente total. El gato se escapa de sus brazos, empuja la puerta de vaivén y sale maullando al pasillo. El chico se tambalea, se apoya en la pared y me fijo en que tiene los ojos un poco nublados. Me levanto y le pongo una mano en el hombro. Está palidísimo.

—Antonio, ¿te pones malo? ¿Qué te pasa, Antonio?

Se deja conducir por mí a la mesa, le arrimo una silla, se sienta agarrándose al respaldo, echa la cabeza para atrás y respira hondo, con los ojos cerrados.

—No es nada —dice entre dientes, con una voz súbitamente desvalida—, un bajón.

—Espera, te voy a dar un poco de agua.

En la nevera ya no queda más agua ni vino ni cocacolas ni cervezas, ni nada en absoluto a excepción de medio tomate mohoso luciendo a modo de bodegón surrealista, sobre entremesera desportillada con dibujo de mariposas, era de una vajilla antigua de casa de los abuelos. Abro el grifo del fregadero, pero me doy cuenta de que salpica mucho, y de que si no aparto el primer estrato de loza y cacharrería que impide el paso del agua, me voy a poner perdida. Inicio, pues, un desalojo provisional de obstáculos, aunque sé de sobra que en casos de tan suma gravedad no hay medias tintas que valgan, que empieza una en plan de quitar sólo lo más gordo, pero no puede ser, te acabas liando. Madre mía, esto ya pasa de castaño oscuro, hay colillas flotando hasta dentro del turmix. Y dice éste que aún queda material en el salón. Pues estamos buenos.

Así que, efectivamente, tras un primer drenaje de emergencia que me lleva a dejar expedito un cauce para que corra el agua, desenterrar un vaso de duralex, fregarlo y llenarlo en el chorro de la fría, cuando vuelvo y se lo pongo a Antonio en la mesa, ya vengo atándome un delantal con el Pato Donald que colgaba de una escarpia y traigo hecha mi composición de lugar a corto plazo. Conozco la sensación y en algunos casos —aunque pocos— no resulta desagradable: es como volver a tomar las riendas de un asunto todo lo rutinario y banal que se quiera, pero en cuyo desempeño puedes echarle un pulso al más experto campeón, que está chupado, vamos, como dirían ellos.

—Anda, hombre, no te quedes así, como si te hubiera dado un pasmo. ¿Tienes sed?

Antonio niega con un gesto, sin abrir los ojos. Pero me coge a tientas una mano y me la besa.

—Da igual, anda, bebe. El agua siempre sienta bien. La tienes ahí, en la mesa, mírala.

Abre los ojos, como si le costara trabajo, se adelanta a coger el vaso y las manos le tiemblan un poco.

—Ah, sí, el agua, gracias.

Mientras bebe, me quedo de pie a su lado y le acaricio ligeramente el pelo áspero y ensortijado, de un rubio sucio. Su respuesta es un quejido de placer casi imperceptible, gatuno, tan cómico y fiel trasunto de ronroneo de Pussy que no puedo por menos de reírme. Luego, previa consulta, me coloco detrás de él y empiezo a hacerle un poco de masaje en los omóplatos y las cervicales, no muy fuerte, por encima de la camiseta; dice que mejor se la quita. Lo lleva a cabo con una celeridad poco acorde con su aparente crisis de letargo, la tira alegremente por el aire —«¡allez hop!»—, y se apoya de bruces contra el borde de la mesa. Le aparto algunos trastos para que esté más cómodo. Que qué gozada, un masaje, eso es lo que más espabila, que Raimundo va al Villamagna dos veces por semana, y a la sauna, cómo se lo monta el caballero, que soy un cielo, Raimundo también lo ha dicho, una tía total. Huele un poco a sudor. La camiseta ha ido a caer encima de una litrona vacía de cerveza y pende de allí como un estandarte anacrónico, emitiendo consignas inoperantes. Alcanzo a leer entre sus repliegues «and your body», el resto queda oculto. Cada vez es más profuso el mensaje de las camisetas, tiene más texto que un anuncio del New York Times.

Este chico se debe alimentar mal, se le señalan mucho las costillas. Pero la piel la tiene muy suave, sin rojeces ni espinillas, como de niño. Sólo llama la atención una mancha muy definida bajo el omóplato derecho, es de color café y recuerda vagamente el mapa de Italia. Se lo digo y se ríe, pero de otra manera distinta a la de antes, más confiada y tierna, incluso un poco sensual, «Comunicas mogollón, las mujeres sois la hostia, ¡qué vibraciones tan guay!», y que esa mancha es de nacimiento, un antojo de su madre, que igual cuando estaba preñada vio por la tele La dolce vita, pobrecilla, sabrá ella ni por el forro lo que es vivir sin dar golpe.

Y de pronto, sin transición, se vuelve, se abraza a mí llorando desde la silla, y empiezo a oír sus quejas ahogadas, desgranadas a la altura de mi estómago y de la cabeza del Pato Donald, que pasa así a desempeñar el papel de improvisado confesor; que Madrid es una ruina, un engaño manifiesto, que por qué no se quedaría él en Pola de Langreo ayudando a su madre en la panadería, en vez de apuntarse a vivir a bandazos, de prestado y de ansias sin fuste, metido en el rollo de los demás, compañías de usar y tirar, a la que salta, al trapicheo, aquello sería un agujero, de acuerdo, pero era el suyo. Y que igual ahora estaba casado con la Nines y había logrado darle un nieto a su madre y no como ahora un disgusto tras otro y vengan mentiras, qué putada, con lo que ella piaba por un «nenu». Le sale de pronto un marcado acento asturiano e intercala palabras más rurales. Poco a poco se va calmando y afloja la presión de sus brazos desnudos en torno a mi cintura, que le perdone, que le ha dado como un flash, que le pasa a veces.

—Vamos, hombre, no te pongas tampoco así —le digo—. ¿Cuantos años tienes?

—Treinta los primeros que haga. En agosto, por la Patrona.

Se ha separado de mí, bebe un poco más de agua, recupera la camiseta y, antes de ponérsela, se limpia las lágrimas con ella. Parece haberle sentado bien el desahogo del llanto, eso nunca falla.

Y ya me desplazo de forma decidida hacia el área del fregadero y desde allí, mientras voy llevando a cabo mi tarea con el mayor esmero y eficacia posibles, continúo la conversación, consciente de que la armonía de los gestos se transmite a la voz serena con que procuro apaciguar a este náufrago de la gran urbe. Le digo que es muy joven, que tiempo de sobra le queda para tener hijos con la Nines o con quien sea, y que además los hijos no se deben engendrar para darle gusto a la madre de uno ni siquiera a la posible madre del niño, que en lo que hay que pensar es en ese niño, que si caes en mirar a los hijos, antes incluso de que nazcan, como fuente de satisfacción personal o terreno a colonizar y no como en seres independientes, que entonces apaga y vámonos. «Tal vez me estoy enrollando demasiado», pienso en un determinado momento, y vuelvo la cabeza para ver si se me ha dormido con la conferencia. Y está mirando a la embocadura del pasillito que lleva a la entrada de servicio y a lo que fue cuarto de Adela, con un gesto absorto, obnubilado, y dice que sí, que de acuerdo, pero que su problema es otro, que no tiene que ver con eso.

—Hombre, algo tiene que ver —replico un poco desconcertada, mientras compruebo por enésima vez en la vida lo espectacularmente que desciende el nivel de platos en cuanto se limpian los restos de comida y tenedores interpuestos.

Sigue diciendo que no, que lo suyo es más complicado. Y decido callarme por ver si eso le da pie para desenredar los nudos de esa obsesión que le ha ensombrecido la voz de repente. Y enseguida me doy cuenta, además, de que escucharle no sólo va a servir para recomponer su rompecabezas, sino también para encontrar algunas piezas perdidas del mío. Dice que le extrañó enterarse, cuando yo me fui a acostar, de que era la madre de Lorenzo, igual que a la otra gente que había, Raimundo era el único que lo había notado, claro, él es mayor, «O bueno, no sé si se lo contarías tú, como estuvisteis hablando aparte bastante rato». Y de pronto parece salirle por primera vez un «tú» más tímido, como si entre la que apareció con Pussy en brazos y la que friega los platos ahora se interpusiera el fantasma de su propia madre, la panadera de Pola de Langreo, y estuviera explorando mis capacidades para aceptar misericordiosamente su confesión, que no llega a producirse, ni falta que hace, porque ya mucho antes de meterme con las tazas y los vasos, he caído en la cuenta de que el único método fiable para darle un nieto a esa señora no debe contarse entre las aficiones practicadas por Antonio. Y me pregunto si mamá se moriría sin sospechar que tampoco entre las de Santi. En cuanto a Lorenzo, por ahora no tengo pistas. Desde luego las chicas le gustan mucho, hoy mismo estaba con una creo recordar, pero, por lo que dice Encarna, ahora los bisexuales abundan también a punta de pala. Me doy consignas mentales, mientras enjuago vasos y los voy apartando, para que mi atención hacia las palabras de Antonio no se vea adulterada, a partir de ahora, por una veta policiaca tipo Miss Marple.

Su discurso fluye de forma torpe y fragmentaria, obstruido por múltiples interferencias. Me entero de que se dedica a la fotografía, aunque tambien arregla electrodomésticos y conduce la furgoneta de un colega que tiene un vivero, una gente con la que vivía él antes en la Costanilla de los Ángeles, ya ni lleva por cuenta la cantidad de sitios donde ha dormido en Madrid, y siempre de prestado, notando al final que estorbas, lo de la vivienda está fatal. Me entero también de que Lorenzo le ha ayudado cantidad, porque es un tío legal como pocos, que a todo el mundo le echa una mano en cuanto puede, ya podía aprender Raimundo, y de que están haciendo juntos un libro sobre azoteas de Madrid, que han pedido una subvención a la Comunidad, y de que vive recogido en esta casa desde hace dos meses.

—En un cuarto independiente de ahí —dice señalando con la barbilla en la dirección de su mirada—, estoy de puta madre, pero provisional, claro, aquí no me voy a quedar para siempre.

Y siento ganas de decirle que nadie se queda en ningún sitio para siempre, y me entra como miedo porque me parece que voy a ver salir por ese hueco a Adela vestida de negro, y cierro los ojos con una sensación de mareo. «Pero no —me digo, mientras sigo escuchando a Antonio como en sueños—, acógete impasible al instante presente, ahora estás en el refu, refugio para tortugas como su propio nombre indica, y este chico al que ha dado asilo Lorenzo debe ser el rubito al que venían dirigidos los jarrones que porteó Cayetano Trueba, enviados por un vecino de la calle Covarrubias que, o mucho me equivoco, o es el mismo Raimundo a quien tanto menciona este refugiado del refu y del que ahora mismo está diciendo que no piensa más que en lo suyo y que es un egoísta de tomo y lomo. Los jarrones no los he visto, y eso que dijo Consuelo que eran enormes, pero descarto esta pesquisa de los jarrones, que bastantes cabos me quedan todavía por atar, y además el susto de Adela vestida de negro no se me acaba de pasar del todo. Hubo un momento en que me tuve que agarrar al fregadero porque las piernas me flaqueaban.

—Eso sí —sigue Antonio—, cuando aparece gente nueva, se pone en plan maravilloso y le come el coco a Michael Jackson que entre por esa puerta, porque sí, porque puede, porque es un genio el tío. Como hoy, ya lo has visto, pico de oro a tope. Pero es del último que llega. En cambio a la hora de hacer un favor a los colegas que estamos café café al quite de lo suyo, ahí ni p'atrás, o sea, yoyeo total. Y es muy fuerte eso, ¿no?, que te echen así el cierre. Mira a mí si no podía tenerme fijo en su casa, que no es ningún chabolo, con más motivo él que nadie, pues ni un amago, nunca. Te llama sólo cuando se aburre o le da la neura, se lo decía yo antes en el salón, ya harto, porque es que te harta, así que los demás no tenemos derecho a la neura, ¿no te jode?, pero no se le puede decir nada, no veas cómo se pone, le entra un cabreo de mono. Claro, en cuanto se queda sin público. Desde hace un rato ha caído en picado, todo lo ve marrón. Y no se quiere ir a su casa. No sé qué hacer porque Lorenzo ya se ha dormido. ¿Por qué no me echas un cable tú, que tienes carisma?

De pronto me quedo en suspenso, mis ojos resbalan huérfanos por unas superficies exentas de significado y percibo una especie de amenaza, como si la casa entera estuviera a punto de desintegrarse con todos los fantasmas que contiene, planeta ciego girando en el vacío, a no ser que un eslabón la conectara de repente con la vida. Y acabo de localizar ese eslabón. Noc. El jardín de la casa de Suances.

—¿Donde está Encarna? —pregunto—. ¿No ha venido a dormir?

—No, que yo sepa. Pero ha llamado antes, creo.

—Ya, ¿y con quién ha hablado?

Nombrar a Encarna es tomar aire, medidas, referencias, inyectarse suero en vena. Salirse de la campana de vacío. Ella vive en esta casa, estoy en este refugio que ha preparado para mí con balcones al mar, es mi capitán. Va a venir.

—Raimundo se puso, me parece —dice Antonio—. Pero ella no puede arreglar nada, aunque venga. Se llevan fatal. Raimundo por quien ha preguntado es por ti. Mogollón de veces.

—¿Por mí? Perdona, vete cosa por cosa, a ver si me aclaro.

—Sí, es que la gente se ha ido dando el pire. En cuanto tú te fuiste a echar, se acabó el *happening*, se aburrían. Y a él le ha dado por beber y por escribir poesías muermo y enfadarse porque yo no caigo en trance. Dice que sólo tú las entenderías. Desde luego lo has dejado alucinado, se nota que lo motivas. Bueno y él a ti lo mismo, tenéis un rollo parecido los dos, se os notó desde que entrasteis por la puerta, como que yo creí que os conocíais de toda la vida.

Me quito el delantal del Pato Donald, lo vuelvo a colgar

en su escarpia, y de las nieblas de mi cerebro va surgiendo poco a poco, como de una foto de la Polaroid, la figura de un señor de pelo blanco y voz muy bonita que estaba llamando al telefonillo de abajo cuando yo llegué a esta casa, escapada de la mía. Me gustó su gesto entre ampuloso y delicado para dejarme entrar delante en el portal y que subiéramos juntos en el ascensor, ya hablando con una complicidad inmediata desde que supimos que veníamos al mismo piso. Me dio un cierto respaldo, lo noté enseguida, aunque parezca raro que necesite yo del respaldo de un extraño para entrar aquí, venga Dios y lo vea, como diría mamá. Pero es que no había nadie conocido, ni se fijaron en si entraba o no, y yo ya llevaba un rato vagando sola por las calles del barrio, bebiendo en un par de bares, indecisa, igual llego y los molesto, y no sabía qué decir, tenía unas ganas de llorar horribles. Acababa de oír en un bar la voz de Ana Belén: «...será que una vez más estoy haciendo/el camino de vuelta hacia el infierno», y si no llega a estar Raimundo en el portal igual paso de largo, camino del infierno, prendida en esa retórica de las flores del mal que tanto daño ha venido haciendo de Baudelaire a esta parte. Menos mal que él se dedicó desde el primer momento a hacerme caso, como un anfitrión un tanto irreal, porque desde luego las cosas que dice son francamente extravagantes, pero me gustaba meterme con él en aquella ficción balsámica que me evadía de mis problemas. Sí, puede que tengamos un rollo parecido. Estuvimos hablando de literatura, de Pessoa, me parece. Y que me desdoblara —me decía—, que construyera en sueños las calles de mi nuevo país, y las casas, ladrillo por ladrillo. Se había dado cuenta de que estaba triste, perdida. Y poco a poco lo dejé de estar, creó para mí una pequeña patria de palabras, un albergue provisional.

Luego vino Lorenzo con más gente, y me llevó un rato a su cuarto, muy cariñoso, que me quede aquí todo el tiempo que quiera, pues no faltaba más, yo antes que nadie. Que les cerrara en las narices la pared de mampostería a él y a la tal Magdalena; noté que conocía el nombre de antes. Las cosas pasan y punto, mamá, no le des más vueltas. Y que no me consentía llorar, que soy lo más guapo del mundo, la reina del refu, y que Encarna diría lo mismo. Pero el primer cable me lo había echado el anfitrión del pelo blanco. Luego ya salimos otra vez al salón, y se lió la cosa.

—Es que cuando os pusisteis a imitar las fiestas de la gente fina —seguía comentando Antonio— erais como Martes y Trece, menudo show, con ensayo no os sale mejor, pero tú dominando, que quede claro. Yo creí que serías alguna actriz, como anda tanto con los del teatro, pero no, tú tienes otro apresto. La gente se ha ido flipada, eres demasiado. Y eso que dice Lorenzo que hoy traías los cables un poco cruzados. Pues quién lo diría.

Termino de recoger también la mesa y le paso una bayeta húmeda por el mármol. Esto ya parece otra cosa. Creo que voy a buscar una lámpara de flexo, en el salón tiene que haber alguna, y me voy a venir aquí a escribir, porque es que ya no me caben en la cabeza las cosas que se me ocurren para apuntar. Llevo mucho atraso.

Antonio sonríe.

—¡Qué guay ha quedado la cocina! La Consuelo no trabaja como tú, se escaquea.

—Lo sé, hijo. No la conozco de ayer. De lo que andáis fatal es de víveres, a ver si mañana le ponemos remedio. Venga, vamos un momento si quieres a ver a Raimundo. Que luego yo tengo qué hacer.

Repite que soy una tía total, le da una patada a la puerta de vaivén y salimos juntos al pasillo.

Está encendido. Una chica cruza del baño al cuarto de Lorenzo, que tiene la puerta abierta. La cierra tras de sí. Iba descalza. Llevaba puesto un pantaloncito de satén, y por arriba nada. Ni Antonio ni yo hacemos comentario alguno.

Raimundo está en el salón tirado en la alfombra como un guiñapo y con una botella de whisky al lado casi vacía. Se retuerce un poco y se queja como si tuviera fiebre o le doliera algo. No se parece en nada al que vi antes, tan preocupado de su aspecto y de sus gestos. Menos mal que al principio no da muestras de reconocerme. Inmediatamente, en cambio, se dirige a Antonio y empieza a reprocharle con voz pastosa lo que ha tardado en volver, y otras cosas más inconcretas y absurdas. Le llama Zajar.

—Voy a despedirte, Zajar, eres demasiado real y demasiado inútil. No me sirves. Llevar vida normal es un delirio.

Antonio tampoco parece el mismo. Se pone agresivo y le dice que o le llama por su nombre o se va acordar, que no le aguanta más fantochadas, que está muy visto, que se largue. Le zarandea con el pie, tropieza y cae al suelo encima de él. Intervengo para separarlos.

—Venga, por favor —digo con voz conciliadora—, parecéis niños chicos. También son ganas de reñir por tonterías.

Raimundo llega, a cuatro patas, a apoyarse contra el reborde del sofá. Me mira con ojos tristes. Leo en ellos el esfuerzo por esconder el reconocimiento súbito de mi identidad bajo una máscara teatral. Engola levemente la voz.

—Zajar me martiriza —dice en un susurro—, me sigue como un perro al que a veces asusto. Dame un pitillo, Zajar. No sé el tiempo que llevo solo en esta oscura mazmorra. Ignoro si esto se está acabando o se acabó ya. Sombras de sombras. Sírvele una copa a la baronesa.

—Yo no te sigo como un perro —protesta Antonio—, ni te necesito para nada. Y me aburres de muerte, además. Y a todo el mundo, para que lo sepas, ya no le haces gracia a nadie, ¡a nadie!, la gente te huye.

—¡Cállate, lombriz! Pidamos disculpas a la baronesa. Ni tú ni yo podemos alardear de que haya sido ésta una de nuestras mejores noches. Ya veo que no se te ocurre nada. ¡Dejemos que nuestros clásicos nos iluminen en una noche como ésta!

Y mientras dirijo una mirada de exploración al entorno en busca de una lámpara que no veo entre el caos reinante, le escucho recitar algo que suena a Shakespeare:

—En una noche como ésta, Tisbe, que marchaba medrosa por el bosque, sorprendió la sombra de un león, antes de verlo, y huyó llena de espanto.

Antonio hace una reverencia y se pone a aplaudir con ademanes de bufón, mientras Raimundo levanta hacia mí unos ojos entre serviciales e implorantes.

—Decidme, noble señora, ¿buscabais algo?

—Sí, tal vez un cuaderno que pudiera sobraros, o cualquier

otro recado de escribir. Necesito ser vuestro cronista —digo, tratando de seguirle el juego.

Se le iluminan los ojos, y me alarga la mano para que le ayude a levantarse. Apenas se tiene de pie.

—Es una petición exquisita —dice—, digna de quien ha puesto como vos, señora, su bandera en las nubes.

Y se dirige haciendo eses hacia una mesita llena de libros y papeles. Hay también muchos periódicos apilados.

Antonio ahora se ha acercado a mí y sigue los movimientos de su amigo con una expresión súbitamente tierna y deslumbrada.

—¿Te das cuenta? —me dice casi al oído—. ¿No te he dicho que tú lo motivas? Y eso que está p'allá, menudo colocón. Pero lo has amansado. ¿O.K.? Todo bajo control.

Raimundo se vuelve y nos mira. Me alarga un cuaderno negro con tapas de hule, que previamente ha estado inspeccionando y del que ha arrancado las primeras páginas.

—No conspiréis a mis espaldas —dice—, pues ya todo es inútil. Incapaz de enfrentarse con sus solas fuerzas a tantos ejércitos enemigos, se rinde un hombre acabado. ¡Llorad por el caballero Raimundo de Ercilla!

Se tapa la cara con las manos y se desploma en el sofá llorando. Al principio, creo que sigue haciendo teatro, pero luego no sé qué pensar. Me arrodillo a su lado, mientras Antonio se pone tranquilamente a liar un canuto.

Y de repente sé a ciencia cierta quién es ese hombre que mira al vacío y dice con una voz velada por las lágrimas:

—¡No quiero volver a la UVI! Pero tampoco, ay de mí, soy capaz de bajar al fondo de mi bodega con el candil encendido. Antonio, de verdad te lo digo, llama a la doctora León, es urgente. ¿Dónde se habrá metido esa hija de puta? ¡¡Mariana!!

Antonio da una calada profunda al canuto recién encendido.

—¡Jo! Ya empezamos —dice—. ¡Pues sí!

Me levanto casi de puntillas y desaparezco sin decir una palabra ni que nadie me detenga. Una vez en el pasillo, me dirijo a paso vivo hacia la cocina con el cuaderno negro apretado contra el pecho. No puedo esperar más. Son demasiadas cosas. Ya no me caben.

* * *

No sé el rato que llevaré escribiendo a toda velocidad, sin levantar cabeza, tal vez ya esté clareando, cuando oigo el llavín en la puerta de servicio y unos pasos inconfundibles por el pasillo. Me quito las gafas, clavo los ojos en ese punto y espero verla asomar como quien acecha la salida del sol tras una noche interminable. Entra, se para y nos miramos largamente a los ojos sin sorpresa, recelo ni segundas intenciones, la cosa más natural del mundo, igual que beber agua o comer pan, pero también lo más extraordinario, un alimento cuyo valor sólo se aprecia cuando nos falta.

Viene de minifalda, zapatos planos y chaqueta de hombre.

—Hola, bonita, buenas noches —dice sonriendo.

No me pregunta qué hago aquí a estas horas. Siempre se ha jactado de impasibilidad, de estar al quite y tomar nota de todo, pero sin interrogatorios ni aspavientos, «ni aunque veas aparecer en el ascensor a Carlomagno vestido de torero». Es su lema.

Pero se le nota que viene de muy buen humor y rumia alguna ilusión reciente. Ya me lo dirá, si quiere. Y si no, da igual. Me basta con verla, oírla, sentir su tacto. Se acerca a darme un beso, la abrazo por la cintura y me quedo unos instantes con la cabeza apretada contra su vientre joven, donde puede que algún día anide la continuación de estas memorias. Se me viene sin querer la imagen de la panadera de Pola de Langreo, aunque le cierro la puerta enseguida, porque si siguen entrando personajes accesorios, esta cocina va a convertirse en el camarote de los hermanos Marx.

Si le dijera esto a Encarna, nos reiríamos muchísimo, pero lleva demasiado preámbulo y hay cantidad de temas más importantes haciendo cola. Me pasa siempre que la vuelvo a ver. No sé por dónde empezar a contarle cosas.

Percibo con fruición el jugueteo silencioso de sus dedos entre mi pelo.

—¡Qué alivio ver la cocina tan recogida cuando llegas a estas horas! —dice—. Parece un milagro. Como si hubiera vuelto la yaya.

Noto un nudo en la garganta que me impide hablar. Encarna se desprende de mí y apoya sobre la mesa una bolsa roja y negra de plástico. Se pone a sacar de ella yogures, cervezas, pan de molde, leche, galletas, envoltorios de albal y unas latas.

—Me he pasao por un VIPs —dice—, porque lo que no estará como en tiempos de la yaya es la nevera. No me hace falta ni abrirla. Y he traído también comida para el gato, porque ellos mucho Pussy para arriba y Pussy para abajo, pero si no fuera por mí, estaría a dieta el animalito. ¿Pero qué te pasa? ¿Te has quedado muda?

—No, hija, es que no me caben en la cabeza tantas cosas a la vez. Como decías tú de pequeña la culpa es de los cachitos, ¡todo son cachitos! ¿Te acuerdas?

Se echa a reír.

—¿Cómo quieres que no me acuerde? Lo decía en Suances, ¿verdad?

Miro el cuaderno negro, con mi caligrafía reciente.

—Sí, y también hace un momento. Estaba apuntando cosas de ese verano para coger el hilo de mi llegada aquí esta noche. Todo son cachitos, como ves, de una historia muy larga.

Ha sacado un poco de queso de uno de los envoltorios y se está preparando un emparedado. Abre una cerveza. Se sienta enfrente de mí.

—Pero vamos a ver, ¿a qué cachito de la historia te refieres concretamente? No te hagas la misteriosa. ¿En qué estás pensando, por ejemplo, ahora, en este momento? Sin más. No hagas trampas. Te doy quince segundos.

—En la yaya. En lo raro que me parece que la hayas nombrado nada más entrar por esa puerta, que hayas dicho «parece como si hubiera vuelto». No es que quiera hacerme la misteriosa, ni la rara, ni nada. Pero es que..., de verdad, ha vuelto. La yaya esta noche ha vuelto, te lo juro, Encarna. No te rías.

Me mira muy seria, como yo en tiempos cuando ella me confesaba lo de los universos.

—¿En qué te basas para pensar que me voy a reír? Los muertos a veces vuelven al lugar donde vivieron, sobre todo cuando los dejas libres, cuando no los agobias, nos visitan en sueños. ¿Has soñado con ella?

—No, ha sido algo más fuerte todavía. Me he estado paseando por el pasillo como si fuera ella, me he desdoblado en ella, acabo de acordarme, ¡es que era ella!, miraba esta casa y no la conocía, y luego... no sé, más cosas, muchas cosas. No me había pasado nunca eso con mamá, se salía de mí como si yo la pariera, de verdad, alucinante. Y pensaba con sus frases y revivían sus recuerdos. Algunos se me han borrado, pero otros no. Por eso me he puesto a escribir, para que no se me olvidara lo que ha podido quedar, para rescatarlo.

—Bueno —dice Encarna—, siempre se escribe para lo mismo, un poco en plan «restos del naufragio», ¿no?

Hay un silencio. Bebe un sorbo de cerveza. Ahora me está mirando de otra manera, no es que se ría, pero pone un poco de cara de detective. A veces he pensado que se puede parecer algo a Mariana.

—¿Hace mucho rato que estás aquí? —pregunta.

—No sé, no me acuerdo casi, precisamente estaba escribiendo también para eso. Y sobre todo para ajustar las cuentas con el tiempo. Que a veces pasa la factura de una forma tan rara.

Mira hacia el cuaderno y por primera vez desde que ha entrado parece alterarse. Lo coge y busca en la primera página.

—Pero bueno, ¡este cuaderno es mío!, ¿de dónde lo has cogido? Espera... No, ¡no te fisgo...! ¿Lo ves? Aquí al principio tú misma puedes ver mi letra. Pero tenía escrito más. ¿Me has arrancado páginas?

—No, si yo no sabía que fuera tuyo. Me lo ha dado Raimundo, un amigo vuestro que está en el salón, ha sido él quien ha arrancado las hojas.

—Amigo mío no, amigo del chorvo, querrás decir. De verdad, oye, tengo unas ganas de tener un apartamento para mí sola. Pero es que lo de ese tío es el colmo, disponer ya hasta de mis propios cuadernos. Tiene su casa, ¿no?, y pasta para comprarse medio Muñagorri.

—No sabes cuánto lo siento —digo compungida, como si hubiera sido yo la causante del estropicio—. Los cachitos de todas maneras están en el salón. No creo que los haya tirado.

Estoy a punto de añadir... «Y se pueden pegar», como cuando rompía de niña algún objeto de valor y mi madre lo descubría; para ella todo eran objetos de valor. Pero levanto los ojos y su nieta, que en eso no ha salido para nada a ella, ya está sonriendo y haciendo un gesto muy suyo con la mano, como de borrar en un encerado una fórmula equivocada.

—Vale, no te preocupes, no te quiero amargar la noche, para una vez que vienes. Si además da igual, los tendré pasados a limpio en otro sitio. Venga, no pongas esa cara de niña asustada. Sólo quiero que conste que el cuaderno —añade, volviéndolo a dejar sobre la mesa— te lo regalo yo, nada de Raimundo. ¡Yo! Y además con una cita que no está nada mal. ¿La has leído?

Le digo que no y miro la primera página. «De todos los pozos se puede salir —leo— cuando se enciende la curiosidad por saber lo que estará pasando fuera mientras uno se hunde.» Levanto los ojos. Ahora se está haciendo un emparedado de jamón de York.

—Oye, ¡qué bonito! —le digo—. ¿De quién es?

—Mío, te lo regalo. Oye, por cierto, ¿a Raimundo lo conocías de antes?

—No, lo he conocido aquí esta noche. Y me ha parecido una persona que lo está pasando mal, pero muy inteligente. No sé, tal vez lo pasa mal de puro inteligente.

—Bueno, pasarlo mal todo el mundo lo pasa mal, mamá. A ver quién no lo tiene crudo hoy en día. Y la inteligencia de Raimundo nadie se la discute. Pero si lo suyo es fascinar, hacer de Pigmalión, porque es lo que le encanta, no nos engañemos, pues para eso tiene su propia casa, ¿no?, es lo único que digo, y que últimamente se ha vuelto un poco plasta, abusa, de verdad. Con el cuento de la lástima y del terror a quedarse solo, no nos lo despegamos de aquí ni con agua caliente. Y, claro, a Lorenzo le da pena. Es que hace unas semanas, ¿sabes?, tuvo un intento de suicidio.

—Sí. Ya lo sabía.

—¿Por los periódicos?

—No, hija, por los cachitos. Pero ése no hace al caso ahora, volvamos a lo de la yaya. ¿Qué me estabas diciendo?

Se queda cavilando unos instantes. Le vuelve la cara de detective.

—Ah, ya... No... te preguntaba que a qué hora llegaste y si había gente aquí y eso, por saber si te pasaron alguna calada de porrito.

—Sí, creo que sí. Es que no me acuerdo, me debió llevar Lorenzo al cuarto de costura porque me viera mareada. Y había bebido bastante también.

—Pues no me digas más. Eso de los desdoblamientos en otro, si no estás acostumbrada a fumar hash, es típico. A mí me ha pasado también alguna vez. Lo que da en cambio luego muy buen rollo es para escribir. Se combinan de miedo, por ejemplo, los dos planos del sueño y de su interpretación. De todas maneras, a ti no te hace falta fumar hash, te piras con diez de pipas, en cuanto alguien te da pie, ya te conocemos.

Y, de pronto, nos ponemos a hablar de problemas de elaboración literaria, de coincidencias, metáforas, principios y finales, con un estusiasmo propio de quien tiene sed atrasada de algo, quitándonos la palabra una a otra. Parece como si no hubiéramos hablado de otra cosa en la vida. Y aprovechando una pausa de las pocas que surgen se lo comento, y ella salta muy seria que, claro, ¿de qué me extraño?, ¿es que hemos hablado de otra cosa en la vida?, que me acuerde sin ir más lejos, para no complicar el argumento con adornos nuevos, del verano en Suances («citado más arriba», añade,

383

señalando risueña el cuaderno negro), a ver si aquello no eran discusiones rigurosas sobre literatura.

—Yo estoy muy contenta —me dice de pronto—, porque me van a publicar un libro de cuentos.

—¿De verdad? Pero bueno, ¿y cómo no me lo habías dicho antes, por favor?

Se echa a reír a carcajadas. Manotea en el aire y se sacude cómicamente los hombros, como si estuviera espantando una bandada de mosquitos o intentara despegarse algo que se le ha adherido a la ropa.

—¡Tendrás cara de exigirme un antes y un después, mamá, con todo estos cachitos por el aire y por el suelo! Retales más bien, ¿no te parece?, hilos, botones, imperdibles y carretes vacíos, «trampantojos de costura», como diría la yaya, porque todo es coser. Te lo he dicho cuando ha venido a cuento. Aparte de que seguro no lo había sabido hasta esta noche.

Me cuenta que viene de cenar en casa de un editor joven a quien le ha entusiasmado su libro; la invitó para decírselo y también que se lo publica. Luego se pone a hablarme de ese editor, de cómo y dónde lo conoció y dice que es un encanto, que nunca ha conocido a un hombre tan encantador, y que no la invitaba sólo para lo del libro.

—Me ha emboscado, ¿sabes?, pero en buen plan. No es para nada de los de aquí te pillo aquí te mato. De ese tipo de tíos estoy harta. Como tú dices siempre «el acto es corto, y el entreacto es muy largo».

Está tan guapa, tan animada, irradiando tanta luz que aquel cuento sombrío de su primera edad, cuya lectura motivó hace unas horas mi decisión de presentarme en el refu, se disipa inmediatamente como un murciélago a quien ponen en fuga las luces del amanecer. Después de ese «exilio sin retorno», o que parecía no tenerlo, hemos vuelto a encontrarnos aquí mi niña y yo. Seguro que los cuentos de ahora no son tan tristes. No traería esa cara.

—¡Qué gusto me da verte así! Me coronas de gloria, hija, como diría la yaya. Hace tiempo que no te veía tan guapa.

—No sé —dice—, es que vengo volando esta noche. Por eso,

ni siquiera me ha extrañado encontrarte aquí, ni que a ella se le haya ocurrido bajar a hacer una visita de inspección por los pasillos, cualquier prodigio lo veo natural.

Le pregunto por el título de su libro y me dice que tenía varios, pero que, después de discutirlo con Nacho Egido, que así se llama su novio-editor, el que les ha parecido mejor es *Persistencia de la memoria*, y que han pensado que podría llevar en la portada una reproducción del cuadro de Dalí.

—El cuadro de Dalí, ese de los relojes pachuchos —aclara—. Tenemos un poster grande en el antiguo cuarto de costura. Lo trajo Lorenzo de Nueva York. Si has dormido allí, la habrás visto.

Me quedo pensativa.

—Lo he visto, sí... Persistencia de la memoria... Pero oye, perdona, estaba pensando antes..., porque he andado con un trasiego de objetos y muebles en la cabeza, que ni Gil Stauffer..., ¿qué sería de las fotos que tenía la yaya pinchadas en esa pared?

—¿Qué fotos?

—No sé, muchas. Pero concretamente una, me ha estado obsesionando el recuerdo de esa foto, sabe Dios dónde habrá ido a parar.

—¿Pero cuál? ¡Si no me dices cuál...!

—Tu no te acordarás a lo mejor. Una en que estaba la yaya, de joven, con un caballo.

La miro. Está sonriendo. Alcanza su bolso, que ha dejado en el suelo, hurga en él y con toda parsimonia, como quien prepara un golpe de efecto, saca de un monedero marroquí repujado la foto de mi madre. La pone encima de la mesa y ordena otras, entre las que la ha estado buscando.

—¿Ésa decías?

—Sí, claro. ¿Y cómo la tienes tú?

—Porque siempre me gustó mucho. La cogí cuando murió ella. Además es una foto que tiene historia, ¿sabes?

—¿Qué historia?

—Una historia de amor. Pero es un secreto entre la yaya y yo, si no te importa. Yo con la yaya también tenía mis secretos.

Solamente al final, cuando ya las dos nos estamos cayendo de sueño, me pregunta que si he venido a quedarme aquí esta noche porque haya tenido algún disgusto.

Este último tramo de la conversación, y el más breve, tiene ya por escenario el antiguo cuarto de costura, adonde me ha acompañado para enseñarme la reproducción de Dalí, yo tumbada en la cama y ella sentada en la alfombra, ocultando ambas a duras penas los bostezos.

Le hablo con la mayor superficialidad posible de la pelirroja y de mi decisión de desaparecer de casa al menos por unos días. Sin embargo, al final se me quiebra la voz.

—¡Pero qué unos días, mamá! Si lo que tienes que hacer es irte para siempre. Ya hace siglos que no pintas nada ahí, nada en absoluto. ¡Venga, por favor, no te pongas a llorar ahora! Pues sólo faltaba. Que se la coma con patatas a esa cursi. Olvídalos. Y a la tía Desi, igual. Pasa de ellos.

—Ya, pero ¿qué voy a hacer?

Me alarga un pañuelo.

—De momento, no llorar. ¿Estamos? Y luego lo que te apetezca, ¡sin más! Lo que te salga de las narices. Vamos a ver, ¿qué te apetece?, ¿dónde te gustaría estar en este momento? Te doy quince segundos.

—Dónde, no sé —digo, secándome los ojos—, pero con quién sí. Con una amiga mía, Mariana León..., ¿te acuerdas de Noc?

Percibo en su voz una ligera impaciencia.

—Sí, mamá, pero hasta mañana por lo menos no saques más cachitos, que me estoy cayendo de sueño. Vamos al grano. Esa Mariana León, ¿quién es?, ¿dónde está?

—Eso quisiera yo saber, hija. Se ha ido de viaje fuera. Pero no tengo ni idea de adónde.

—Bueno, pues ahora a dormir. Mañana lo averiguamos, te lo juro. Yo me disfrazo de policía y te acompaño a buscarla hasta por debajo de las piedras. Anda, bonita, duérmete, que estamos agotadas. Y por cierto —añade mientras se inclina a besarme—, te tengo que dar el nombre y la marca de una crema de jalea real reafirmante, creo que va genial. Es la que usa Raimundo. Tienes el cutis muy descuidado.

—Sí, he perdido mucho las ganas de arreglarme.

—Pues ésa es otra de las primeras cosas a las que tenemos que poner remedio. Un cachito muy principal. Pero ahora desenchufa la pila por favor. Mañana será otro día. Te apago, ¿vale?

—Sí, mi vida, adiós y gracias por todo —le digo, ya con la luz apagada, tratando de retenerla aún unos instantes entre mis brazos—. Pero dime sólo una cosa, la última, te acuerdas de Noc, ¿verdad?

—Claro. Esta aquí con nosotras ahora —me dice en un susurro—. No lo espantes. Ya sabes que le gusta entrar a oscuras.

* * *

Me despertó Consuelo a primeras horas de la tarde. No había nadie en el refu. No quería ser indiscreta, pero entraba a decirme que me había llamado una amiga mía desde un hotel de Cádiz. Parecía cosa urgente. Mi amiga Mariana León.

EPÍLOGO

Rafael Heredia, el camarero del chiringuito La Caracola, limpió la mesa que acababa de abandonar una pareja de alemanes maduros, recogió en una bandeja botellas, vasos y el platito con la propina y, una vez en el área de servicio, resguardada de la intemperie por una precaria construcción de aluminio, cristales y uralita, se apoyó en el mostrador, se sirvió un whisky y se quedó mirando con gesto entre inquisitivo y experto las nubes arremolinadas que se oscurecían amenazadoramente sobre el mar, poniendo trabas a la bajada ceremoniosa del sol. Señaló con el mentón a un extremo de la barandilla que circundaba la terraza.

—Hoy a ésas dos les va a tocar mojarse —le dijo a su sobrinillo y ayudante eventual, un chaval moreno de quince años con cara de ratón listo—. Y no será porque no se lo haya advertido. Lo han dicho por la radio y por la tele.

El chico terminó de enjuagar unos vasos.

—¿Qué han dicho? —preguntó sin mucho interés.

—Nubosidad variable con algún chubasco en todo el Suroeste —sentenció Rafa, tras paladear con deleite el primer trago de whisky—. Viene de África.

—Ya —comentó el chico—. Tenemos la tormenta encima. Con lo bueno que amaneció esta mañana.

Y acto seguido se puso a tararear un tema de Presuntos Implicados.

A medida que decaía la luz, empezaba en efecto a soplar

un viento fuerte y húmedo, que arrastraba abajo, en la playa, plásticos, envoltorios, un periódico desbaratado y cajetillas de tabaco vacías. Entre las nubes de un cárdeno casi negro, el sol asomaba a rachas, trabajosamente, un rostro congestionado por la fiebre.

Pero las dos mujeres sentadas una frente a otra de cara al mar, junto al extremo de la barandilla, no parecían advertir la inminente llegada de la lluvia ni de la noche. La única mesa de la parte exterior que seguía ocupada era la suya. Aunque, a decir verdad, ocupaban dos. En una tenían las consumiciones, el tabaco y algún folio y cuaderno. Pero era en otra más grande, que habían arrimado, donde se amontonaba el grueso de papeles, cuadernos y carpetas de que echaban mano continuamente. El gesto precavido de coronar aquella montonera por piedras o algún cenicero de cristal gordo, a modo de improvisados pisapapeles, parecía haber sido su única reacción ante la ventolera que se estaba levantando. Totalmente embebidas en la labor de leer aquellas páginas y de apuntar algo en sus márgenes, solamente interrumpían su tarea para intercambiar comentarios que solían desembocar en risa. Si una de ellas se quedaba silenciosa mirando al mar en actitud pensativa, la otra no tardaba en quebrar su silencio gesticulando expresivamente, o pasándole el papel que estuviera leyendo, mientras le señalaba con el dedo índice alguno de sus párrafos. Se inclinaban una hacia otra por encima de la mesa de tijera. Tenían las mejillas encendidas y esgrimían en la mano derecha sendas plumas estilográficas de punto grueso, una negra y otra verde, con el capuchón desenroscado. El aire, cada vez más bravo, les alborotaba el pelo y agitaba sus ropas.

—Por lo menos que se vinieran a una de las mesas de aquí, ¿no? Estarían más resguardadas —dijo Rafa—. Porque, además, ahí dentro de poco ya no van a ver ni torta. Que ésa es otra.

El chico interrumpió su letanía melódica, donde se quejaba repetidamente de que alguien era la piedra en su camino y la cruz de su destino, para replicar con desgana:

—Pues hombre, díselo. Tú a la más alta parece que la conocías, ¿no?, yo por lo menos eso es lo que te entendí ayer.

—Sí, es psiquiatra. Lleva ya bastante tiempo en el hotel. La otra no. La otra se ha presentado hace tres días. De repente. Debe ser una amiga, no me preguntes. Y ahí las tienes, hijo. Tú mismo lo ves.

El chico puso una cara de cómica sorpresa.

—¿Pero qué veo? Yo no veo nada. Menuda monserga te traes con ellas, tío. Déjalas en paz.

Rafa, sin quitarles los ojos de encima, dio otro trago a su vaso. Luego se encogió de hombros.

—Por mí bien dejadas están. Pero lo que no entiendo es el plan que se traen, la verdad. Porque dices, algún trabajo, pues bueno, de acuerdo, pero trabajando no se le pone a uno tanta cara de cachondeo, o no sé..., como de estar en el cine. Y además, en qué cabeza cabe, teniendo como tendrán una habitación de la hostia, porque bueno es ese hotel, ya lo conoces, venirse aquí como a la oficina. Y pedirme que les baje el volumen de la música, ¿tú lo entiendes? Tres tardes llevan igual. Y que hoy se mojan, Paquito, te lo digo.

—Pues bueno, allá ellas, tío Rafa. Les gustará el aire libre. Caprichos de ricos. Que con eso de cuidar locos se tiene que sacar un pastón, no creas.

El otro, por toda respuesta, desvió los ojos velozmente hacia la culebrilla de un relámpago formidable que acababa de dibujarse en el horizonte, sobre las negruras de un cielo ya irremisiblemente encapotado. Recalcó su mirada con una sacudida del dedo índice y esa sonrisa de suficiencia típica de los seres cargados de razón.

—¡Santa Bárbara bendita! —murmuró Paquito, tapándose los oídos, para atenuar el estallido del trueno que siguió y cuyos ecos dieron paso inmediato a un chaparrón de gotas gruesas que no tardó en arreciar.

—Si te lo he dicho —remachó su tío—. Pero es lo de siempre, nadie se acuerda de Santa Bárbara hasta que truena. Y así va el país. Vamos a echarles una mano a esas dos, anda, que lo van a necesitar. ¡Madre mía! No les faltaba más que haberse traído el Espasa.

Las dos mujeres se habían levantado y estaban recogiendo

a toda prisa, aunque con gestos armoniosos, sus cuadernos y carpetas, y metiéndolos en una bolsa grande de lona. Pero ni aun ahora aquellos rostros, por los que empezaba a resbalar la lluvia, daban muestras de cansancio, contrariedad o apuro, sino que parecían, más bien, iluminados por un resplandor interno de serenidad.

Recibieron con afectuoso alborozo la llegada de aquellos dos ayudantes espontáneos, entre los cuatro despejaron rapidamente las mesas y enseguida emprendieron regreso a paso vivo hacia la zona cubierta del chiringuito. Ellas iban las primeras, tapándose la cabeza cada cual con su chaqueta, sonriendo, atentas a los bultos que porteaban.

De una de las carpetas, mal cerrada, se escapó un folio y salió volando en remolinos. Paquito, que escoltaba el grupo, dejó en el suelo una bandeja con tazas y vasos que traía, y salió corriendo por las escaleras que bajaban a la playa en persecución de aquel papel fugitivo, azotado por la lluvia.

Lo repescó, bastante sucio ya y mojadísimo, al borde del último escalón, tras dos intentos fallidos de ponerle el pie encima.

Estaba recién escrito y la tinta se había desteñido sobre una de las palabras en letra mayúscula. No eran más que dos. La primera, NUBOSIDAD, casi no se leía.

Madrid, abril de 1984-enero de 1992

ÍNDICE

Este libro se acabó de imprimir
en los talleres gráficos
de Libergraf, S.A.,
Constitució, 19
08014 Barcelona